Arturo Jauretche

EL MEDIO PELO
en la Sociedad Argentina
(Apuntes para una sociología nacional)

Arturo Jauretche

EL MEDIO PELO
en la Sociedad Argentina
(Apuntes para una sociología nacional)

Obras Completas
Volumen 3

Este libro ha sido publicado con el auspicio de
Nueva Dirección en la Cultura

Diseño de tapa:
Nueva Dirección en la Cultura

1ra. edición
2da. reimpresión

Rodríguez Peña 452 (C1020ADJ) Bs. As.
Web site: www.corregidor.com
e-mail: corregidor@corregidor.com
Hecho el depósito que marca la ley 11.723
I.S.B.N.: 950-05-0672-6
Impreso en Buenos Aires - Argentina

ADVERTENCIA PRELIMINAR

Si bien el tema que voy a tratar en este libro es de sociología debo prevenir al lector que no estoy especializado en la materia, y que sólo ando por ella de "bozal y lazo", como dijo Hernández, un sociólogo nuestro que tampoco era de la especialidad. Guardando las distancias con el autor de Martín Fierro *intento colocármele "a la paleta" en el método, proporcionando datos y reflexiones que he recogido como actor y observador apasionado en el curso de una vida lo suficientemente prolongada para que pueda ser testigo de casi todo lo que va del siglo.*

Tal vez lo que resulte sea pura anécdota de "mirón", pero no es mi propósito, como no fue el de Hernández, hacer obra puramente literaria a través de un personaje de imaginación, que es lo que pretendieron entender durante mucho tiempo los mandarines de nuestra cultura.

Porque los conocía se previno:

> Digo que mis cantos son
> para los unos... sonidos
> y para otros... intención

Nos dejó así, el mejor, si no el único, documento histórico sobre una época de transición en que fue sepultado el pueblo-base de nuestra nacionalidad; de ese drama tendríamos muy escasas noticias, a pesar de lo reciente, por la labor de los informantes documentales y eruditos, sin la presencia de su testimonio poético elaborado en una vida de hombre "comprometido", y en causas perdedoras.

Con esto se comprenderá por qué he subtitulado este trabajo como "apuntes para una sociología" con la esperanza de proporcionar al sociólogo, desde la orilla de la ciencia, elementos de información y juicio no técnicamente registrados, que suelen perderse con la desaparición de los contemporáneos. Que lo logre o no, dependerá de mis aptitudes que "pido a los santos del cielo" me ayuden a ponerme en la huella de tan ilustre marginal de lo científico.

Al mismo tiempo, pretendo ofrecerle a mis paisanos un espejo donde vean reflejadas ciertas modalidades nuestras, particularmente en la cuestión de los status, *de cuya evolución histórica me ocuparé en primer término. Deseo hacerlo amablemente, abusando del escaso humor de que dispongo, para atenerme al* castigat ridendo mores, *en espera de que la comprensión de la falsedad de ciertas situaciones, y el ridículo consiguiente, contribuyan a liberar a muchos de las celdas de cartón en que se encierran con la aceptación de artificiales convenciones.*

El sociólogo apreciará los hechos que refiero, valorándolos según el juicio que surja de su particular inclinación interpretativa. Yo sólo pretendo señalarlos y es su tarea determinar causas, lo que no excluye que ocasionalmente me aventure hasta las mismas, cuando lo imponga la descripción de los grupos identificados. Esencialmente aspiro a señalar la gravitación en nuestra historia de las pautas de conducta vigentes en los grupos sociales que la han influido, y sólo subsidiariamente referirme a las causas originarias de las mismas.

Con lo ya dicho –la naturaleza de testimonio de este trabajo–, excuso la ausencia de informaciones estadísticas y de investigaciones de laboratorio que pudieran darle, con la abundancia de citas y cuadritos, el empaque científico de lo matemático y al autor la catadura de la sabiduría. Las pocas pilchas que lo visten son las imprescindibles para justificar la presentación del testimonio.[1]

---

[1] Félix Herrero en la "Estructura socio-económica argentina" (Comunidad Demo-cristiana, Número Abril-Mayo, 1966), dice:

Tan erróneo como despreciar de hecho las causas extra-económicas es la idea, a veces bastante generalizada, de que los investigadores económicos olvidan en sus trabajos dichas causas cuando hacen estudios descriptivos de una realidad cuantificable. Ambos tipos de trabajos mientras se realizan a nivel científico, pongan el acento en lo político o en lo económico puro, son importantes para descubrir la verdad busca-

RELATIVIDAD DEL DATO "CIENTÍFICO"

A este respecto debo confesar mi prevención contra los datos de ese género que en muchas ocasiones, con su deficiencia perturban más que ayudan. Creo en la eficacia de utilizar como correctivo del dato numérico la comprobación personal para que no ocurra lo que al espectador de fútbol que con la radio a transistores pegada a la oreja, cree lo que dice el locutor con preferencia a lo que ven sus ojos.

Por vía de ejemplo van pruebas al canto:

"La Nación" del 6 de marzo de 1966, nos informa sobre el resultado de un relevamiento aerofotográfico realizado en la ciudad de Córdoba, para comprobar la validez del registro de propiedades urbanas de la Municipalidad de esa Capital. Dice el

---

da (entre los primeros se debe citar a Jauretche, Rosa, Scalabrini Ortiz, etc.).

Se juzgan a veces en forma muy ligera, y con cierto tono de seriedad científica los trabajos de la historia económica nacional que explicaron nuestro proceso a través de los intereses económicos extranjeros, pero hasta ahora, como en la mayoría de los países latinoamericanos, los trabajos posteriores vienen a corroborar la tesis expresada por economistas no de profesión o por economistas comprometidos.

Prosigue Herrero: *Los estudios sobre el sistema de transporte, la función de la zona productora de materias primas y de un centro exportador, la estructuración del comercio exterior y de la producción, la relación producción industrial y agro-importadora, la estructura del mercado, etc., han sido hasta ahora explicados por los economistas políticos que llamaron a las cosas y a las causas por su nombre, muchas veces en ausencia del técnico que confunde seriedad con falta de compromiso con la realidad.*

Señala a continuación que si se pierde objetividad por la politización, también se dejan de enunciar aspectos reales para buscar una falsa imagen objetiva, científica, para concluir: *En ambas situaciones puede sacrificarse la verdad pero en la segunda también puede peligrar el compromiso con la nación y la sociedad... Muchas veces esta actividad del investigador científico ha hecho que lo reemplacen en su irreemplazable función. Los trabajos aproximativos acerca de la estructura económica y social han sido efectuados por hombres no preparados para el intento y aun por organismos no dedicados funcionalmente a dichos estudios.*

ingeniero Víctor Hansjurgen Haar, quien tuvo a su cargo el relevamiento, que la pesquisa ha indicado que sólo el 50% de las propiedades se encuentran correctamente registradas, y de ese 50%, si bien cumplen con sus obligaciones al fisco, no han declarado sus propietarios mejoras que se han hecho en sus viviendas.

Esto significa que el 50% de la ciudad de Córdoba no existe estadísticamente, pues los datos sobre la construcción se recogen de los registros municipales. El sesudo investigador que sólo se guía por estos datos y no por las empíricas comprobaciones, se encontrará con que la oficina en que trabaja y el techo bajo el que duerme no tienen existencia efectiva, según los datos de la realidad científicamente documentada, si, como es muy probable, ese techo y esa oficina pertenecen al 50% de construcción que para la estadística es inexistente. En cambio, otras informaciones estadísticas le permitían comprobar paralelamente que Córdoba ha crecido varias veces en estos últimos decenios, en población y en actividad, con lo que tendrá que concluir que Córdoba es un fenómeno urbano en el cual la mayoría de la población está indomiciliada y donde no existen las fábricas, los talleres, las escuelas, etc., que resultan de otras estadísticas que no son las de la construcción. ¿A cuáles se atendrá?

(Limitándome a la construcción, ya había hecho mi composición de lugar hace mucho tiempo mediante una somera investigación reducida a la manzana céntrica de Buenos Aires en que resido, y que el lector puede hacer en la suya. Pude comprobar que las modificaciones interiores en las casas de la manzana, hechas en los últimos años sin la correspondiente intervención municipal –presentación de planos, aprobación, permiso de construcción e inspecciones– importaban una inversión muy superior a la de dos o tres edificios nuevos construidos en la misma manzana con el consiguiente registro municipal. Sáquele la punta el lector a este hecho y trasládelo a la crítica general de los datos estadísticos).

El caso de Córdoba se repite para el Gran Buenos Aires en dos épocas distintas.

Desde las últimas décadas del siglo pasado Buenos Aires y sus alrededores recibieron gran parte del contingente inmigratorio europeo cuando el *Hotel de Inmigrantes* y el *conventillo* fueron escalones hacia la casita propia. Es muy posible que el italiano, el español o el turco que las levantaron construyendo una pieza y una cocinita, sin sanitarios, hayan registrado en la municipalidad suburbana esa primitiva construcción. Pero ese hombre ahorrativo que realizaba el sueño de la casa propia fue agregando habitaciones, construidas con la ayuda de un *media cuchara*, a lo largo del lote que pagaba en mensualidades, pues la casa crecía a medida que crecía la familia. Y éstas no las registró.

El fenómeno volvió a repetirse cuando a la ola inmigratoria ultramarina sucedió la migración provinciana hacia los centros industriales. Cualquier inspector municipal del Gran Buenos Aires podrá decir cómo se suceden barriadas y barriadas enteras, no inscriptas en los padrones municipales. (O tal vez no se lo diga, porque allí hay un "rebusque": sorprender a los vecinos de esas barriadas en plena construcción sabatina y dominical con el aporte voluntario de vecinos y amigos, para paralizarle la obra por falta de planos y llegar, después del susto consiguiente, al "arreglo". ¡Pero el "arreglo" tampoco figura en las estadísticas! Sin embargo, sería interesante registrar estadísticamente el monto de los mismos que explicarían por qué esos inspectores se resignan al mísero sueldo comunal, que no alcanza para mantener el automóvil que tienen a la puerta y es elemento imprescindible para el descubrimiento abundante de las infracciones al Digesto, que dan origen al arreglo).

Si a la estadística de la construcción le falla la base, ¿qué puede informar la estadística sobre la mano de obra si el dueño de casa, sus amigos y parientes que colaboran no pertenecen al gremio de la construcción y están registrados en otras actividades? ¿Y qué datos sobre el consumo de materiales de construcción cuando se utilizan restos de demolición, elementos en desuso u objetos de otro destino habitual, que no pasan ni siquiera por el control de producción de la fábrica? ¿Y qué valor tienen los datos sobre el producto bruto del país si los datos sobre la construcción de viviendas en la parte más extensa del Gran Buenos Aires en los últimos veinte años, en que se sumaron millones de habitantes, no figuran en los mismos ni por lo construido, ni por mano de obra, ni por materiales empleados?

La rectificación por la experiencia del dato aparentemente científico exige haberse graduado en la universidad de la vida; por lo menos tener algunas carreras corridas en esa cancha, sin perjuicio de la bastante Salamanca para ayudar a Natura. Porque si el ratón de biblioteca, de hábitos sedentarios y anteojos gruesos, no es el más indicado para corregir el dato con las observaciones, tampoco basta con mirar para ver.

EL ESTAÑO COMO MÉTODO DE CONOCIMIENTO

Tener estaño *es una expresión sucedánea de otra tal vez más gráfica pero menos presentable, y se refiere al "estaño" de los mostradores. Recuerdo que Lucas Padilla o el "Colorado" Pearson, no estoy seguro cuál de los dos, que actuaban en los movimientos iniciales del nacionalismo, dijo una vez que la condición de "pianta-votos", calificación atribuida a Perón, provenía de que los fundadores del movimiento eran "niños bien" de "familias bien", es decir, los juiciosos "hijos de mamá"; que otra cosa hubiera ocurrido si los primeros hubieran sido "niños mal" de "familia bien", esto es "tenido estaño".*

Tal vez la deficiencia de nuestros datos científicos obedezca al tipo de nuestra economía y sociedad en transición, fluida en sus etapas cambiantes –como ocurrió en los Estados Unidos, cuyas técnicas son ahora modelo imprescindible, desde el final de la Guerra de Secesión hasta la primera de las guerras mundiales; que sus métodos sólo sean compatibles con la existencia de un capitalismo de concentración muy avanzado, o con el socialismo, que excluyen la presencia del pequeño empresario, del taller patronal que conserva una organización casi artesanal, de la abundancia de pequeños productores que entre nosotros representan el grueso de las actividades. (Si Ud. tiene alguna duda al respecto, averigüe qué dato estadístico proporciona el tallercito donde arregla su automóvil, el hojalatero que le arregla el balde, el colchonero, el marquero de sus cuadros, etc., etc., las múltiples actividades de empresarios que calculan los costos a ojo, no llevan contabilidad, no están inscriptos, no registran su producción, eluden los impuestos, etc.)

En cambio, el ajuste de los datos es condición de existencia en las grandes organizaciones económicas con sus contabilidades organizadas, su propia estadística, el registro de los costos, es decir, los elementos básicos para una estadística general.

Parecida cosa ocurre con los censos y encuestas, donde se suman factores personales propios del informante y del recolector de datos que además pueden ser típicos de nuestra modalidad, factor del que se prescinde cuando se aplican sistemas que pueden ser hábiles en su lugar de origen.

Así, frecuentemente, el interrogado está prevenido contra el interrogatorio y tiende a desfigurar los hechos; además, muchas veces es descomedido y grosero con el agente de la investigación. Es lo que pasa en las "investigaciones de mercado".

El "Hombre que está solo y espera" no es un tipo fácil. Pregúntele usted a un paisano su juicio sobre algo o alguien y oirá que le contesta: *Regular*. Pero regular quiere decir bueno; o muy bueno; también malo. Serán su oído y el conocimiento del hombre los que darán la interpretación, según el tono y tal vez algún detalle mímico. Pero esto no es para el "potrillo" que hace la encuesta y menos para la computadora electrónica. ¿Y el "gallego"? –el gallego de Galicia, se entiende–; hágale usted una pregunta cualquiera y verá que le contesta con otra: pruebe, y le juego cualquier cantidad a que acierto.

Hace pocos días llevé a un industrial, que creía en la eficacia de las "encuestas", a un café para mostrarle cómo actuaban los agentes de una investigación que había contratado. Los muchachos a quienes se les paga por el número de planillas que llenan estaban reunidos a lo largo de dos mesas y los formularios se alternaban con los pocillos de café. Mi amigo industrial puso los ojos como "dos de oro" cuando oyó que unos a otros se preguntaban. *Y a éste, ¿qué le ponemos?*, y así las iban llenando, cansados de golpear puertas estérilmente, o de que los encuestados les hicieran un interrogatorio a ellos en actitud defensiva, o les contestaran a la "macana". Si todavía tiene alguna duda, lector, recuerde qué le responde a esa vocecita femenina que le prgunta por teléfono: *¿Qué programa de televisión está usted viendo?* Y por lo que usted le contesta considere la validez del *rating* que está haciendo la vocecita.

Pero, además de la muy relativa validez de los datos, existe el uso malicioso de la información, para fines políticos y económicos, como la creada por los órganos de publicidad y por las manifestaciones de los grupos económicos agroimportadores interesados en dar una imagen del país que les conviene y que en los últimos años es directamente depresiva.

EL CHICO DE LA BICICLETA

El doctor Manuel Ortiz Pereyra, uno de los fundadores de F.O.R.J.A., fallecido hace ya muchos años, dejó un pequeño libro, editado en 1926 ó 1927, que se titulaba "El S.O.S. de mi pueblo". Era hombre con mucho "estaño", dotado de una notable inteligencia que le había permitido superar la solemnidad y el empaque, entonces anexos al título universitario; había sido la suya una vida múltiple y agitada en la que había tocado los más variados niveles de la fortuna y de las actividades ciudadanas; además, Dios lo había dotado de gracia.

Sobre esto de la información trata un capítulo titulado "El chico de la bicicleta".

Comentaba allí la apariencia técnica con que los diarios presentan una página llena de cuadritos con letras y números diminutos, donde se habla de cotizaciones de la producción en mercados de los que el chacarero nunca oyó hablar y en medidas y precios de los que no tiene la menor idea. El chacarero, decía, se hace una imagen borrosa donde se embarullan Winnipeg, Ontario, Yokohama, Rotterdam, con dólares, libras, yens, rupias, florines, toneladas y bushels, todas palabras misteriosas para él. No entiende, pero está muy agradecido a los grandes diarios que se preocupan por ilustrarlo para la defensa del precio de su cosecha, y supone que éstos sostienen grandes oficinas llenas de peritos de toda clase, que le proporcionan la información.

No hay nada de eso, *decía Ortiz Pereyra.* Lo único que hay es un chico con una bicicleta que va a buscar la página *a lo de Bunge y Born o a lo de Dreyfus; es decir, que la aparente información para el vendedor la proporciona el comprador. ¡Y hace tanto tiempo que vamos al almacén con el "Manual del Comprador" escrito por el almacenero! El último que se ha "avivado" es Raúl Prebisch.*[2]

De tal manera a los efectos que en sí tiene la supuesta información científica, se agrega ésta del "chico de la bicicleta" donde la "información científica" es utilizada, y aun los datos correctos, de manera hábil para despistarnos mediante el manejo de la publicidad.

Lo que llevo dicho basta para dar la idea que me propongo.

---

[2] En efecto, en su libro "Hacia una dinámica del desarrollo latinoamericano", Fondo de Cult. Económica, 1963, Raúl Prebisch nos advierte lo que acaba de descubrir sobre el valor de las doctrinas y enseñanzas importadas.

"Yo creía en todo aquello que los libros clásicos de los grandes centros me habían enseñado. Creía en el libre cambio y en el funcionamien-

He citado sólo algunos casos, tanto de la falacia del dato como de su utilización maliciosa para sorprender al que no está prevenido y carece de "cancha" para leer las entrelíneas de la información. Deseo que el lector la tenga presente, cuando recordando que el que escribe es un hombre comprometido, lo confronte con otros informantes de apariencia aséptica. La verdad es que todos estamos comprometidos, porque todos estamos en la vida, y la vida es eso: compromiso con la realidad.

Me resta advertir que con frecuencia seré redundante volviendo a lo ya dicho para ampliar algo, presentarlo desde otro punto de vista, o relacionarlo con lo que se expone en ese momento. Espero que se me perdone, pues escribo para mis paisanos del común, a quienes quiero facilitar la lectura que desearía fuese como un diálogo y que no deje a nadie en ayunas por un prurito de precisión técnica o sobreentendidos. Cárguelo a la cuenta de la común inteligencia que busco, y que también me obliga a ser algo difuso y a apelar al socorro de ejemplos y anécdotas ilustrativas, que pudieran ahorrarse con el lenguaje para iniciados que simplifica la exposición, pero que puede resultar esotérico para el profano.

IDENTIFICACIÓN DEL MEDIO PELO

Falta ahora explicar por qué digo medio pelo.

---

to automático del patrón oro. Creía que todos los problemas de desarrollo se resolvían por el libre juego de las fuerzas de la economía mundial; aquellos años de zozobra me llevaron a ir desarticulando paso a paso todo lo que se me había enseñado y a arrojarlo por la borda. Era tan grande la contradicción entre la realidad y la interpretación teórica elaborada en los grandes centros, que la interpretación no sólo resultaba inoperante cuando se llevaba a la práctica, sino también contraproducente. En los propios centros hundidos en la gran crisis mundial se hizo presente asimismo esa contradicción y la necesidad de explicarla. Surgió entonces Keynes, pero a poco andar, descubrimos también en América Latina que el genio de Keynes no era universal, sino que sus análisis se ceñían a los fenómenos económicos de los grandes centros y no tenían en cuenta los problemas de la periferia".

En principio, decir que un individuo o un grupo es de medio pelo *implica señalar una posición equívoca en la sociedad; la situación forzada de quien trata de aparentar un* status *superior al que en realidad posee. Con lo dicho está claro que la expresión tiene un valor históricamente variable según la composición de la sociedad donde se aplica.*

Francisco Javier Santamaría ("Diccionario General de Americanismos", México, Ed. P. Robredo, 1942) define el medio pelo: En México dícese de la persona que no pertenece a la clase decente; pardo. No hay que confundir el trabajador, etc., con el medio pelo que es la gentuza o pelusa, la gente de mala educación, mediocre social, palurda y basta. *Pero aun este mismo concepto varía con el lugar. Así dice:* En Puerto Rico la persona de color o cruzada que no es de raza blanca o pura. *En México la calificación parte de la estructura social. En Puerto Rico esencialmente de la racial, tal vez porque raza y clase se identifican allá.*

Tobías Garzón, en su "Diccionario de argentinismos", expresa: Aplícase a las personas de sangre o linaje sospechoso o de oscura condición social que pretenden aparentar más de lo que son. *Aquí sangre no es una referencia racial, sino una complementación de linaje, pues como lo veremos más adelante el linaje, expresado por la legitimidad de la filiación, es un factor predominante para marcar la composición de las clases. Pero Garzón está hablando en una época que corresponde a la estructura tradicional de la sociedad argentina. A renglón se remite a la Academia, que dice:* locución figurada y familiar con que se zahiere a las personas que quieren aparentar más de lo que son o cosa de poco mérito e importancia.

La primera definición que hace Garzón corresponde al momento local en que la hace; al remitirse a la expresión de la Academia le da luego la latitud que corresponde a una situación general. Medio pelo *es el sector que dentro de la sociedad construye su* status *sobre una ficción en que las pautas vigentes son las que corresponden a una situación superior a la suya, que es la que se quiere simular. Es esta ficción lo que determina ahora la designación y no el nivel social ni la raza.*

Cuando en la Argentina cambia la estructura de la sociedad tradicional por una configuración moderna que redistribuye las clases, el medio pelo está constituido por aquella que intenta fugar de su situación real en el remedo de un sector que no es el suyo y que considera superior. Esta situación por razones obvias no se da en la alta clase porteña que es el objeto de la imitación; tampoco en los trabajadores ni en el grueso de la clase media. El equívoco se produce en el ambiguo perfil de una burguesía en ascenso y sectores ya desclasados de la alta sociedad.

CAPÍTULO I

EL MARCO ECONÓMICO DE LO SOCIAL Y LOS TRES FRACASOS DE LA BURGUESÍA

EL “PROGRESO INDEFINIDO”... Y SUS LÍMITES

Las generaciones que se propusieron el "progreso indefinido", y lo fundaron en el exclusivo desarrollo agropecuario, actuaron como si estuviesen en presencia de un horizonte cuyos límites fugan delante del que marcha. Fueron congruentes con el pensamiento filosófico de la época, como el personaje de la zarzuela: "hoy las ciencias adelantan que es una barbaridad". La superstición cientificista se alimentaba de una gran simplicidad que suponía que entre la lente del microscopio y la del telescopio podía caber todo el universo. Pero mayor simplicidad fue ignorar que el límite de la expansión económica agropecuaria estaba dado por la extensión de las pampas, su fertilidad y la curva de las precipitaciones pluviales.

Mucho más adelante este límite podría ser trascendido corriendo la lana más al sur y al oeste o con la aparición de los sorgos, ampliando la zona agrícolo-ganadera hacia tierras entonces consideradas semiáridas, o con la diversificación de la producción agraria en los regadíos o en las zonas tropicales y subtropicales, pero se haría para satisfacción de otros mercados, particularmente el interno al crecer, y esto estaba fuera del presupuesto del "progreso indefinido", que consistía en el intercambio cereal-carne por manufacturas.

También estaba fuera de ese presupuesto la relativa ampliación del espacio pampeano en sentido vertical, agregando algún pisito a la producción, por el mejor manejo de tierras, su abono, o por la aplicación de la genética al cereal de lo que se hacía con el refinamiento de las haciendas. En cambio estaba a la vista la disminución de la producción de cereales, inevitable por la erosión o el desgaste de los suelos en sucesivas cosechas expoliadoras y la inmovilización de gran parte de la todavía zona cerealera al convertirse en alfalfares destinados a la invernada de haciendas.

Los límites de ese progreso estaban marcados por la geografía; una vez ocupado el espacio de la pampa húmeda se habría llegado al tope de las posibilidades de la producción previsible para el intercambio con la metrópoli, en cuanto a la cantidad.

RELACIÓN DE LOS TÉRMINOS DEL INTERCAMBIO

En cuanto al precio, el error es más comprensible: todavía la ciencia económica no había esclarecido eso de "la relación adversa de los términos del intercambio", que consiste, simplemente, en saber que el proceso de transformación de la materia prima va incorporando costos a la misma y que éstos son absorbidos, en las distintas etapas de la transformación, por el salario y el capital del país donde se industrializa, de manera tal que las materias primas, en cuanto productoras de riqueza, sólo benefician en la primera etapa al país que las produce y exporta en bruto, mientras se les incorpora riqueza en cada etapa de la transformación, en el país que las transforma.

(Así, al que exporta hierro o lana sólo le queda lo correspondiente a la producción minera o ganadera, mientras que el proceso que va del hierro o la lana a la máquina o el traje va dejando, en el país que importa la materia prima, todos los costos de las sucesivas modificaciones, a los que se incorporan los costos de los instrumentos utilizados, desde el transporte y el seguro, a la remota labor de los que preparan las máquinas usadas en la transformación, sumados a la transformación misma. Con esto quiero decir que la valorización primaria es la única que beneficia al país productor de la materia, mientras que el país transformador incorpora los aumentos, o las economías originadas por el desarrollo técnico, a la capacidad de su propio mercado. Así, si a principios de siglo equis kilos de lana permiten comprar una locomotora, treinta años después hacen falta cinco o seis veces más de lana para el mismo cambio, pues, en el mejor de los casos, el aumento del valor absoluto de la lana es un aumento que no compensa los innumerables aumentos correspondientes a los innumerables momentos de la transformación. Esta aclaración no es exactamente técnica pero admite dar una idea al profano en qué consiste ese enunciado un poco misterioso "de la relación adversa de los términos del intercambio").

La estadística al respecto nos puede ilustrar con precisión. Los índices usados traducen la capacidad adquisitiva de 100 unidades de materias primas respecto de los productos manufacturados.

	Índice (1958=100)
1876/1880	147
1901/1910	132
1930	105
1958	100

Pero cuando se trata de las materias primas que produce la Argentina la situación se hace mucho más onerosa. Así, la relación de precios del intercambio de la Argentina, según la CEPAL ("El Desarrollo Económico de la Argentina", México, 1959, T. 1, pág. 20), evoluciona en la siguiente forma:

	Índice
1949	143,8
1953	100
1957	72,5

Lo que significa que en 10 años el poder adquisitivo de la materia prima argentina en producto industrial importado ha disminuido al filo de la mitad.[1]

[1] El tema de la "relación adversa de los términos del intercambio", requiere mucha mayor extensión para su tratamiento y será abordado en "Política y Economía" con la latitud adecuada. Me he limitado a señalar algunos de los factores determinantes pero podría objetarse que esta explicación es también válida para los países altamente industrializados, donde sin embargo la relación materia prima-producto industrial es mucho menos adversa, pero sería olvidar que en los países centros los precios de las materias primas son *precios políticos*, que se practican en mucha mayor escala en las naciones industrializadas que los liberales nos proponen como ejemplos de anti-intervencionismo de Estado que en las dependientes. Así Prebisch ("Hacia una dinámica del desarrollo Latinoamericano"), nos dice: "En los Estados Unidos, los precios internos de sostén mantienen una paridad variable con los precios de los productos industriales adquiridos por los agricultores, y hay el subsidio de las exportaciones en el mercado internacional. En Europa occidental, existe el aumento de las restricciones a la importación de productos agrícolas, como medio de ampliar el mercado por la propia producción y amparar precios internos elevados. Así mismo se contempla acudir al

LA POBLACIÓN

La inmigración vino a satisfacer las exigencias del complejo de inferioridad racial que padeció aquella generación de hispano-americanos avergonzados de su origen y que se liberaban del mismo calificando al resto de connacionales como víctimas de taras congénitas que los hacían inadecuados para la civilización; la promovieron, a pesar de sus reticencias en cuanto a los meridionales de Europa, porque su brazo y su técnica les eran imprescindibles para ese progreso soñado, y en función de ese progreso previeron un crecimiento de población por la continuidad de la ola inmigratoria y el crecimiento vegetativo de los hijos del país nuevo. Así el "progreso indefinido" tenía una meta muy distante que acuñó una frase de ritual conmemorativo: "El día en que cien millones de argentinos irán ante el trono del Altísimo, conducidos por la azul y blanca".

Ni vieron el límite del espacio geográfico apto para la economía que fundaban, ni vieron el límite de la población que cabía en ese espacio y con esa economía; jugaron la suerte definitiva del país a un destino de país chico creyendo que jugaban a la grandeza; creyendo

---

subsidio a las exportaciones al mercado mundial en caso de excedentes". Pero parece que esto no es intervencionismo de Estado, como tampoco lo sería la formación de mercados comunes; en cambio lo eran nuestros tratados bilaterales, que en definitiva son el mismo perro con distinto collar. (Ahí anda el Sr. Krieger Vasena dando vueltas alrededor del Mercado Común europeo para que nos dejen un agujerito después que con el Sr. Verrier y el Sr. Alemann destruyeron aquellos tratados y convirtieron en saldos exigibles a corto plazo las cuentas corrientes que nos abrían la puerta. ¡Oh los genios de la ciencia aséptica y extranjera!).

Lo que importa es que el deterioro de los precios de las materias primas es un hecho cierto y aceptado como tal en la teoría económica de los países que pretenden sigamos como exclusivos productores de ellas, con el apoyo de sus cómplices, gobernantes locales, los teóricos de la economía de dependencia, y los "prácticos" grupos económicos ligados a la misma. Este reconocimiento del hecho lo hizo Lincoln Gordon, embajador de los Estados Unidos en el Brasil en un discurso pronuncido en el Consejo Económico Nacional Brasileño el 29 de enero de 1968, cuyo texto reproduce Prebisch.

Heilbroner ("El gran ascenso", Ed. Fondo de Cultura Económica, 1964) dice: "Mientras que el precio de las materias primas fluctúa hacia arriba y hacia abajo, en años recientes el valor de los artículos manufacturados, por

que jugaban a la lotería jugaban a la quiniela; buscando el premio mayor jugaban a las dos cifras.

Cuando el país llegó a la décima parte de la población prevista y fue ocupado totalmente el espacio geográfico destinado a la carne y al cereal, el "progreso indefinido", en el orden agropecuario, se detuvo. En adelante todo progreso significaría una competencia, un factor de perturbación en la estrategia económica prevista para la Argentina y, por consecuencia, todo el aparato de dirección económica que ellos habían dejado en manos del extranjero, por su incapacidad para realizarse como burguesía, se convertiría en el instrumento del antiprogreso.

Con esto creo que queda bien evidenciada la naturaleza real de un debate frecuente en el cual los partidarios del retorno al pasado invo-

---

los que aquella se cambia, se ha movido en una sola dirección: hacia arriba. Y así, los *términos del comercio* (el *quid quo* real de las mercancías recibidas a cambio de las ofrecidas) se ha movido en contra de los intereses del exportador de materias primas: ha dado más y más material bruto por menos y menos maquinaria".

En seguida agrega, para los que lo esperan todo de la ayuda exterior: "El resultado fue que las naciones pobres recibieron 2.000 millones de dólares menos en su poder adquisitivo real, suma mayor que toda la *ayuda* que no les tomamos en cuenta, y que por consiguientemente las naciones subdesarrolladas subvencionaron involuntariamente al mundo desarrollado".

Con razón dice Prebisch en el prólogo (Ob. cit.), refiriéndose a sus "colaboradores" en la redacción del Informe y Plan de 1955: "No se quiere leer, no se quiere pensar, se siguen repitiendo trasnochados conceptos del siglo XIX sin vigencia alguna con la realidad actual". Es que los "amigos" locales de Prebisch no quieren enterarse de lo que les costaría el apoyo de la gran prensa y los intereses económicos que les dan prestigio y los llevan a las posiciones llaves de la economía. Prebisch ahora ha sido silenciado y de genio ha pasado a ser un "punto" desconocido, por haberse enterado; sus "amigos" se curan en salud, pues lo que les importa es el triunfo personal aunque el país reviente, y saben que el precio del triunfo es la traición a la verdad argentina.

Ni remotamente con estas anotaciones me aproximo a la totalidad del tema que como he dicho, no cabe en este libro, pero es inseparable de la actualización de la llamada renta diferencial y de la estructura social de producción así como de la tecnificación que alteró la primera y ha multiplicado contraprestaciones recíprocas entre los centros en relación a la de éstos en los países periféricos.

can como su gran argumento el progresismo de aquellas generaciones para oponerlo al progresismo de las nuevas, sin comprender que aquel progresismo apresurado, como economía dependiente, fue el plato de lentejas por el que los primogénitos vendieron las posibilidades de una economía nacional integrada, que fatalmente reclamaría sus derechos una vez cubiertas las precarias posibilidades de aquel progresismo.

OLIGARQUÍA = DEPENDENCIA

O comprendiéndolo. Y aquí dejo la palabra a un economista que nos explicará la alianza de las fuerzas económicas internas correspondientes a ese progreso limitado, con las fuerzas extranjeras que dirigieron y aún dirigen los resortes esenciales de nuestra economía, que quedó en sus manos por la incapacidad de esas mismas fuerzas internas.

Dice Aldo Ferrer ("La economía argentina", Ed. Fondo de Cultura Económica, 1963): *...Finalmente, dado el papel clave que el sector agropecuario jugó en el desarrollo económico del país durante la etapa de economía primaria exportadora, la concentración de la propiedad territorial en pocas manos aglutinó la fuerza representativa del sector rural en un grupo social que ejerció, consecuentemente, una poderosa influencia en la vida nacional. Este grupo se orientó, en respuesta a sus intereses inmediatos y los de los círculos extranjeros (particularmente británicos) a los cuales se hallaban vinculados, hacia una política de libre comercio opuesta a la integración de la estructura económica del país mediante el desarrollo de los sectores industriales básicos, naturalmente opuesta también a cualquier reforma del régimen de tenencia de la tierra. La gravitación de este grupo no llegó a impedir el desarrollo del país en la etapa de la economía primaria exportadora, dada la decisiva influencia de la expansión de la demanda externa y la posibilidad de seguir incorporando tierras de la zona pampeana a la producción. Sin embargo, después de 1930, cuando las nuevas condiciones del país exigían una transformación radical de su estructura económica, la permanente gravitación del pensamiento económico y la acción política de ese grupo constituyó uno de los obstáculos básicos al desarrollo nacional.*

Con lo dicho queda señalada la miopía de los hombres que desde 1853 han pasado en nuestra historia como los grandes visionarios del destino nacional, y también el proceso por el cual los continuadores de aquellos "chicatos" ilustres se empeñan en ponerle al país las anteojeras que le impiden encontrar su verdadero camino, pues lo que en aquéllos fue miopía, en éstos es un estado de conciencia que resulta de la fusión de la estructura de sus intereses actuales con el mantenimiento de nuestra tradicional estructura económica.

GRAN BRETAÑA JUEGA SUS CARTAS

Ahora, dejando a los miopes, conviene señalar a quien los condujo con su vista larga, porque siempre junto al ciego hay un lazarillo que lo guía, como el de Tormes, contra el guarda-cantón.

El progreso agropecuario argentino se iba realizando a medida que el país encajaba como la pieza de un puzzle en la organización económica buscada por el Imperio Británico con su avanzada ideología: la doctrina manchesteriana.

Si en un principio el Río de la Plata fue considerado por la política de Gran Bretaña como una de las tantas plazas comerciales ultramarinas interesantes al comercio de Su Majestad, el pensamiento se completó después en la fórmula de Cobden (*Inglaterra será el taller del mundo y la América del Sur su granja*) precisada luego en la conformación exclusivamente agrícola-ganadera que hizo de nuestro país lo que Raúl Scalabrini Ortiz ha llamado "base y arma del abastecimiento británico".

Bastará para señalar lo acertado de esta afirmación leer las instrucciones que da Churchill –ya en nuestros días– a Lord Halifax al encargarle las negociaciones para la intervención norteamericana en la última guerra ("Memorias de Winston Churchill", Tomo VIII, Ed. Boston): *"Por otra parte nosotros seguimos la línea de EE.UU. en Sud América, tanto como es posible, en cuanto no sea cuestión de carne de vaca o carnero"*. La expresión de Cobden, América del Sud se concreta de manera precisa: Río de la Plata. Si aquí Scalabrini Ortiz acuñaba su frase, allá Churchill la ratificaba.

El gran ministro británico lo hacía en el momento más dramático de la historia inglesa, cuando ya no el imperio, sino la misma metrópoli estaba al borde del derrumbe del que sólo podía sacarla el éxito de la misión encomendada; en ese momento toda la América del Sur podía ser objeto de negociación con la metrópoli del Norte, toda, menos el Río de la Plata.

LA DÉCADA INFAME CONFIESA SU JUEGO

Esto nos permite fijar, y para más adelante, el alcance y los límites de ese progreso. Cuando en 1934 el vicepresidente de la República, Dr. Julio Roca, como embajador argentino (negociación del tratado Roca-Runciman) dice en Londres que "la Argentina forma parte virtual del Imperio Británico", no hace más que confirmar la naturaleza dependiente de nuestra economía como pieza en el puzzle imperial. Si la frase es lesiva para nuestra soberanía y honor nacional y provocó las consiguientes reacciones patrióticas en quienes las sentimos profundamente, esto no ocurrió porque estuviéramos ajenos al conocimiento de esa realidad que, precisamente, estábamos denunciando. Lo indignante era la aceptación como destino definitivo y como finalidad por los gobernantes argentinos cuando ya la miopía de los fundadores no era posible. Porque el Dr. Julio Roca no lo expresaba como la comprobación de un hecho destinado a superarse, sino como ratificación de la conformidad de ese gobierno y los sectores que representaba con la condición de dependencia que allí se reconocía. El Tratado Roca-Runciman lo confirmó, porque fue un compromiso para que al precio de algunas ventajas a un sector dirigente del país se cristalizase definitivamente esa virtual incorporación al Imperio.

Así, las leyes votadas en 1935, y que constituyeron el *estatuto legal del coloniaje*, tuvieron por finalidad detener cualquier progreso argentino en otra dimensión que pudiera modificar su situación en el puzzle. La política del "progreso" devenía ya la del antiprogreso, y la fuerza que nos había impulsado a andar, era ahora la que nos detenía.

Sintetizando: se aceleró nuestro desarrollo para integrarnos eficazmente en el Imperio. *Ahora éste había llegado a los límites técnicamente exigidos y cualquier progreso de otro orden implicaría una alteración de la finalidad propuesta.*

PRIMER FRACASO: LA GENERACIÓN CONSTITUYENTE. LIBERALISMO INTERNACIONAL O LIBERALISMO NACIONAL

Es que en toda colonización hay ese momento próspero mientras se avanza hacia el límite óptimo de sus necesidades. Y el frenazo después. He aquí las dos fases de una misma política.

¿La adscripción de la Argentina al sistema de la división internacional del trabajo era inevitable para los vencedores de Caseros? ¿La única perspectiva de progreso que se tenía por delante era la impuesta por la ortodoxia liberal y el libre juego de las fuerzas económicas nacionales e internacionales con que se adoctrinaba?

Ni teórica ni prácticamente era así. Lo que sí puede ser cierto es que las condiciones históricas determinaban la organización capitalista de la producción. Es cierto que era la hora del capitalismo en marcha, pero no la del internacionalismo liberal. Los constituyentes del 53 buscaron su inspiración en las instituciones de los Estados Unidos, y hay aquí que preguntarse por qué se quedaron en las apariencias jurídicas y eludieron la imitación práctica. ¿No entendieron la naturaleza profunda del debate entre Hamilton y Jefferson, o la entendieron y vendieron después a las generaciones argentinas desde la Universidad, desde el libro y desde la prensa una interpretación superficial y formulista?

En ese debate está sintetizado el enfrentamiento entre el liberalismo ortodoxo, que implicaba aferrarse a la división internacional del trabajo, y el liberalismo nacional que construyó los Estados Unidos, y fue el instrumento de su grandeza que le sirvió para delimitar la esfera propia del desarrollo norteamericano por oposición a la subordinación económica a la metrópoli, que hubiera convertido la independencia en una ficción. ¿Entre tanto libro que leyeron "al divino botón" no encontraron una línea de las que habían escrito Carey e Ingersoll, y no tropezaron con un volumen del "Sistema de Economía Nacional" de List, que fueron los teóricos del desarrollo de una economía capitalista nacional, es decir, de un capitalismo y un liberalismo para los norteamericanos o los alemanes, y no para los ingleses? ¿No sabían que esa heterodoxia que le cortó las alas al águila de la división internacional del trabajo nutrió la gallina prolífica que ponía los huevos para los hijos de su tierra, defendiendo con la protección aduanera el fruto del trabajo nacional y promoviendo el desarrollo interno, con el Estado como propulsor de la grandeza? ¿Por qué se atuvieron a la doctrina liberal como mercadería de exportación para vender a zonzos y no a la doctrina liberal, reelaborada en los Estados Unidos para la construcción de una economía liberal pero integrada?

Y contemporáneamente también, y más adelante, ¿por qué prescindieron del ejemplo de Alemania, que realizó su propia política liberal, pero nacional, empezando por el "zollverein" hasta llegar a la construcción de la gran Alemania cuando el pensamiento político de Bismarck integró el pensamiento económico del mismo List, perseguido por los príncipes como liberal y por los liberales como nacional?

Alemania, hasta ese momento, no había sido más que el mísero país del que habla Voltaire; el campo de batalla de franceses, suecos, austríacos y españoles, en el que nunca había pesado el interés de sus nacionales. Los factores materiales de la grandeza alemana habían estado siempre allí: sus puertos y sus ríos, el genio y la capacidad de trabajo de sus hombres, los bosques en las faldas de las montañas, los granos y las carnes en los valles y las llanuras, el hierro y el carbón en las entrañas de la tierra; todas las condiciones materiales de la grandeza que sólo se manifestaron cuando el pensamiento y la voluntad nacional se articularon para ponerlos a su servicio.

(Conviene recordarlo a los que creen que sólo los factores materiales determinan la historia y subestiman el pensamiento y la voluntad que puede hacer una mísera dependencia de un país rico, y una metrópoli de un país pobre en recursos materiales.)

LA GUERRA DE SECESIÓN: EJEMPLO PRÁCTICO

Pero hubo después en los Estados Unidos la guerra de Secesión: allí se enfrentaron sangrientamente el Norte, liberal nacionalista, con el Sur, adscripto a la producción exclusiva de materias primas y, consecuentemente, a la división internacional del trabajo, y puede decirse que la verdadera independencia de los Estados Unidos se resolvió en el campo de batalla de Gettysburg. ¿Cómo fue que los promotores de la política liberal internacionalista, siempre tratando de imitar a los Estados Unidos, no comprendieron el verdadero sentido de esa guerra, y cómo el "Destino Manifiesto" sólo podía cumplirse a condición de que el país industrial que promovía el desarrollo interno venciese al país de producción primaria que lo obstaculizaba? ¡Lectores pueriles de las doctrinas exportadas como los collares de abalorios para seducir a los indígenas, sólo vieron en aquella página dramática de la vida norteamericana la seducción lacrimógena de "La Cabaña del Tío Tom", sin percibir el trasfondo económico y político de los acontecimientos!

¿Y cómo es posible que generaciones y generaciones de juristas hayan acosado a los estudiantes de derecho y de economía con la vida de las instituciones norteamericanas a través de su permanente evolución, en la jurisprudencia del Supremo Tribunal, sin percibir el hecho económico que rigió y condujo esa construcción jurídica, en la que la vida fue acordándose a las exigencias de la realización económica integral, según el país iba creciendo en la estrecha franja original en el Atlántico hacia el Medio Oeste, los desiertos interiores y la costa del Pacífico, o el desborde sobre la tierra mejicana?

¿Lo vieron o no lo vieron? ¿Traidores o "chicatos"? Esa es la alternativa. En "Política y Ejército" he señalado un factor cultural que también pesó en esa ceguera. Desde el día siguiente de la independencia, directoriales y unitarios, cuyos continuadores habrían de ser los famosos "visionarios", partieron de la urgencia por hacer el país no según lo determinan sus raíces –como se hace el árbol hasta la copa–, sino según un modelo a trasplantar. Quisieron realizar Europa en América y todo lo que Europa les ofrecía era válido; y sin valor lo que surgía de la realidad. Trabajaron para la destrucción de la Patria Grande, porque, consciente o subconscientemente, les estorbaba a su apuro la montaña, la selva, el río y el hombre, por español, por indio o por mestizo.

Gobernar es poblar, como diría Alberdi, pero despoblando primero como ellos lo hicieron para abrir la tierra a nuevos hombres que imaginaban no iban a ser americanos. Así es como también diría Sarmiento, resumiendo sin saberlo el pensamiento original de su grupo: "El mal que aqueja a la Argentina es la extensión". Por eso había que achicarla. Empezó Rivadavia facilitando la segregación del Alto Perú y la Banda Oriental; lo harían los unitarios en los largos años de la guerra civil buscando con la ayuda extranjera la segregación del Norte y la Mesopotamia; lo haría Mitre abriendo un abismo de sangre y de luto con el Paraguay. Siempre estuvieron decididos a achicar el espacio, y así segregaron Buenos Aires frente al gobierno de Paraná. Reducir la patria a la pampa húmeda, fácilmente europeizable, permitía ahorrar tiempo en el camino de la grandeza concebida a través de la pequeñez. Congruentemente fue necesario destruir el Paraguay, que se había puesto a la vanguardia del progreso americano, cerrándole el camino al pernicioso progreso conseguido contra las normas manchesterianas.

EL PROFETA DEL LIBRE CAMBIO Y SUS APÓSTOLES

Y esto no es una afirmación al pasar. Oigámoslo a Mitre en la oración pronunciada saludando a los soldados que venían de desangrarse en los esteros paraguayos: "Cuando nuestros guerreros vuelvan de su larga y victoriosa campaña a recibir la larga y merecida ovación que el pueblo les consagre, podrá el comercio ver inscriptos en sus banderas los grandes principios que los *apóstoles del libre cambio* han postulado para mayor felicidad de los hombres".

Y véase ahora esto de Sarmiento que ajusta perfectamente al alcance de esa libertad de comercio y el límite fijado por sus apóstoles: *"La grandeza del Estado está en la pampa pastora, en las producciones del Norte y en el gran sistema de los ríos navegables cuya aorta es el Plata. Por otra parte, los españoles no somos ni industriales ni navegantes, y la Europa nos proveerá por largos años de sus artefactos a cambio de nuestras materias primas"*. Así diría Billinghurst: *Llegaremos a exportar manufacturas dentro de mil años*, y Vélez Sársfield, autor del Código Civil, codificará en una frase la política de una clase como inseparable del destino argentino: *Es imposible proteger a los industriales, que son los pocos, sin dañar a los ganaderos, que son los más.* Esa fue la mentalidad de los "visionarios" que sólo alcanzaron a verse la punta de la nariz; ésa es la gente que bajó con las Tablas de la Ley del Sinaí del 53.

Así se crearon las condiciones del capitalismo, pero se impidió el surgimiento de un capitalismo nacional al ponerlo en indefensión frente a la economía imperial. Así también, a medida que el progreso de la economía dependiente consolidaba el poder de los intereses extranjeros en el país y ligaban a ellos, como se ha explicado en la cita de Ferrer, los beneficiarios de la economía puramente abastecedora, se hacía más difícil la aparición de una economía capitalista propia. A mayor prosperidad de la economía exclusivamente agropecuaria, mayor dificultad para fundar una economía nacional integrada. Así quedaron excluidas las posibilidades del desarrollo de una política liberal nacional por la rápida expansión de una política liberal internacional. Anotemos como simple curiosidad el hecho que se ha señalado más arriba: en la deformación mental que hizo posible que la inteligencia argentina aceptara ese hecho, la irrisión llegó hasta el punto de que el ejemplo de los Estados Unidos, que hubiera servido para fundar una economía nacional integrada, fuera utilizado para impedirlo.

LA ARGENTINA PREINDUSTRIAL

¿Pudo, a nivel histórico 1853, planearse una política económica nacional? ¿Existía la posibilidad de surgimiento de una burguesía nacional que cumpliera ese papel?

Existía. Y Juan Manuel de Rosas había sido su máxima expresión. Lo que hay que saber es si Rosas no fue combatido por eso mismo y si el propósito de los vencedores no fue precisamente aniquilar toda posibilidad de economía integrada, que él acababa de demostrar. Vencido políticamente, quedaba su camino económico para recorrer.

Rosas es uno de los pocos hombres de la alta clase que no desciende de los Pizarros de la vara de medir que en el contrabando y en el comercio exterior fundaron su abolengo. Por eso no tuvo inconveniente en ser burgués. Fundó la estancia moderna y después fundó el saladero para industrializar su producción, y fundó paralelamente el saladero de pescado para satisfacer la demanda del mercado interno. Y defendió los ríos interiores y promovió el desarrollo náutico para que la burguesía argentina transportara su producción; integró la economía del ganadero con la industrialización y la comercialización del producto y le dio a Buenos Aires la oportunidad de crear una burguesía a su manera. Pero además, con la Ley de Aduanas, de 1835, intentó realizar el mismo proceso que realizaban los Estados Unidos: frenó la importación y colocó al artesanado nacional del litoral y del interior en condiciones de afirmarse frente a la competencia extranjera de la importación, abriéndole las posibilidades que la incorporación de la técnica hubiera representado, con la existencia de un Estado defensor y promovedor, para pasar del artesanado a la industria.[1]

---

[1] Esta hipótesis parece ratificada por las constancias del archivo del Foreign Office, sobre cuyos elementos ha trabajado el profesor H. A. Ferns en "Britain and Argentina in the Nineteenth Century", Edición Oxford, 1959, donde dice: *"La sociedad urbana y mercantil que surgió después de la caída de Rosas hubiese podido seguir el camino de los EE.UU., después de la guerra civil, si no hubiese existido una presión extranjera en favor de los terratenientes"*.

Las presiones extranjeras existieron entonces y siguen vigentes, y no sólo en el terreno económico; también en el de la cultura, porque las cadenas de la dependencia suelen estar unidas por el lazo de terciopelo de la obsecuencia nativa.

La editorial Emecé, que dirige el doctor Bonifacio del Carril, que no hace mucho ha sido ministro de Relaciones Exteriores, compró los derechos de traducción, pero, hay que suponer, para impedir su publicación, pues es un libro

Pequeño intento, se dirá, pero para muestra basta un botón. Un botón. Un botón construido mientras los unitarios, en insurrección permanente, obligaban a la guerra constante, y los grandes Imperios de la hora, Francia e Inglaterra y el vecino Brasil, agredían las fronteras argentinas, atacaban la navegación, bloqueaban los puertos, cañoneaban las fortificaciones y desembarcaban sobre nuestro territorio con la complicidad de sus aliados internos.

Pequeña muestra, pero grande si se ve lo que ocurrió después.

Transcribo, también de "Política y Ejército", lo que sigue: "Martín de Moussy señalaba los efectos de la libertad de comercio que Mitre había inscripto en las banderas del Ejército según su arenga: "La industria disminuye día a día a consecuencia de la abundancia y baratura de los tejidos de origen extranjero que inundan el país y con los cuales la industria indígena, operando a mano y con útiles simples, no puede luchar de manera alguna".

Dice José María Rosa: *Los algodonales y arrozales del Norte se extinguieron por completo. En 1889 el primer Censo Nacional revelaba que en provincias enteras apenas si malvivían madurando aceitunas y cambalacheando pelos de cabra.* ("Defensa y pérdida de la Independencia económica"). Ramos, de quien extraigo esta cita ("Revolución y Contrarrevolución en la Argentina"), nos informa que *en 1869 había 90.030 tejedores sobre una población de 1.769.000 habitantes, y en 1895 sólo quedaban 30.380 tejedores*

---

de éxito asegurado, y durante seis años impidió la versión castellana imprescindible por su documentación para un mejor conocimiento de nuestra historia. La señora Hilda Sánchez de Bustamante de Millán lo tradujo, pues entre un grupo de personas habíamos decidido correr los riesgos de una edición clandestina (algo así como una "invasión" de las Malvinas hecha por viejitos). Afortunadamente vencieron los derechos de Emecé y ahora los ha adquirido la editorial Hachette S.A. y está próximo a publicarse, como me informó el mismo Ferns, que me fue presentado por Jorge Sábato, en un reciente viaje que repetirá en los primeros días de octubre de 1966.

De este episodio aparentemente inocuo puede aprenderse mucho; así, que un ministro de Relaciones Exteriores argentino haga lo posible para que ignoremos la documentación británica sobre el país, mostrando que es más papista que el Papa. No nos extrañemos; Quintana, el abogado que amenazó al ministro de Relaciones Exteriores, don Bernardo de Irigoyen, con la escuadra inglesa, fue Presidente de la República. Federico Pinedo, la primera vez que fue ministro, confesó en el recinto parlamentario que por 10.000 libras esterlinas había hecho el proyecto de Coordinación de Transportes auspiciado como gobernante; siguió de ministro y lo ha sido después, en dos oportunidades más.

en una población de 3.857.000. Lejos de importar máquinas de producción, el capitalismo europeo en expansión nos enviaba productos de consumo. No venía a contribuir a nuestro desarrollo capitalista, sino a frenarlo.

LA POSIBLE BURGUESÍA FRUSTRADA DE LA "PATRIA CHICA"

Ni los pálidos exiliados de Montevideo que echaron sebo después de Caseros, ni los generales uruguayos brasileristas traídos por Mitre para la guerra de exterminio de la población nativa, ni los pobretones doctores de la Constituyente, podían haber constituido una burguesía. Pero estaba vivita y coleando esa burguesía federal que se le había dado vuelta a Rosas después de la derrota o en sus vísperas, con la parentela del "tirano" a la cabeza, y ese mismo Dr. Vélez Sársfield, que venía directamente de los salones de Manuelita. Ellos pudieron pesar para que, aceptando la estructura liberal que se plagiaba de los Estados Unidos, se condicionase ésta al interés nacional como los mismos Estados Unidos habían hecho, asumiendo ellos mismos el papel económico que el "dictador" había representado y sostenido.

Pero aquellos doctores habían adquirido ya el hábito de actuar como agentes internacionales, y lo siguieron haciendo desde sus bufetes donde fundaron la dinastía de los abogados de empresas y maestros del derecho y la economía conveniente a la política antinacional. Los burgueses de Buenos Aires prefirieron disminuir los recursos de la Aduana –que a Rosas le habían servido para establecer el orden nacional– para facilitar el orden de la dependencia y excluyeron la protección económica que significaba la posibilidad de integrar una economía.

Desde Pavón se aplicó la política del país chico. Ahora los recursos adua-

Estos son hechos. Pero el que conoce política internacional podría conjeturar algo más, con la próxima edición de Hachette S.A. ¿Esta editorial francesa lo editaría si la actual política de Francia fuera la de la tercera República, es decir, la de la prolongación continental de la isla? Esto le parecería hilar muy delgado a nuestra *intelligentzia* que ignora la sutileza de la política internacional, cuando se trata de nuestro país, ubicado en la estratosfera y ajeno a las especulaciones de los demás países. Y esto no es una imputación a Hachette, que en cualquier caso está bien, sino a la estupidez de esa *intelligentzia*.

neros, que se limitaban y habían servido para pelear contra lo extranjero, serían útiles para aniquilar al interior; y la protección, que había sido la defensa económica de éste, desaparecía para abrir camino al importador. Ahora el interior no es más que un desgraciado remanente del país hispanoamericano, sólo tolerable en la medida que no estorbe la adaptación de las pampas al destino que le tenía reservado la división internacional del trabajo. Es lo que le permitía decir a Sarmiento: "Pudimos en tres años introducir cien mil pobladores y ahogar en los pliegues de la industria a la chusma criolla inepta, incivil, ruda, que nos sale al paso a cada instante". Pero ya sabemos de qué industria habla Sarmiento, según lo dicho más arriba.

SEGUNDO FRACASO: LA BURGUESÍA PRÓSPERA SE SIENTE ARISTOCRACIA

Hacia el 80 se abre otra perspectiva. Es el momento en que comienza la brusca expansión agropecuaria del país.

Aldo Ferrer (Op. cit.) sintetiza de manera general el proceso de integración de los países productores de materias primas en el mercado mundial. Dice (pág. 96): "La apertura de los mercados europeos a la producción de alimentos y materias primas del exterior fue consecuencia del proceso de industrialización de los países de Europa, la especialización creciente de éstos en la producción manufacturera y la mejora de los medios de navegación de ultramar que rebajaron radicalmente los costos de transporte. Esto abrió en las economías de los países ajenos a la revolución tecnológica y a la industrialización de la época, llamados más tarde de la *periferia*, grandes posibilidades de inversión en las actividades destinadas a producir para los mercados de los países industrializados. Naturalmente, según se apuntó antes, los que más posibilidades ofrecían fueron aquellos de grandes recursos naturales y escasa población". Señala más adelante, llamando a estos países de "espacio abierto", que "la Argentina fue un caso típico de integración a la economía mundial de un espacio abierto". Agrega, también, que las "inversiones se presentaron tanto en las actividades puramente exportadoras como en la ampliación del capital de infraestructura, particularmente transportes, y también en los campos vinculados a las actividades de exportación, sus mecanismos comerciales y financieros, y en el desarrollo de actividades destinadas a satisfacer las demandas de países periféricos".

Ya Scalabrini Ortiz en su "Historia de los FF.CC. Argentinos" ha mostrado cómo la inversión fue muy relativa y se hizo por capitalización del trabajo nacional; lo mismo puede decirse de los servicios públicos en general, uno de los cuales, el de la electricidad, ha historiado minuciosamente Jorge del Río. En cuanto a los mecanismos comerciales y financieros, conviene recordar que los exportadores y los importadores se financiaron antes y después del IAPI, a través de la banca por el ahorro nacional, es decir que lo mismo que el IAPI, pero con la correspondiente diferencia de destino de los márgenes que resultan del comercio exterior. Estos márgenes se convierten con el sistema restablecido después de 1955, en nuevas inversiones extranjeras cuando no son utilidades que se van.

Pero dejando de lado la cuestión del origen de esas inversiones, el hecho que anota Ferrer es el mismo que hemos señalado poniendo las iniciales a la política inteligentemente trazada; las inversiones en la infraestructura no están dirigidas a desarrollar el país sino a facilitar su deformación en el sentido de un desarrollo dependiente.

La clase propietaria de la tierra, enriquecida bruscamente por la ampliación de sus dominios con la Conquista del Desierto, por el orden y la jurisdicidad, por el progreso técnico –alambrados, aguadas, genética, etc.–, por la contribución de los brazos inmigratorios y, sobre todo, por la demanda mundial dirigida a las producciones de la pampa húmeda, ha cuidado minuciosamente de mantener su hegemonía territorial, limitando por esto mismo la posibilidad de la formación de una fuerte burguesía de origen inmigratorio que podría haber nacido de una mejor distribución de la tierra y de una más amplia distribución de los frutos del trabajo.

EL ROQUISMO Y LA APARICIÓN DE UNA IDEA INDUSTRIALISTA

Pero en cambio el interior ha vencido a los portuarios y la federalización de Buenos Aires abre las perspectivas de una visión política nacional sustituyendo la exclusivamente porteña. Otro pensamiento económico que el vigente hasta ese momento acompaña a los vencedores. Avellaneda, con la modificación de la Tarifa de Avalúos, parece volver a la política económica señalada por Rosas. Están los dos Hernández, Vicente López, Roque Sáenz Peña, Estanislao Zeballos, Nicasio Oroño, Carlos Pellegrini, Amancio Alcorta, Lucio Mansilla, el mismo Roca. Pellegrini sintetizará el pensamiento de esa generación: "No hay en el mundo un solo estadista serio que sea librecambista en el sentido que aquí entienden esa teoría. Hoy todas las naciones son proteccionistas y diré algo más: siempre lo han sido, y tienen fatalmente que serlo para mantener su importancia económica y política. El proteccionismo puede hacerse práctica de muchas maneras, de las cuales las leyes de Aduana son sólo una, aunque sin duda la más eficaz, la más generalizada y la más importante. Es necesario que en la República se trabaje y se produzca algo más que pasto".

En el plazo de la inteligencia política las cosas han cambiado; la generación del 80 parece no estar arrodillada ante "los apóstoles del libre cambio", como Mitre, ni creer en la ineptitud congénita de los argentinos, como Sarmiento. Con Roca llegan al gobierno nacional, si no la "chusma incivil" que dijo el sanjuanino, la "gente decente", los principales de provincia cuyos intereses difieren de los portuarios.

Pero todo queda en vagos enunciados teóricos. Primero la lana, después la carne y los cereales, multiplican las cifras de la exportación; el roquismo, como tentativa de grandeza nacional, se desintegra en las pampas vencido por los títulos de propiedad que adquieren sus primates, ahora estancieros de la provincia.

UNA TRISTE PÁGINA DE HISTORIA

Quizá una de las páginas más tristes de la historia argentina es aquella entrega de la banda y el bastón que el general Roca hace al nuevo presidente Quintana. Es el mismo Quintana, abogado del Banco de Londres y América del Sud, que había amenazado al ministro de Relaciones Exteriores de Avellaneda, Bernardo de Irigoyen, con movilizar la escuadra inglesa por un incidente bancario, en el Rosario.

Esos eran sus títulos, y los de gran señor con su atuendo londinense, su oficio y filiación política mitrista que definen su ideología.

Abelardo Ramos (Op. cit., Tomo II) nos relata el episodio:

Rodeado de un puñado de amigos y con un velo melancólico en sus ojos saltones, el general Julio Argentino Roca entregaba las insignias del mando al Dr. Manuel Quintana, con su perilla blanca, retobado y despreciativo, enfundado a presión en su célebre levita. ...El mandatario saliente pronunció algunas banales palabras de cortesía. Quintana contestó al ceñirse la banda presidencial: "Soldado como sois, transmitís el mando en este momento a un hombre civil. Si tenemos el mismo espíritu conservador, no somos camaradas ni correligionarios y hemos nacido en dos ilustres ciudades argentinas más distanciadas entre sí que muchas capitales de Europa". *En esta respuesta desdeñosa, Quintana componía su autorretrato: se había sentido siempre más próximo a Londres que a Tucumán. Su alusión al común espíritu conservador no era menos transparente; comprendía perfectamente el íntimo sentido de la declinación del roquismo y su incorporación al "statu quo" de la oligarquía triunfal.*

Del soldado de Pavón, la Guerra del Paraguay, Santa Rosa y la Conquista del Desierto al estanciero de "La Larga". Lo que no pudieron las armas lo hizo la estancia. Continuaría su hijo el mismo camino de declinaciones que ahora se rubricaban con la traición a Pellegrini.

En su mensaje al Congreso, Quintana sería más concreto advirtiendo sobre el final de toda tentativa de economía nacional. Se imponía reducir los impuestos, ahorrar en los gastos públicos y renunciar a "ciertos excesos del proteccionismo aduanero". El mismo autor agrega que se renunciaba a la orientación proteccionista que había sido una norma desde la presidencia de Avellaneda en 1875, y que a pesar de su moderación había permitido crear las industrias nacionales en el último cuarto de siglo de la influencia roquista. Quintana agregaría en el mensaje: "... corregir las tarifas aduaneras cuando corresponda, otorgar franquicias a las industrias de otras naciones y aplicarlas sobre avalúos de verdad... moderar la protección de industrias precarias, si hemos de asegurar con ello la prosperidad de las industrias capitales".

LOS "CIVILISTAS" UTILIZAN A LOS MILITARES

Desde entonces, con una sola excepción, los generales que llegaron al poder terminan por entregarlo a civiles que enuncian estos "sanos" propósitos bajo la mirada complacida de las metrópolis económicas; convierten las armas nacidas para instrumento de la grandeza nacional en el recurso cómodo de esa clase de civilidad de que Manuel Quintana puede ser el símbolo.

Esto es lo que en definitiva dice también José Luis Imaz al hablar de las Fuerzas Armadas en "Los que Mandan" (Ed. Eudeba): *Sin funciones manifiestas –no ha habido guerras–, el aparato bélico de las FF.AA. ha terminado por ser visualizado, por todos los grupos políticos, como instrumento potencialmente útil para satisfacer sus propios objetivos. Así, el recurso de las FF.AA. como fuente de legitimación ha terminado por ser una regla tácita del juego político argentino.*

La regla es válida para la generalidad de los golpes militares, con sus "Batallones de Empujadores" y sus "Regimientos de Animémosnos y Vayan" (civiles), que se saben herederos, pero no para el caso de 1943 que se engloba en el juicio. Aquí el Ejército falló a los viejos partidos políticos, a quienes el juego se les fue de la mano. Lo que sucedió al golpe de Estado fue un proceso nuevo y distinto que instrumentó la única tentativa seria de economía nacional que hemos tenido. Porque la cuestión que define el hecho militar, es la de saber si éste se produce para restablecer el *statu quo* de los viejos partidos políticos como guardianes de la economía dependiente, o para abrir las perspectivas de una política nacional para el país y para el mismo ejército, rompiendo el esquema preestablecido en obsequio del acceso al poder de la parte de sociedad capaz de realizarse nacionalmente porque no está ligada a la vieja estructura.

Pero no nos apartemos del tema que es el fracaso de la burguesía.

La burguesía argentina fracasa por segunda vez.

FRACASAN LOS DEL "OCHENTA"

Ese momento de la incorporación de las pampas al mercado mundial, también ocurrió en Estados Unidos con sus cereales y carnes.

Entonces la burguesía norteamericana capitalizó la riqueza así generada. Complementó la producción con el manejo de la comercialización, de la navegación y de la banca. No se limitó a producir y vender sobre el lugar de producción entregando la parte del león a los exportadores. La hizo suya, la reinvirtió y proyectó los recursos logrados sobre el desarrollo interno, acompañando la marcha hacia el Oeste.

Ya hemos visto que la burguesía inmediata a Caseros fue incapaz de continuar el papel económico señalado por Juan Manuel de Rosas. Puede ella justificar su incapacidad para cumplirlo en la gravitación de las ideologías, en la caída del pensamiento nacional, en la conducción política en manos del odio que quería borrar todo el pasado, y en su propia debilidad económica para emprender en ese momento la tarea.

Pero la situación es muy distinta del 80 en adelante; esa burguesía se encuentra bruscamente enriquecida y plena de poder. Tiene conductores políticos que señalan un rumbo de economía nacional; las provincias pesan en las decisiones del Estado; sólo le basta asumir su papel como burguesía ilustrándose con el ejemplo de sus congéneres contemporáneas de los EE.UU. y de Alemania. Y, sin embargo, no lo cumple; por el contrario, absorbe en sus filas a los políticos y pensadores que pudieron ser sus mentores, los incorpora a sus intereses y los somete a las pautas de su *status* imponiéndoles, junto con su falta de visión histórica, la subordinación a los intereses extranjeros que la dirigen.

LOS AUSENTISTAS EN SU HORA DE "MEDIO PELO"

Es que esa burguesía de los descendientes de los Pizarro de la vara de medir prefiere creerse una aristocracia. Es la alta clase ausentista que reproduce en sus estancias los *manors* británicos y en sus palacios a la francesa el estilo de la alta sociedad parisiense. Es la burguesía ausentista que sube, en París y en Londres, la escalera del refinamiento finisecular después de haber saltado los escalones del rastacuero y se identifica con las grandes metrópolis del placer, la cultura, el dinero; entrega sus hijos a manos de "misses" y "mademoiselles" o a colegios pensionados de dirección extranjera, cuando no extranjeros directamente; se desentiende de la conducción del país, que deja en manos de protegidos de segunda fila –con todo, mejores que ella, porque no se han descastado totalmente–. Imita a la burguesía norteamericana en el dispendio y le disputa el matrimonio de sus hijas con los títulos de la nobleza tronada. Pero pretende ser una aristocracia, a diferencia de la "yanqui", que en su simplicidad arrogante se afirma como burguesía.

Carga sobre la espalda de esa burguesía argentina el complejo de inferioridad anti-indígena, anti-español y anti-católico, y en lugar de ser como la "yanqui", ella misma, prefiere ser imitadora de la alta clase europea. Tal vez remedando al Príncipe de Gales, que después sería Eduardo VII, es un poco continental y un poco isleña y fabrica ese híbrido anglo-francés que después traslada a Buenos Aires en la arquitectura, en los modos y hasta en el lenguaje.

Los racistas habituales imputarían este fracaso psicológico de los terratenientes argentinos a la supuesta incapacidad hispánica heredada, cuando si de algo se ocuparon esos "burgueses" es de borrar toda huella de lo español.

Puestos a imitar, no imitaron a esta burguesía poderosa y constructiva y sólo quisieron reproducir la imagen de los *landlords* en sus dominios territoriales. Anticipan el "medio pelo" contemporáneo en su arribismo de aquella etapa, porque en París y en Londres son el "medio pelo" de la alta sociedad; "medio pelo" que cree cotizarse por sus propios valores, hasta que la declinación de la divisa fuerte le destruye todo el fundamento de su prestigio internacional.[1]

BUENOS AIRES Y SU CITY

No supieron ser en su país los hombres de la "city" y la "city" fue extranjera. Por la estúpida vanidad de esa clase, el país frustró la ocasión de capitalizar para el desarrollo nacional la oportunidad que la historia le brindaba. Dilapidaron en consumo superfluo la parte de la renta nacional que la burguesía extranjera les dejó a cambio de la renuncia de su función histórica; cuando la divisa fuerte se acabó dejaron de ser "los ricos del mundo" y volvieron para ser "los ricos del pueblo", no en razón de la riqueza que pudieron crear, sino del privilegio que les permitió acumular su condición de titulares del dominio, en la valorización de las tierras originada en la transformación y lo poco que invirtieron en la producción primaria. Volvieron a cuidar aquí ese orden en virtud del cual, ya pobres en el mundo, se les permitía ser ricos en el país por comparación con los más pobres, a condición de garantizarle a la infraestructura extranjera de la producción el cómodo usufructo del intercambio.

---

[1] Nada permite establecer la diferencia entre la actitud de la burguesía norteamericana y los terratenientes argentinos, como una referencia a las alianzas matrimoniales de las niñas "yanquis" y porteñas con los poseedores de títulos nobiliarios europeos.

Son conocidas las dotes aportadas por las hijas de los millonarios "yanquis".

He aquí algunas, entre las más jugosas: Miss Forbes, aporta en su matrimonio con el duque de Choiseul 1.000.000 de dólares; Miss Adela Simpson en su casamiento con el Duque de Tayllerand-Perigord "se pone" con 7.000.000 de dólares; 2.000.000 de dólares aporta Miss Wimarelle-Singer en su matrimonio con el Príncipe de Scey-Montboliard; Miss Gould aportó al Conde Boni de Castellane una dote de ¡15.000.000 de dólares!

Las norteamericanas no hacen ningún misterio; por el contrario estaban orgullosas de contribuir al dorado de los blasones.

Una revista un tanto escandalosa, "Crapuillot", que hace esta pequeña historia del amor internacional dice a este respecto: *Las jóvenes norteamericanas introduciéndose en la vieja nobleza no experimentaban el sentimiento de ser elevadas a un rango social superior; entendían permanecer en las mismas y lucían el orgullo de aportar por lo menos tanto como el otro.* No se sentían más pero no se sentían menos. Eran alianzas en el buen sentido y compraban títulos públicamente como públicamente los nobles pagaban el dinero con títulos. Tampoco éstos temían parecer burgueses, porque en

Así, la expansión agropecuaria, que fue la más grande oportunidad que tuvo el país de capitalizarse, como consecuencia del fracaso de su burguesía sirvió para consolidar su situación de dependencia.

En la medida que esa clase no cumplió el papel que correspondía a una burguesía, se resignó a ser la fuerza interna dependiente cuya misión ha sido impedir toda modificación de la estructura. Es lo mismo que pasa con los ejércitos en todos los países periféricos: o intentan la realización nacional cumpliendo como tales con su destino histórico, o se convierten en una mera policía del orden conveniente a los de afuera. Esa diferencia que hay entre el soldado y el cipayo ocurre en el orden económico, según la burguesía cumpla funciones nacionales o simplemente sea un sector dependiente.

LOS "PROGRESISTAS" DEVIENEN ANTIPROGRESISTAS

Cuando la producción agropecuaria llegó a los topes previsibles y la población siguió creciendo, ya no sólo dejó de cumplir su papel como burguesía, ante el peligro de que la realidad, imponiendo las leyes de la necesidad, alterase la estructura a que se ligaba. De la euforia del progreso y su hipertensión, que vivió tirando manteca al techo, pasó a la lipotimia del miedo a la grandeza.

---

definitiva opinaban como Madame de Sévigne: *Les millons sont de bonne maison.*

Tan clara era la posición de las jóvenes norteamericanas que Miss Gould, cuando el Conde Boni de Castellane le solicita que adopte su religión, le contesta, según versión del mismo conde: *Jamás, pues es muy difícil divorciarse cuando se es católico.* Era un *affaire* de negocios.

En cambio las argentinas, como jugaban la comedia de la aristocracia, necesitaban disimular la naturaleza financiera del pacto. Así tendremos que creer que el Duque de Luynes se casó con Juanita Díaz, la hija de Saturnino Unzué, a puro vigor de corazón. También el Conde de Bearn o el otro Boni de Castellane casados con herederas argentinas.

Pero la burguesía argentina constituida así en aristocracia, ha contribuido a resolver uno de los problemas más serios de Francia: la hija del Duque de Luynes y Juanita Díaz se casó con el Príncipe de Murat. De tal modo con la alianza de la casa de Luynes con la casa de Murat, se ha sellado la unión de la nobleza borbónica con la bonapartista. Anotémosle este punto a los terratenientes argentinos que tal vez nos compensen de su fracaso como burgueses.

Quiero aquí recordar la frase de ritual de la vieja oligarquía que he dicho al principio de la nota: "Cien millones de argentinos conducidos por la azul y blanca ante el trono del Altísimo". Y agregar dos citas que no me cansaré de reiterar, porque definen los dos extremos entre la euforia de los triunfadores y la derrota de los sometidos que quieren someter al país.

En 1956 el Dr. Ernesto Hueyo, ex ministro de la Década Infame y personaje representativo de su clase, sostiene en un artículo de "La Prensa" que el país tiene exceso de población y sólo se le ocurre una solución: que emigre el excedente de argentinos innecesario para la economía pastoril. En 1966 el presidente de la Sociedad Rural, Sr. Faustino Fano –un nuevo incorporado a la alta clase– expresa el pensamiento de la misma diciendo en el habitual banquete de la prensa extranjera –donde los primates del país van a dar examen de buena conducta e higiene mental– que la población conveniente a la República está en la relación de cuatro vacunos por cada hombre. Ajustándose al cálculo de este último, y partiendo de una existencia presumible de 45 a 50 millones de vacunos, hoy no debería tener más de 12 millones de habitantes. Si tiene 25 millones se ha excedido en el 100 por ciento. ¡A esto ha llegado la élite que se dice continuadora de la que jugaba a los 100 millones de habitantes y los prometía ante el trono del Señor!

Y lo terrible es que tiene razón si el esquema económico argentino ha de ajustarse al destino que le tienen reservado al país los que se creen sus dirigentes por derecho propio, los que habitualmente sacan al Ejército de sus cuarteles, los que habitualmente vuelven a meterlo en los mismos y los que ponen al frente de la economía a los expertos profesionales que se turnan en su dirección.

EN LOS LÍMITES DE LA PAMPA

En 1914 –y no en 1930, como lo entiende Ferrer– el país ha llegado al límite potencial de su riqueza agropecuaria. Habrá coyunturas circunstanciales, como la excepcional demanda posterior a la primera guerra o la falta de competencia internacional, o condiciones climáticas extraordinarias que permitan por algunos años superarlo.

De todos modos se sumará a los factores adversos la cada vez más adversa relación de los términos del intercambio; ya ni el préstamo internacional ni los saldos favorables de la balanza comercial podrán compensar la demanda creciente del mercado interno, que, además, afecta los saldos exportables, ni tampoco el servicio de amortizaciones y de intereses. Todo lo que el país avance sólo dependerá de la expansión del mercado interno –de lo que el país sea capaz de producir y consumir para sí, es decir, de la diversificación de la producción y el alza de los niveles de consumo generada por el desarrollo de las fuerzas internas, de la producción al salario–, de su capacitación para integrar una economía nacional que no repose en los saldos del comercio exterior. Este dejará de ser eje para ser sólo complementario, como lo es en EE.UU. y en todos los países que los "expertos" cipayos nos proponen como ejemplo. Ese problema de población que preocupa a Hueyo y a Fano, la eliminación del excedente de 13 millones de habitantes, sólo tiene dos soluciones: el genocidio que puede consistir en el *no te morirás, pero te irás secando* de un pueblo condenado a la miseria endémica, que además facilite mano de obra barata para complacer con el bajo costo "el mercado tradicional", o tomar el toro por las astas –el toro o el dueño del toro– y marchar hacia la integración de la economía.

Para un argentino no hay otra alternativa que la segunda solución en lo inmediato. En lo mediato, volver a la expansión internacional, pero con la producción y los mercados diversificados.

AVANCES Y RETROCESOS

Desde 1914 estamos en eso: en la lucha del país nuevo y real con el país viejo y perimido, que para vivir él impide el surgimiento de nuestras fuerzas potenciales. Es un andar y desandar continuo; un avanzar tres pasos y retroceder dos. En ese andar hacia adelante muchos sectores del interior han encontrado su solución transitoria en el crecimiento del mercado del litoral y sólo por él; el algodón del Chaco, el vino y la fruta de Mendoza y Río Negro, la yerba y el té de Misiones, los citrus de la Mesopotamia y del Norte, el tabaco, el azúcar, el arroz y la variada gama de productos que han permitido avanzar a algunas provincias de las condenadas a vegetar miserablemente en el mecanismo exportador-importador del litoral.

Las dos grandes guerras, la de 1914 y la de 1939, y la neutralidad mantenida a pesar de todas las presiones, rompieron en dos oportunidades críticas el esquema agro-importador y dieron lugar a un incipiente desarrollo industrial en la primera, que tuvo carácter mucho más definido y profundo en la segunda. Las condiciones históricas favorables fueron relativamente acompañadas, en la primera oportunidad, por el gobierno de Yrigoyen, con medidas imprecisas pero que ayudaron, como el cierre de la Caja de Conversión, el incremento de la actividad del Estado como promotor y el primer reconocimiento de los trabajadores como fuerza dinámica de la realización argentina; en la segunda, desde la política inicial de Castillo, con la creación del Banco Industrial y la creación de la Marina Mercante, a la decidida y enérgica política de Perón, ejecutada audazmente por Miranda y con la efectiva acción de los trabajadores que, con una lúcida conciencia de su papel, ocuparon el lugar vacante de la burguesía en la conducción nacional, pues la burguesía que surgía entonces, al amparo de condiciones favorables, tampoco tuvo conciencia de su valor histórico ni de la línea política de sus intereses.

1930 y 1955 son fechas equivalentes, y la Década Infame y la Revolución Libertadora se identifican en los fines, en la técnica revolucionaria, en los equipos de gobierno y en el mismo aprovechamiento de las fuerzas militares destinadas al increíble papel de frenar la grandeza nacional y cerrarle al país –cuya expresión armada de potencia son– el camino que les abriría la posibilidad de ser potencia.

No se trata aquí de hacer el análisis de la política económica del gobierno caído en 1955. Sólo bastará con decir que, cabalgando sobre las circunstancias favorables de la guerra y la posguerra, realizó la única tentativa de política económica nacional en gran escala después del precario ensayo que pudo hacer Rosas. (Esta analogía que quiso ser injuriosa resultó un cumplido y lo resultará cada vez más a medida que se vaya conociendo la historia verdadera de las "Tiranías Sangrientas" y la de sus adversarios). El establecimiento de prioridades, la concentración de la banca y el manejo de las divisas para proyectar sus recursos sobre las mismas, el manejo del comercio de exportación y el control de la infraestructura económica y la paralela redistribución de la renta, con la consiguiente promoción social del país, son caminos que habrá siempre que recorrer, corrigiendo errores, perfeccionando aciertos y aportando nuevas soluciones y perspectivas, porque son los únicos caminos posibles de una integración económica nacional.

EL TERCER FRACASO DE LA BURGUESÍA

Esta vez también la burguesía traicionó su destino. Y ahora no fue la burguesía tradicional, ya ligada definitivamente al anti-progreso como expresión del país estático frente al país dinámico, porque el proceso de desarrollo que se cumplió en la etapa 1945-1955 significaba la oportunidad de la aparición de un capitalismo nacional con fines nacionales.

Era el avance hacia una frontera interior de progreso donde todavía el capitalismo tiene un amplio margen de posibilidades y una tarea que cumplir. También los trabajadores lo comprendían, demandando como precio el ascenso social que ese avance generaba, aceptando los márgenes de capitalización y reclamando sólo una distribución digna de la capacidad del consumo. Sociedad esta signada por el inmigrante con la voluntad de los ascensos individuales, levantó con el mismo sentido las masas criollas del interior secularmente resignadas a ser marginales de la historia; el movimiento social tuvo así características propias del país, en que se conjugaron la demanda gremial de las reivindicaciones gregarias y la individual afirmación de las posibilidades personales; porque el movimiento social se da en un país de frontera interior en las dos dimensiones que la riqueza en expectativa permite, lo mismo que la fluidez de las situaciones de trabajo, originadas en una economía de expansión.

EL *MEDIO PELO* Y LA NUEVA BURGUESÍA

A la sombra de esa expansión del mercado interno y el correlativo desarrollo industrial surgió una nueva promoción de ricos, distinta a la de los propietarios de la tierra que venía de las clases medias, y aun del rango de los trabajadores manuales, y se complementaba con una inmigración reciente de individuos con aptitud técnica para el capitalismo.

Pero esta burguesía recorrió el mismo camino que los propietarios de la tierra, pero con minúscula.

Bajo la presión de una superestructura cultural que sólo da las satisfacciones complementarias del éxito social según los cánones de la vieja clase, buscó ávidamente la figuración, el prestigio y el buen tono. No lo fue a buscar como los modelos propuestos lo habían hecho a París o a Londres. Creyó encontrarla en la *boite* de lujo, en los departamentos del Barrio Norte, en los clubes supuestamente aristocráticos y malbarató su posición burguesa a cambio de una simulada situación social. No quiso ser guaranga, como corresponde a una burguesía en ascenso, y fue tilinga, como corresponde a la imitación de una aristocracia.

Eso la hizo incapaz de elaborar su propio ideario en correspondencia con la transformación que se operaba en el país, hasta el punto que los trabajadores tuvieron más clara conciencia del papel que les tocaba jugar a esa clase. Basta leer, después de 1955, la literatura sindical y la de la burguesía –con la sola excepción parcial de la CGE– para verificarlo.

Esta nueva burguesía evadió gran parte de sus recursos hacia la constitución de propiedades territoriales y cabañas que le abrieran el *status* de ascenso al plano social que buscaba. Fue incapaz de comprender que su lucha con el sindicato era a su vez la garantía del mercado que su industria estaba abasteciendo y que todo el sistema económico que le molestaba, en cuanto significaba trabas a su libre disposición, era el que le permitía generar los bienes de que estaba disponiendo. Pero, ¿cómo iba a comprenderlo si no fue capaz de comprender que los chismes, las injurias y los dicterios que repetía contra los "nuevos" de la política o del gremio eran también dirigidos a su propia existencia? Así asimiló todos los prejuicios y todas las consignas de los terratenientes, que eran enemigos naturales, sin comprender que los chistes, las injurias y los dicterios también eran válidos para ella. Como los propietarios de la tierra en su oportunidad, perdió el rumbo. Pero no se extravió como la vieja clase en los altos niveles del gran mundo internacional. Se extravió aquí nomás, entre San Isidro y la Recoleta, y no la llevaron de la mano los grandes señores de la aristocracia europea, sino unos primos pobres de la oligarquía que jugaron ante ella el papel de vieja clase.

El tema del "medio pelo", es un filón inagotable para humoristas del lápiz y de la pluma. Tanto han "cargado" éstos que parece inexplicable la subsistencia de la actitud que lo caracteriza. Esto revela que se trata de algo más que una de esas modas pasajeras que constituyen las frivolidades de nuestra tilinguería; es que estamos en presencia de un verdadero *status* correspondiente a un grupo social ya conformado.

Si este grupo social estuviera aislado no tendría importancia y hasta podríamos agradecerle la diversión que nos proporciona su espectáculo; pero lo grave es que ejerce magisterio y se extiende hasta ir absorbiendo la nueva burguesía y parte de la clase media con sus pautas de imitación, con su calcomanía de una supuesta aristocracia, y esto perjudica al país en el momento que reclama una urgente transformación que debe contar con el empuje creador de la clase hija de esa transformación, en riesgo de cometer el mismo error de la burguesía del 80, confundiendo esta vez el oro fix de sus mentores porteños con el oro viejo de los que guiaron a aquéllos.

CAPÍTULO II

LA SOCIEDAD TRADICIONAL

FUNDACIÓN DE BUENOS AIRES Y DESPUEBLE

El "Diccionario de los conquistadores del Río de la Plata", de Lafuente Machain, sólo incluye por excepción algún apellido correspondiente a la actual guía social de Buenos Aires; en cambio son frecuentes en los sindicatos, tanto en los "cabecitas negras" provenientes del interior, como en gente de origen paisano de la provincia de Buenos Aires.

Es que a diferencia de Europa –donde la sociedad aristócrata proviene de la nobleza feudal– en Buenos Aires la alta clase es directamente de origen burgués.

Allá los estamentos feudales, basados en el dominio territorial y en la espada, fueron penetrados por la burguesía a medida que el desarrollo del Estado moderno rompía la estructura política feudal, paralelamente con la desaparición del aislamiento geográfico. Aquí la alta sociedad no proviene de un feudalismo preexistente: nace directamente de la incorporación del Río de la Plata al mercado mundial; es burguesa desde sus orígenes.

Buenos Aires se funda como un fuerte y la plata de su engañoso reclamo metálico no existe. Tampoco la posibilidad de la encomienda que permite asentarse a los colonizadores sobre una base de vasallos o siervos, en un remedo de la sociedad medieval europea. Además de la falta de mano de obra indígena, el clima y el suelo no son propicios al establecimiento de la plantación, en la que el esclavo pudiera reemplazarlos. Ni existen ganados, ni la agricultura del clima templado es posible porque el transporte marítimo, a una distancia tan grande como la del extremo sur, sólo es hábil con su menguado tonelaje para el comercio de los metales preciosos o las mercaderías agrícolas de primera como el añil, el tabaco, el algodón, el azúcar, etc., que toleran altos fletes.

Así la propiedad privada de la tierra no tiene sentido más allá de las pocas chacras necesarias para el abastecimiento del fuerte. Buenos Aires no es más que "una puerta de la tierra" pero de entrada, no de salida, en el camino al Perú de los metales. Su creación es una exigencia política que Gil Munilla esclarece en su libro sobre la fundación del Virreynato del Río de la Plata: *poner un obstáculo al avance portugués y crear una base en el Atlántico Sur para cerrar el acceso del Estrecho de Magallanes a los navíos holandeses e ingleses cuyo objetivo son los puertos en el Pacífico.*

El fuerte fundado por don Pedro de Mendoza carece de abastecimientos y no puede subsistir; sus pobladores emigran al Paraguay, donde se establecen.

Allí el repartimiento de los indios, más dóciles y abundantes, y que conocen algunas artes de agricultura, y la variedad de los frutos de la tierra que proporciona alimentos sustitutivos o complementarios de los habituales del europeo, hacen posible una economía doméstica de autosatisfacción.[1]

SEGUNDA FUNDACIÓN

De Asunción bajan cuarenta años después, con Juan de Garay, los autores de la Segunda Fundación. Pero las circunstancias han cambiado por el milagro de la multiplicacíon de las haciendas provenientes de Europa: las pampas se han poblado de baguales y cimarrones y esta nueva riqueza hará del nuevo fuerte una villa y de la villa una metrópoli. Así vacunos y yeguarizos signarán por siglos el destino del Río de la Plata constituyendo su riqueza básica, sobre un medio geográfico que parece estuvo a la expectativa de este destino desde los orígenes de los tiempos.[2]

---

[1] Horacio C. Giberti ("El desarrollo agrario argentino", Ed. Eudeba, 1964, Pág. 8), dice: "... la llanura pampeana, que hoy concentra casi todo nuestro patrimonio económico, constituía poco menos que un desierto, donde padecían penurias de hambre casi todos los conquistadores que incursionaron por su suelo. Los querandíes de Buenos Aires no conocieron una sola planta cultivada, ignoraban totalmente la agricultura, carecían de animales domésticos y llevaban una pobre vida nómade. Los españoles no pudieron cargar sobre ellos ni sobre ninguna otra tribu pampeana el peso de su mantenimiento".

[2] Azara, en un cálculo desmesurado, dice que hacia 1700, las cabezas de ganado existentes en las pampas llegaban a 48.000.000. Y Lozano ("Historia de la Conquista del Río de la Plata"), sin ser tan preciso, habla de millones. De todos modos lo cierto es que la multiplicación ha sido prodigiosa.

Ahora el mantenimiento y prosperidad de la fundación está asegurado porque existe su base elemental: la alimentación proporcionada sin necesidad de una mano de obra preexistente, en una ganadería que más se aproxima a la caza que a la producción rural. Además, los nuevos pobladores tienen experiencia americana: son los "mancebos" de la tierra, hijos puros de españoles o mestizos, hábiles ya en las artes necesarias para la vida americana. Sobre la base del abastecimiento de carnes y cueros –cuyo aprovechamiento en sustitución de otros recursos permite hablar de una "civilización de cuero"– los repartimientos de las tierras colindantes con la villa bastan para complementar, desde las "chácaras", el mantenimiento de la misma con tambos y huertas.

Es una economía como la asunceña, autosuficiente, sin perspectivas de riqueza, con intercambios domésticos, modestas construcciones y hábitos elementales de convivencia social.

La misma ganadería, que ha resuelto el problema de la subsistencia, provocará el cambio incorporando a Buenos Aires al mercado mundial, dando vida al puerto que genera la base de una economía burguesa de riqueza en expansión. De aquí provendrá el establecimiento de la burguesía que es raíiz histórica de la actual clase alta argentina.

El pregón hecho en Asunción y repetido en Santa Fe por el caudillo Juan de Garay, recluta "vecinos" de estas ciudades y "estantes". El "vecino" tiene privilegio por nacimiento, como los hijosdalgo españoles, entre los que cuenta el de los cargos públicos y el poder solicitar "merced" de tierras con repartos de indios. Aquí se crea un derecho típico del Río de la Plata el de "accionar" contra "cimarrones" y "baguales", es decir, hacer "vaquerias", apropiándose de estas haciendas; además, desde que contrae matrimonio y tiene casa poblada puede ingresar al Cabildo como Alcalde o Regidor. Su obligación esencial es empuñar las armas.[3]

Los "estantes" que se han incorporado a la fundación respondiendo al pregón: *"constituidos por domiciliados llegados recientemente de España o*

---

[3] Dice José María Rosa (Historia Argentina - I-3 - Ed. Granda, Pág. 243):

"Las Leyes de Indias equiparaban la nobleza indiana de los *vecinos* con la peninsular de los *hidalgos*. Los pobladores tenían el derecho de pedir ejecutoria de su título." El autor, citando a Solorzano 11, Ley Cuatro, señala que podían hacer información para ese efecto y que ninguno la hizo pues los hijos de *vecinos pobladores*, se tenían como suficientes hijosdalgo del solar conocido.

descendientes de "vecinos" de las ciudades fundadoras adquieren también condición de "vecinos" en la nueva población con todos sus privilegios. (José María Rosa, "Historia Argentina").

Así derechos patrimoniales y cívicos se van fijando en la clase constituida por los descendientes de los fundadores juntamente con las obligaciones que surgen del servicio de las armas.

Toca ahora explicar por qué esos hidalgos fundadores desaparecen del primer plano social hasta el punto que se ha señalado al principio que sus linajes no revistan en la alta sociedad porteña.

APARICIÓN DE LA BURGUESÍA PORTEÑA. CONTRABANDO Y TRATA DE NEGROS

Como consecuencia del derrumbe de la economía española empezada bajo los Austria y acelerada por la influencia del oro de América, que convierte a la metrópoli en un poderoso comprador externo en beneficio de las industrias francesas, flamencas e italianas, y en perjuicio de la interna, en España se van creando las condiciones que reflejará la literatura picaresca: un país de grandes señores, lacayos y mendigos en la misma medida que decaen las artesanías y el agro. Ahora no emigran a América los hombres de espada, sino cirujanos, maestros, artesanos y menestrales, comerciantes y hasta jornaleros para las chacras a falta de indios encomendados o negros esclavos.

Desde fines del siglo XVII van llegando a Buenos Aires catalanes, vascos, asturianos, judíos portugueses, que no son simples emigrantes de la metrópoli; son gente con recursos monetarios atraídos por las posibilidades económicas que crea el negocio del contrabando de cueros y la importación de esclavos. En poco tiempo se constituye una burguesía poderosa que consigue que los cargos del Cabildo sean puestos a la venta, con lo que, por la posesión del dinero, desplazan a los descendientes de los fundadores en las funciones públicas. Así ocurre con todos los privilegios de éstos y aun con sus obligaciones de la milicia; los viejos herederos son desplazados políticamente –como ya lo habían sido económicamente con la venta en remate de su antiguo privilegio de las "vaquerías"– a medida que Buenos Aires deja de ser una pobre villa de economía cerrada y se incorpora al mercado internacional.

Dice José María Rosa, a quien estamos siguiendo: *Una nueva manera de vivir sucede en el siglo XVII a la heroica del siglo XVI, corre el dinero y las mercaderías de contrabando mientras se desvalorizan los productos de las chacras. Ya no habrá "vecinos" ni "domiciliarios", sino ricos y pobres, "clase principal", también llamada "sana y decente", y clase inferior.*

Los principales, dueños del dinero, sustituyen a la vieja aristocracia vecinal; la burguesía mercantil al feudalismo militar.[4]

Recién en este momento surgen las estancias, pues las excesivas "vaquerías", en competencia con las incursiones de los indios araucanos, ahora dueños del caballo que les permite cruzar los desiertos intermedios entre la cordillera y la pampa, y hacer sus arreos hacia Chile, amenazan terminar con "baguales" y "cimarrones".[5]

Se hace necesario "aquerenciar" las haciendas y llevarlas a la propiedad privada, pues hasta ese momento "baguales" y "cimarrones" eran propiedad de la Corona, sólo concedida al "vecino" accionero para su aprovechamiento en las "vaquerías". Así junto al origen de la estancia argentina está la propiedad privada de las haciendas.[6]

Conviene señalarlo, pues hay una larga tradición, especialmente en cierta izquierda, que en el afán de atribuir a América los fenómenos sociales y económicos de Europa, supone que necesariamente la estancia fue anterior al desarrollo de la burguesía, y hace surgir a ésta de la estancia, cuando el proceso fue precisamente inverso. Hasta ha inventado un término al caso –feudal-burgués– para hacer conciliables la realidad que no está en sus libros, con las lecciones importadas.

---

[4] Muy ilustrativo es el relato de la forma en que Juan de Vergara, negrero y contrabandista, compró todas las varas de Regidor.

Dice José María Rosa: "Se ve allí cómo el poder pasó de la clase de "vecinos" a la confederación de intereses mercantiles ilícitos, constituidos por "estantes" que adquirían la condición de "vecinos" por el simple casamiento con hijas de tales. Pronto no fue necesario ni siquiera eso y el acceso a los cargos sólo fue posible a los *nobiles*, es decir, a los nuevos, pues se hizo condición tener posibles que permitieran comprar la vara comunal. Los cargos se fueron haciendo perpetuos y estos perpetuos eran los contrabandistas o gente dependiente de ellos". Más tarde, agrega, "los hijos de contrabandistas convertidos en honrados mercaderes o estancieros, solos en los derechos y privilegios de los vecinos, postularían y retendrían los cargos vitalicios".

[5] El caballo le permitió al indio del Arauco cruzar los desiertos intermedios entre los valles de la cordillera y la pampa, y el vacuno constituye el objetivo de este nuevo poblamiento indígena. De tal manera la guerra con el indio, a diferencia con otras zonas, fue un conflicto entre dos conquistadores.

De este cambio de situaciones originado, como se ha dicho, en la transformación de la villa-fuerte en puerto comercial –vinculado al comercio mundial por el contrabando y las sucesivas excepciones al monopolio hasta llegar a la libertad de comercio– surge el hecho que el siglo XVIII contempla ya consolidado: la burguesía y sus dependientes urbanos que constituyen la clase principal de la sociedad, mientras lo que pudo ser una aristocracia fundadora, proveniente de la hidalguía del "vecino", pasa a constituir la clase inferior, predominantemente suburbana o rural. Es así, por esta inversión de las clases, que de los linajes fundadores de los hidalgos, provienen el orillero y el gaucho, en tanto que la burguesía inmigrada posteriormente constituirá lo que se ha de llamar la aristocracia argentina.

EL DESCLASAMIENTO DE LOS VECINOS FUNDADORES

La nueva y alta clase, la de los ricos, va comprando los lotes urbanos bien situados y el crecimiento de la Villa asiste a la sustitu-

---

Ese estado de guerra permanente excluye el mestizaje que algunos dan como origen de la población gaucha del litoral y que es excepcional: el caso de algún matrero refugiado en los toldos o de algunos grupos de familias indígenas reducidos, en la parte ocupada por la población blanca. Por eso el gaucho del litoral es de pura cepa española.

[6] La estancia primitiva carece de cercado, lo que obliga al aquerenciamiento de las haciendas y al "rodeo" complementado con la institución de los apartes y la marcación, lo que no alcanza a impedir una abundante existencia de "orejanos" y "mostrencos". El primitivismo de una estancia se ha imputado a la "incapacidad" del criollo y alcanza a los propietarios. Hudson lo ha explicado: observa que las estancias del siglo XVIII presentan rastros de casa habitación, de monte frutal y de huerta que no existen en las contemporáneas del siglo XIX; que los primitivos pobladores trataron de reproducir el modo agrario que habían conocido en Europa, pero la experiencia les fue enseñando que en una explotación extensiva, de grandes espacios y con haciendas bravías, el hombre debía estar constantemente a caballo, galopando en la distancia para impedir su dispersión. El hogar confortable, la huerta, el monte frutal, el tambo, eran inconciliables con esa forma de trabajo –y aun las gallinas como parece revelarlo las "Instrucciones a los Mayordomos de Estancias" de Juan Manuel de Rosas. No era cuestión de cuidar un zapallo o un duraznero y perder 200 vacas.

ción del caserío de adobe y "chorizo", por las casas de ladrillos de los nuevos. Los descendientes de los fundadores, cuyos derechos y privilegios han pasado a los ricos, ceden su lugar en la urbe a los descendientes de contrabandistas y comerciantes, y se van retirando hacia el suburbio como peones de las matanzas ("matanceros"), carreros, jornaleros o vagos sin oficio. Aun los que conservan las chacras en propiedad y atienden con los tambos y las huertas al abasto de la ciudad, según se multiplican se van desclasando, y el conjunto de los descendientes de unos y otros va poblando la campaña, unas veces como intrusos en las mercedes reales, otras como peones de las mismas; o simplemente se asientan en las tierras no repartidas, atendiendo a su subsistencia con los recursos que proporcionan las habilidades del gaucho carente de propiedad. Terminarán prácticamente adscriptos a la estancia de los nuevos en una servidumbre atenuada por la posibilidad permanente de evasión que ofrece al gaucho la amplitud del espacio y la abundancia de recursos naturales.

Contra éste se alzarán las Leyes de Vagos vigentes hasta finales del siglo pasado, destinadas a resolver a favor de los propietarios, el conflicto entre los derechos reales del titular y los consuetudinarios del ocupante, para quien campo y hacienda continúan siendo *res nullius*.

GENTE PRINCIPAL (PARTE SANA Y DECENTE DE LA POBLACIÓN) Y GENTE INFERIOR

Esta constitución de la sociedad en dos clases: la *gente principal* o *decente, parte sana* de la población, y la *gente inferior* estará vigente en la sociedad argentina hasta fines del siglo XIX.[7]

Pero no es simplemente la riqueza la que determina la caracterización de estas dos clases, pues si en la "clase inferior" todos son

[7] La misma estructura que divide la sociedad en dos estamentos impenetrables recíprocamente existe en provincias durante toda la Colonia y persiste, de hecho, casi hasta finales del siglo XIX y en algunas aún hoy. Pero, a diferencia del litoral, la "gente principal" continúa los linajes de los vecinos fundadores. Allí no ocurrió la segunda inmigración de una burguesía que los suplantara.

Si bien se establecieron diferencias en la posición económica de la "gente

pobres, no toda la "gente principal o decente" es rica; ésta se integra con un amplio sector de habitantes urbanos que en ciertas artesanías o en funciones dependientes de las actividades comerciales u oficiales gozan relativamente del mismo *status*.

Este sector, si desprovisto de los medios de los ricos, por su residencia urbana participa de la vida cívica y religiosa y comparte sus pautas, sobre todo en una vida familiar conforme a las exigencias éticas de la clase principal. En cambio, el habitante de los suburbios y la campaña, radiado de hecho de esa convivencia por las distancias y el aislamiento va perdiendo el hábito de las normas cívicas y religiosas que practicó originariamente.

Excluido de las normas de la vida urbana se resiente principalmente en su organización familiar, pues la dificultad de transporte y la azarosa vida de la naturaleza sin control social, civil y religioso, destruye la práctica de las uniones matrimoniales legítimas, dificultosas y muchas veces imposibles, y no exigidas por el consenso del medio. Así la ilegitimidad del nacimiento se va convirtiendo en un elemento característico de la "clase inferior", y con él hasta la pérdida de la memoria del linaje, a diferencia de lo que ocurre en el medio urbano donde los pobres de la "clase principal" se aferran a las prácticas que le aseguran su permanencia en ella. Dice Juan Agustín García

---

principal", los pobres dentro de esa economía cerrada y con hábitos poco rumbosos, pudieron seguir militando dentro de la misma sin desplazarse hasta la "clase inferior".

Dice Giberti (Op. cit., pág. 8): "Entonces la región más poblada era el Noroeste, con culturas indígenas mucho más evolucionadas, que practicaban agricultura con riego, mantenían bajo cultivo más de veinte especies vegetales, domesticaban la llama y la alpaca, habitaban casa de piedra, y residían en poblaciones estables. Sus tribus sedentarias y más adelantadas proporcionaban buena base para la vida de los conquistadores: una vez batidas militarmente, debían someterse por imposibilidad de transportar sus pueblos y tierras irrigadas. El Noroeste fue entonces la región más densamente poblada, más rica y en contacto más estrecho con la civilización".

De la encomienda y el encomendero en su convivencia fue posible el mestizaje. Y de esos indios mansos, mestizos y españoles puros alzados, se formó más allá de los regadíos, y con la paulatina desaparición de la encomienda, esa clase inferior del interior, que también recibió la denominación de gauchaje.

en "La Ciudad Indiana": *"desaparece la familia cristiana en la clase proletaria, deshecha por el nuevo medio"*.

Estos dos estratos –"principales" e "inferiores"– si bien se corresponden con diferencias económicas, no coinciden con la habitual distinción de las clases en altas, intermedias y bajas; definen la estructura social de la Colonia y aun la posterior a la independencia durante casi todo el siglo XIX y persisten hasta que se organiza la producción agrícola y ganadera en vasta escala, conjuntamente con la incorporación de los inmigrantes al país. (En todo caso la distinción entre las clases altas y las medias sólo podría hacerse dentro del esquema de la "clase principal"). Para ser "gente decente o principal" no es imprescindible ser rico, aunque obste una pobreza extrema que puede desplazar hacia la clase inferior por sus efectos mediatos, que ya se han visto al hablar del desclasamiento de los fundadores de Buenos Aires. Lo inexcusable es no practicar las pautas sociales comunes a toda la "gente decente" ajustándose a la ética y al modo del medio urbano cívico-religioso, cosa posible mientras hay un mínimo económico; así el cuidado de su situación se hace obsesivo en los estratos más pobres de la "gente principal", pues perderlo significa sumergirse en el abismo de la "gente inferior" a la que le está cerrada toda posibilidad de ascenso futuro. La condición *sine qua non* para pertenecer a la "gente decente" se vincula esencialmente a un elemento cultural: el linaje, cuya única exigencia es la filiación legítima transmitida familiarmente. El individuo antes que por sus hechos significa por su correcta situación de familia. Aquí está el elemento de separación entre los dos estratos que hace de los "inferiores" algo parecido a una casta de intocables con los atenuantes de una sociedad reducida y de religión católica.

En Buenos Aires los gauchos provenientes de los primeros pobladores, constituyen el grueso de la "gente inferior" que tiene una situación peculiar; no es la del siervo de la gleba por la inexistencia previa del feudalismo territorial; son hombres libres, pero sin posibilidades de ser propietarios. Marginales en la economía viven en la alternativa del peón estable u ocasional y del gaucho alzado.[8]

---

8 Juan Agustín García ("La Ciudad Indiana", Ed. Angel Estrada, 1900, Cap. I), hablando de los habitantes de la campaña en la Colonia, describe su

EL CAUDILLO, "SINDICATO DEL GAUCHO"

La guerra de la Independencia y la Independencia misma, no alteran la situación de fondo. Pero la guerra da a la clase inferior una movilidad que la saca de su situación pasiva al incorporarla a la milicia. La caída económica del interior con el derrumbe de su artesanado a consecuencia del comercio libre desplaza también hacia la "clase inferior" a sectores cuyas actividades económicas le habían permitido mantenerse en el estrato casi marginal de la "gente decente".

Aparece el caudillo. Será primero el caudillo de la Independencia, militar o no, que hace la recluta de sus soldados en la "clase inferior", lo cual es ya un motivo de fricción de la "gente principal" con el jefe, salido generalmente de ella misma, porque al hacer soldado al peón, la priva de su brazo perjudicando la explotación de sus bienes. En este conflicto el caudillo, jefe militar, hostilizado por la "gente principal", se hace fuerte en la solidaridad que la guerra crea entre la tropa y el mando. De esta manera el militar deviene caudillo, y más en la medida que la guerra de recursos hace depender el éxito de una absoluta identificación, que para esa guerra es más eficaz que los regimientos de cuartel y el arte académico de mandar.

Dice José María Paz en sus "Memorias" (Ed. Cultura Argentina, 1917) refiriéndose al general Martín Güemes: *Principió por identificarse con los gauchos en su traje y formas... desde entonces empleó el bien conocido arbitrio de otros caudillos, de indisponer a la plebe con las clases elevadas de la sociedad.* (Como se ve, esta terminología está todavía vigente, cuando se altera el predominio exclusivo de la clase principal).

Agrega: *Adorado de los gauchos que no veían en su ídolo sino al representante de la ínfima clase, el Protector y Padre de los Pobres como le llamaban.*

---

miseria, su situación de intrusos o agregados y su imposibilidad de adquirir propiedad. "Si se arriesgan –los gauchos– a poblar en las tierras realengas de la frontera, serán despojados tarde o temprano por la gente de influencia. Los habitantes de campaña dependían del capricho del metropolitano bien relacionado, los altos bonetes coloniales monopolizaban a título de concesiones o irrisoria compra, las grandes áreas de campo". Agrega que todas las grandes estancias, según un informe oficial, están llenas de gauchos sin ningún salario "porque en lugar de tener todos los peones que necesitan, los ricos sólo conservan capataces y esclavos; y esta gente gaucha está a la mira de las avenidas de ganado de la sierra o para las faenas clandestinas de cueros", es decir, trabajo ocasional y a destajo.

(El abuso de la expresión carismática, en cuanto ésta implica una elección de los dioses, es en mi concepto un modo de retacear la verdadera significación del caudillo como hecho social, pues tiende a darle un carácter de magia o brujería a una adhesión consciente de la masa en el terreno de los intereses, aunque ésta se haya hecho subconsciente una vez dados los elementos de prestigio y autoridad y el acatamiento consiguiente. No otra cosa he querido significar en "Los Profetas del Odio" cuando digo que el *Caudillo es el sindicato del gaucho*).

FEDERALES Y UNITARIOS ANTE EL HECHO SOCIAL

Joaquín Díaz de Vivar (Revista del Instituto de Investigaciones Históricas "Juan Manuel de Rosas", Nº 22, pág. 147), refiriéndose a la única institución de formación consuetudinaria de nuestra Constitución vigente, el Ejecutivo fuerte, dice que los Estatutos Provinciales Constitucionales que lo crearon se inspiraban en la realidad social a que estaban destinados: *Por su parte las organizaciones lugareñas, las de las provincias argentinas en las que convivían políticamente su clase principal, cuyos representantes ocupaban una silla curial en su legislatura y frente a ella su más importante magistratura, el gobernador que era –casi siempre– el jefe natural de las muchedumbres rurales sobre todo, y a veces también de las urbanas; el gobernador, que era una especie de personalidad hipostasiada de ese mismo pueblo, de esas masas que habían hecho la historia argentina y que se expresaban a través de su natural conductor, ese aludido gobernador, que indistintamente era plebeyo como Estanislao López o el "Indio" Heredia (no obstante su casamiento con la linajuda Fernández Cornejo) o "Quebracho" López o Nazario Benavídez, o que era un hidalgo como Artigas, como Quiroga, como Güemes y desde luego como Juan Manuel de Rosas.*

Lo dicho por Díaz de Vivar trasciende al Derecho Público y explica en mucho las sustanciales diferencias entre federales y unitarios, pues revela que los primeros comprendieron la relación entre el derecho y el hecho social, cosa que no ocurrió a los revolucionarios teóricos, nutridos de ideologías y de proposiciones importadas cuyo supuesto igualitarismo democrático era el producto de la consideración exclusiva de uno de los estratos sociales: el de la "gente principal" o "decente" y prescindía de la existencia de los inferiores.

Mientras para los federales el pueblo tenía una significación total –ahora dirían totalitaria– para los unitarios es sólo la clase principal, la parte "sana y decente" de la población como ahora.

Veamos el debate sobre el sufragio en la Constitución Unitaria de 1826. En el artículo 6º se excluía del derecho al voto a *los criados a sueldo, peones, jornaleros y soldados de línea.* Galisteo expresa la oposición federal diciendo: *El jornalero y el doméstico no están libres de los deberes que la República les impone, tampoco deben estar privados de sus voces... al contrario, son estos sujetos, precisamente, de quienes se echa mano en tiempos de guerra para el servicio militar.*

Dorrego dice: *He aquí la aristocracia, la más terrible, porque es la aristocracia del dinero... Échese la vista sobre nuestro país pobre: véase qué proporción hay entre domésticos, asalariados y jornaleros y las demás clases y se advertirá quiénes van a tomar parte en las elecciones. Excluyéndose las clases que se expresa en el artículo, es una pequeñísima parte del país que tal vez no exceda de la vigésima parte... ¿Es posible esto en un país republicano?... ¿Es posible que los asalariados sean buenos para lo que es penoso y odioso en la sociedad, pero que no puedan tomar parte en las elecciones...?* Señalando a la bancada unitaria agregó: *He aquí la aristocracia del dinero y si esto es así podría ponerse en giro la suerte del país y mercarse... Sería fácil influir en las elecciones; porque no es fácil influir en la generalidad de la masa, pero sí en una corta porción de capitalistas... Y en ese caso, hablemos claro: ¡El que formaría la elección sería el Banco!* Con razón Estanislao López escribía en 1831: *Los unitarios se han arrogado exclusivamente la calidad de hombres decentes y han proclamado en su rabioso despecho que sus rivales, es decir, la inmensa mayoría de los ciudadanos argentinos, son hordas de salvajes y una chusma y una canalla vil y despreciable que es preciso exterminar para constituir la República.* (José María Rosa, "Historia Argentina", Tomo IV, pág. 53 y sig.). En el mismo debate Ugarteche protestaba por los derechos que se les negaban a los nativos y los privilegios que se les acordaban a los extranjeros: *Yo quisiera saber en qué país hay tanta generosidad... Todas nuestras tierras las vamos vendiendo a extranjeros y mañana dirá la Inglaterra: esos terrenos son míos, porque la mayor parte de sus propietarios son súbditos míos, luego yo soy dueña de esas propiedades. Y lo que no se pudo en el año 1806 con las bayonetas cuando todavía éramos muy tontos se podrá con las guineas y las libras inglesas...*

Traslademonos ahora al escenario actual y percibiremos las verdaderas filiaciones históricas que no son las que distribuyen los profesores de Educación Democrática; también se ve clarito que los jefes federales percibían la identidad de la voluntad popular con los intereses nacionales, y la de los privilegiados con los extranjeros.

Con la caída del Partido Federal y los caudillos, la clase inferior deja de ser elemento activo de la historia; su presencia en la vida del Estado no alteraba la situación en la relación de los estratos sociales entre sí, pero obligaba a contarla como parte de la sociedad.

Después de Caseros, y más precisamente de Pavón, deja de jugar papel alguno y es sólo sujeto pasivo de la historia. Sus problemas no cuentan en las soluciones a buscar, ni sus inquietudes nacionales perturban las directivas imperiales. La política será cuestión exclusiva de la "gente principal" durante más de cincuenta años.

LA CLASE ALTA SE AMPLÍA

Volviendo a la gente principal, veamos ahora cómo se va conformando dentro de ella la clase alta porteña.

Ya se ha visto su origen burgués; por lo mismo, nunca fue muy exclusivista. Durante la Colonia era muy reciente su estabilización para que obstaculizase la incorporación de los nuevos ricos y además muy escasos los contactos exteriores que permitiesen la relación con la hidalguía metropolitana; en este sentido sólo contaron las alianzas matrimoniales con funcionarios reales o sus descendientes que daban prestigio social a la burguesía. (Así don Bernardino González Rivadavia contaba entre sus numerosas vanidades la muy importante de haberse casado con la hija del Virrey del Pino).

Las sucesivas capas de burguesía comercial iban integrando la alta clase en la medida de su ascenso económico, y hasta los bolicheros de campaña tuvieron sus descendientes en ella cuando sus recursos le permitieron pasar al contrabando primero, o hacerse estancieros directamente. La estancia, a su vez iba dejando de ser un complemento del comercio, como originalmente, para pasar a fundamento de la riqueza y la posición social; así, de la estancia, sin haber pasado por el mostrador, vienen por ejemplo los Ugarte; de un modesto vasco cuyo hijo, un notable jurista, saltó en primera promoción a la alta clase, y ya cuenta entre la gente de peso en la primera mitad del siglo pasado, caso parecido al de los Unzué, que tampoco provienen de la burguesía de los siglos XVII y XVIII.[9]

---

[9] La mención de algunos apellidos se hará excepcionalmente utilizando preferentemente aquellos cuyos dueños –en eso liberales consecuentes– no hacen ocultamiento de sus orígenes modestos con una seguridad de "buena clase" que el "medio pelo" no podría entender.

La permeabilidad se hizo mayor con el contacto que el comercio libre estableció con el mundo europeo. Se despertó entonces la preocupación por estilos y modos de sociabilidad que importaban los primeros viajeros comerciales y que mucho después, en el apogeo de la economía agropecuaria, se iría a buscar a Europa, pagando el derecho de piso en la etapa de las "rastacueros" y el "guarango" cuando *brasiliens et argentines* aparecieron en los grandes hoteles o en el mundo de las *demi-mondaines*, tirando manteca al techo. (Porque la alta clase argentina tuvo su época correspondiente al "medio pelo" actual y jugó su papel en otra dimensión geográfica y cultural –lejos del país y con una resonancia apagada en el discreto "cotorreo" de los ya iniciados, y ante la sonrisa complaciente de una sociedad acostumbrada a los traspiés del pródigo "meteco", que iba pasando las etapas del guarango y del tilingo hasta llegar al asentamiento.

El más numeroso núcleo de viajeros comerciales fue el de los súbditos británicos que nos visitaron y recorrieron el país, unas veces como corredores de comercio y siempre como informantes del Imperio en expansión, por lo que nos han dejado una abundante y muy ilustrativa literatura sobre la época; se trataba de jóvenes procedentes de las clases medias inglesas y vástagos de la burguesía comercial e industrial que estaban cumpliendo el aprendizaje del mundo que sus padres les exigían antes de incorporarlos a sus negocios. Muchos quedaron aquí, en el asiento local de los mismos, de la banca y el comercio exterior. Otros fundaron establecimientos rurales.

Sabido es que el más modesto hijo de John Bull en el exterior trata de practicar entre los nativos –aún lo hace hoy hasta entre los nativos norteamericanos, sus primos rurales– las maneras del *gentleman*, que frecuentemente sólo conoce por referencia y a costa de un sacrificado entrenamiento. Lo ayuda la seguridad, que aún sigue siendo típica del inglés en el exterior, de que los extranjeros son los indígenas y el aplomo que le da una diferenciación que como *gentleman* cuida minuciosamente en los modos; está, además, vigilado por los otros residentes británicos, pues todos están atentos a que un connacional no desmerezca la imagen que el Imperio exhibe para el exterior. Muy "patán" tiene que ser el recién llegado que no perciba las ventajas que le reporta el cuidado de su condición de *gentleman* entre *natives*.

Fácil les fue a estos "nuevos" acceder a los salones porteños de la más alta categoría que se honraron en recibirlos y obsequiarlos; así los entronques familiares y de fortunas se realizaron con facilidad a medida que las danzas europeas desplazaban a los bailes típicos de la colonia y el mate era desalojado de los salones por el té.

También hubo una numerosa incorporación de otras procedencias europeas, constituida en especial por ex oficiales de los ejércitos napoleónicos, algunos de los cuales participaron en nuestra guerra de la Independencia, burócratas o miembros de la pequeña nobleza bonapartista derrotados por la Restauración, igual que segundones de la minimizada nobleza centro-europea, o del abigarrado y confuso nobiliario italiano de los bajos rangos; también muchos profesionales y hasta artistas y artesanos de calidad: plateros, dibujantes, pintores, etc. De tal manera no es sólo la relación en los niveles del alto comercio y la propiedad lo que determina la incorporación de estos extranjeros. Se estaba a la búsqueda del "bueno tono" europeo que ellos aportaban en sustitución del que había caracterizado las formas tradicionales de la Colonia.

CASEROS Y LAS NUEVAS INCORPORACIONES

Después de Caseros, se producen otras incorporaciones.

La literatura de los expatriados ha hecho creer durante mucho tiempo que ellos representaban lo más granado de dicha sociedad, olvidando que ya para la época rosista la propiedad de la tierra, aun en los provenientes de la burguesía originaria, había pasado a ser rasgo de más alta calificación que el comercio. Si Rosas dice despectivamente y para menoscabar a sus adversarios *agiotistas y especuladores del puerto de Buenos Aires*, es porque ya se ha establecido una diferenciación cualitativa a favor de la clase estanciera. La verdad es que al principio los ganaderos y terratenientes habían constituido la base originaria de los federales porteños; pero después gran parte de ellos –los "Libres del Sur"– se habían alzado contra el "Tirano" por su política nacional que perturbaba, con los bloqueos, el comercio exterior afectando el valor de las haciendas. Muchos no se sublevaron, porque no les dio el cuero para tanto, pero ya Rosas –como expresión del interés general de la Nación que los perjudicaba– había perdido el apoyo de los grandes terratenientes y éstos se incorporaron en seguida al bando de los vencedores; el conflicto con el gobierno de Paraná, dio oportunidad a los rezagados para incorporarse. Los que no lo hicieron lo pagaron con un "luto social" y quedaron marginados de la alta clase, por lo menos en la acción pública, durante varios decenios.

Por la brecha abierta entraron nuevos aportes provenientes de familias principales de provincias que habían hecho mérito en la expatriación, y otros de extracción más modesta, como Mitre y sus generales uruguayos. También la victoria y el poder político los proveyó de recursos para establecerse en el nuevo nivel social.

La incorporación de nuevos a través de la fortuna comercial y territorial, o el ejercicio destacado de las profesiones liberales o de la política, se fue haciendo paulatinamente con argentinos de primera y segunda generación.

"PRINCIPALES" PORTEÑOS Y PROVINCIANOS

Esta permeabilidad de la alta clase pareció tener una solución de continuidad en la crisis del 80, como consecuencia de la derrota política de los viejos porteños. Con Roca pasan a la esfera política nacional figuras de la "gente principal" de provincias; en esa medida el roquismo significa una integración nacional, pues después de Pavón sólo habían contado los porteños y aporteñados. Ahora el poder estaba en manos de la "liga de gobernadores" y el caudillo del ejército también era provinciano.

La alta clase resistió la incorporación de estos "nuevos", a pesar de que por su origen arribeño ostentaban mejor genealogía que sus antepasados, comerciantes abajeños. La actitud del riflero del 80 continuando la de los pandilleros contra los chupandinos –al margen de las motivaciones político-económicas del unitarismo porteño– correspondientes a una postura de rechazo social, en su esquema mental que sigue siendo el que originó "civilización y barbarie". A la oposición ciudad-campaña en cada provincia, identificada con la oposición gente decente-plebe en lo social, se corresponden la posición del puerto, ciudad de las luces, a los "catorce ranchos".

Bien está que la gente principal de provincias ejerza su despotismo ilustrado –que sigue siendo la idea democrática de los liberales aún hoy–, como representante local de la alta clase porteña; pero resulta inadmisible que esos provincianos intenten ponerse a su nivel político y social en Buenos Aires.

Vencidos los porteños, la alta clase opuso a los vencedores llegados a las altas funciones de gobierno una reticencia despectiva y una agresividad humorística, mayor que a los "parvenus" surgidos del agio y la especulación en el "boom" económico de la época. La literatura porteña de fin de siglo alterna la ridiculización del "rasta" cuyos troncos *Orloff* y los *Landós, Victorias* y *Cupés* ofendían la sensibilidad de los antiguos, con la de las maneras y modos de decir de los provincianos. Esta actitud también cuenta en la confusa motivación de la Revolución del 90, a la que no fue ajena el revanchismo de los vencidos en Los Corrales y Puente Alsina.

Pero los políticos provincianos se aporteñaron rápidamente a la vez que se afincaban como estancieros de la provincia de Buenos Aires. Juárez Celman, estanciero, dejará pronto de ser el "burrito cordobés", como Roca y Avellaneda han dejado de ser tucumanos.

ismo y la especulación en el "boom" económico de la época. La filo- [illegible] de siglo alentó la crítica [illegible] del "rasta- [illegible] y los [illegible] y Cané [illegible] la sensibilidad de los antiguos [illegible] las maneras y [illegible] de los provincianos. Esta actitud también [illegible] en la [illegible] de la Revolución del '90, a la que [illegible] el [illegible] de los [illegible] y [illegible] Alsina.

Pero los políticos provincianos se apoderaron rápidamente de la vez que se [illegible] como [illegible] de la provincia de Buenos Aires. Juárez Celman, [illegible] y el [illegible] cordobés, como Roca y Avellaneda habían dejado de ser tucumanos.

CAPÍTULO III

DESARRAIGO DE LA CLASE ALTA

EL “AUSENTISMO” DE LA ALTA CLASE

Se ha visto que el nuevo siglo, encontró en el mismo grupo a la alta clase porteña y las figuras provincianas del roquismo. Había terminado también el "luto social" impuesto a las familias rosistas recalcitrantes.

La Argentina entraba triunfalmente en el mercado mundial y se abandonaba la pretensión de una economía integrada nacionalmente, de más largo alcance, pero inconveniente para la prosperidad inmediata. La política *manchesteriana* estaba acreditando su eficacia en los bolsillos de los propietarios de la tierra y aun en los de muchos inmigrantes.

La conquista del desierto, los ferrocarriles, la inmigración, el alambrado, el Registro de la Propiedad, el mejoramiento de las razas y en seguida el frigorífico, realizaban de hecho el unitarismo, concentrando en el litoral y en sus grupos afincados, todo el destino de la República, en una estratificación social que garantizaba –por el poblamiento por gringos– la perdurabilidad del sistema sin el riesgo de la "chusma incivil" de que hablaba Sarmiento.

Para los propietarios de la tierra estábamos en *Jauja*, y ésa era también *Jauja* para muchos en la ola inmigratoria.

Esa *Jauja* de la alta clase, hija de la divisa fuerte, permitió un ausentismo casi permanente de gran parte de ella, que vivía más en Europa que en su propio país; allí educaron sus hijos y entroncaron con algunas ramas de la nobleza europea, y allí las niñas porteñas disputaron los títulos a las hijas de los Vanderbilt o los Morgan.

Del "rastacuero" de los primeros viajes pasamos al refinamiento de los salones de París; refinamiento que se traslada luego a Buenos Aires y de cuya existencia dan testimonio los lujosos palacios a la francesa del barrio Norte, hoy en trance de demolición, pero de los cuales bastan como testigos de época las residencias Anchorena y Paz, que subsisten como bienes del Estado (Ministerio de Relaciones Exteriores y Círculo Militar) en la plaza San Martín. Los amoblamientos y decoraciones y la increíble importación de objetos de arte permitieron que hoy Buenos Aires sea un importante proveedor en los remates de Sotheby's.

La colonia argentina en París tiene una significación especial y Buenos Aires adquiere de reflejo la importancia que ahora ha perdido y que nuestros comentaristas económicos atribuyen a una decadencia, cuando es el producto de un mejor equilibrio de su sociedad.[1]

Todo el pensamiento liberal, toda la enseñanza, todos los medios culturales tienden a lo mismo: desamericanizar el país -"este es un país blanco"- desvinculándolo además de lo español y afirmándolo en la doble línea en que lo estético es francés y lo económico británico.

Si el estilo de los palacios y los modos de los salones se afrancesaban vertiginosamente con la introducción de "cultura" por millones y millones de pesos, las *misses* y *mademoiselles* se encargaban de la educación de los niños, completada en los *high schools* y en los colegios religiosos de categoría -una letra *sacré-coeur* es imprescindible para las mujeres- e integrada después en Eton y Oxford, en muchos casos, para obtener el *gentleman*, o en el internado francés o suizo para lograr la *madame* que asombraría a la abuela porteña convertida en *gran mere* y al padre o el abuelo transformado en *dady*.

La palabra *argentino*, en Europa, era un "sésamo ábrete". No había llegado todavía el turismo en serie de las clases modestas ni exportábamos la "picaresca porteña" que se fue tras el prestigio del tango. Excepcionalmente merodeaba por Europa algún artista pobre, pero escritores o pintores se acomodaban en general, en los consulados y cargos de la diplomacia o gozaban de becas (con 500 pesos argentinos hubo quien tuvo a la vez *atelier* en Florencia y en París).

La gama de los "metecos" argentinos era muy amplia, desde los "guarangos" que daban los primeros pasos en el mundo europeo y los *snobs* que

---

[1] La colonia argentina en París es tan rica que puede ejercer el mecenazgo con las primeras figuras literarias de Francia. Vincularse a ella significa la posibilidad del viaje a Buenos Aires con las conferencias bien pagas en el Jockey Club, en el Odeón, etc.; el alojamiento en grandes hoteles y hasta la temporada de estancia. Con suerte, puede obtenerse una correspondencia regular en "La Nación". (Los pesos argentinos son muy gordos al lado de los flacuchos francos, pero a su vez el franco, débil internacionalmente, tiene un buen poder adquisitivo interno).

De Anatole France a Paul Fort, los intelectuales experimentaban esa curiosa simpatía por estos "metecos", que es compartida por todo el periodismo. Así, la Argentina figura abundantemente en el periodismo parisino. Claro que esto duró lo que la divisa fuerte y la debilidad del franco.

Ahora los argentinos no existimos si no es con motivo de alguna revolución, que nos da una fugaz actualidad.

cumplían su momento de tilinguería, a los que ya se estabilizaban en las buenas maneras de la sociedad europea. Pero lo mismo para romper unos espejos en la *Bute Montmartre* o en *Place Cichy* e indemnizar, comprar un cuadro a un *marchand*, un vestido en *Faubourg Saint Honoré*, una joya en *Place Vendome* o firmar una adición en *Maxim's*, la palabra argentino bastaba. Una anciana dama exiliada hoy en Buenos Aires por la caída de la divisa, cuenta:

–Cuando vivíamos en Europa yo creía que llevar dinero era un signo de pobreza; nosotros no lo usábamos, pues firmábamos siempre; en Niza o en Carlsbad, en París o en Londres. Ni los taxis pagábamos porque lo hacían los conserjes.

¡Magníficos tiempos que añora la dama!... ¡y también los conserjes!

Si el inglés era el lenguaje de los negocios, el francés era el lenguaje del espíritu y el placer, porque París era a la vez la Atenas y la Sibaris.[2]

Los ricos argentinos con la divisa fuerte contaban entre los ricos del mundo; ellos dieron la imagen internacional que la alta clase asimilaba confundiendo su propia riqueza con la del país –la concentración en sus manos de toda la capacidad de consumo superfluo– es una idea parecida a la que pudo tener el maharajá de la India o el *sheik* árabe, que se encontraban de paso en ese mundo internacional que constituye la clientela de los grandes hoteles, estaciones termales y balnearios europeos, y que identificaba casi como una nacionalidad a estancieros argentinos, banqueros e industriales norteamericanos o *fazendeiros* brasileños, barones letones, príncipes rusos con artistas, jugadores y aventureros: un abigarrado conjunto en que el volumen de la *pour boire* establecía las jerarquías, a ojo de conserje.

[2] El galicismo de nuestra clase alta que tanto padeció con los dolores de la *Cara Lutecia* en los momentos dramáticos de las dos guerras, e imprimió su color a nuestra cultura, fue de la misma naturaleza que el continentalismo de Eduardo VII: estético y hedónico, y duró lo que la *Entente Cordiale*. No puede quedarle ninguna duda a Charles De Gaulle después de su visita a Buenos Aires. En cuanto Francia intenta ser Francia, y no la prolongación continental de la isla –con el pretexto mínimo de una supuesta coincidencia política interna–, le han dado vuelta la cara; y la misma Plaza escenario tradicional de la devoción gálica de ese grupo argentino, escenificó el rechazo a la Francia, ayer eterna e inviolable, por parte de los que parecían sus inconmovibles devotos.

Es que *lo francés* fue siempre una simple decoración, sólo válida en cuanto *lo francés* completaba *lo británico* con una versión al paladar de consumidores eduardianos.

Era el apogeo de la *belle époque* y Buenos Aires realizaba, en el Teatro Colón, en la Opera y el Odeón, en la importación de amantes francesas, juntamente con muebles, porcelanas, marfiles, pinturas, esculturas, un remedo parisino; y uno británico en las grandes tardes de Palermo, su *Ascot*, con la presencia de "colores", cuidadores y *jockeys* que alternaban entre los hipódromos del Río de la Plata y las pistas europeas. (Domingo Torterolo lucía los colores de don Saturnino Unzué lo mismo en Palermo que en *Deauville* o *Longchamps*, o en *Ascot*).

Era una forma de prestigio internacional que aún añora mucha gente a quienes repugna ese otro que trajeron los Firpos, Suárez, Pascualito Pérez, Accavallos, Fangios y los equipos de fútbol de carácter populachero y que sólo ha llegado a compensar en parte el éxito del polo argentino.[3]

De reflejo, aun la misma parte de la alta clase que no practicaba ese ausentismo habitual, iba adquiriendo el tono europeo correspondiente y alejándose del país real, el que iba quedando atrás: el de cepa criolla, y el nuevo que surgía con la fuerte impronta del inmigrante.

Como consecuencia de la ideología que se practicaba como

---

[3] El polo es un deporte costoso (deporte de los reyes, lo llaman) aunque en el medio rural es practicable por estancieros de discreta fortuna; también es accesible a los militares de caballería porque forma parte de las aptitudes que deben ejercitar.

El polo argentino es excepcional porque se generó entre jinetes que aprendieron polo y no como en Europa, por polistas que aprendían a ser jinetes; la aptitud está dada por el dominio del caballo, lograda en la práctica de una equitación que no se adquiere en los picaderos.

El polo argentino mantiene su prestigio internacional, pero ya no es un signo de *status* internacional de la clase alta, como lo fue con la divisa fuerte. Los polistas criollos siguen siendo solicitados en Europa y en los EE.UU., pero son sospechados de profesionalismo porque muchos hacen paralelamente el negocio de la venta de petizos y se ven obligados, para alternar en los altos niveles, a aceptar un hospedaje y atenciones que permiten a sus huéspedes considerarlos como *gentlemen* de segunda, con la consiguiente disminución social.

Estos cambios ocurren en las mejores familias, como se ha visto en el campeonato mundial de fútbol de 1966 con la conducta del público y los árbitros británicos. Ingentes sacrificios y una cuidada línea de conducta le costó a Gran Bretaña imponer la imagen del *gentleman* y su *fair play*; el discutido sistema de educación de las clases altas británicas sacrificaba todo a obtener en mayorazgos y segundones, y aún de sus clases medias, la imagen de superioridad social que afirmaba el prestigio del Imperio en la actitud simiesca de los dirigentes coloniales, y transmitía a las clases populares un signo de respetabilidad casi intangible.

El abandono del *fair play* tiene un significado inseparable de la decaden-

dogma, la idea de la grandeza era puramente crematística, se vincula a las cifras de las exportaciones e importaciones, considerando la riqueza en términos de intercambio y no de producción y consumo general; correspondía una imagen estática de las clases cuya única movilidad concebible consistía en el triunfo individual de los nuevos en el comercio de campaña y la especulación en tierras.

Las características de permeabilidad de la alta clase subsistían, y vencida una leve resistencia, los Devoto y los Soldati, eran admitidos como lo habían sido poco antes los Santamarina o los Pereda, y lo son hoy los Fano. Pero ahora la incorporación de la alta burguesía tenía que hacerse por las puertas de la Sociedad Rural, no por el mostrador o la industria; ya se había olvidado definitivamente el origen comercial de la alta sociedad porteña: se entraba a la "sociedad" como en la "exposición", llevando el toro del cabestro.

EFECTO POLÍTICO DEL DESARRAIGO

La alta sociedad se fue aislando de la vida cívica. La jefatura de los partidos conservadores salió de las figuras tradicionales y los grandes apellidos sólo se prestaban ocasionalmente como bandera, pasando su dirección a rangos más bajos y aun a caudillos de barrio o de pueblo, y su representación a jóvenes de las otras clases, preferentemente de provincias, promovidos por su talento como intérpretes eficaces. También se desvinculó de la milicia, donde sólo por excepción aparecían sus apellidos, pues se la consideraba peyorativamente hasta por los propios descendientes de quienes se habían elevado por el camino de la espada, y preferían ahora la imagen del *landlord*, y aun la del *gentleman farmer*, a la del soldado.

Aislada la alta sociedad del resto del país fué completando su desconocimiento del mismo, que pasó a ser como un país extranjero en colonización, o a lo sumo en tutela, que delegaba en sus políticos

---

cia económica del Imperio.

En la guerra sucede lo mismo que en el deporte. El Sahib pasaba por entre las agitadas muchedumbres asiáticas, inerme, apenas con una fusta o un débil bastoncito de malaca en la mano, defendido por la supuesta invulnerabilidad del hombre blanco. Cuando los japoneses se apoderaron de la Malasia e Indochina, quedó echada su suerte, porque los "amarillos" vieron que el blanco disparaba como un amarillo.

profesionales. En ocasiones alguien señalaba la desnaturalización que iba produciendo la inmigración extranjera y la eliminación de la tradición –consecuencia de la sustitución demográfica– como elemento formativo de país.[4]

Fueron excepciones –como Sáenz Peña e Indalecio Gómez– los que se propusieron adecuar lo político a la nueva realidad.

Para el grueso de la alta clase que no percibía la extranjerización, ésta sólo se notaba cuando las ideas sembradas por la misma se proyectaban al campo social y amenazaban el "orden sagrado" de sus intereses, confundiendo con una reacción nacionalista lo que sólo era la defensa de su situación de privilegio. Del incendio de *La Protesta* a la *Liga Patriótica*, ése es el nacionalismo de la juventud dorada que se cobija bajo los pliegues de la azul y blanca frente a la bandera roja de los "gringos". (Muchos años después se verá, cuando la protesta social enarbole la bandera argentina, cómo la reacción contra ésta se acogerá a la de las barras y estrellas, Braden mediante, lo que nos ahorra mayores demostraciones sobre la naturaleza de ese nacionalismo que entonces se llamaba patriotismo).

El carácter de las conmociones sociales era ciertamente extranjero en cuanto a su ideario y estilo y en eso no se equivocaba la alta clase; no lo era en cuanto a la naturaleza de sus demandas. Aquella extranjería era el producto natural de la superposición masiva de los inmigrantes como hecho demográfico, y de la incapacidad de la *intelligentzia* para producir un pensamiento propio, pues a la procedencia extranjera de los dirigentes se unían periódico, universidad, libro y escuela, todos orientados hacia la reproducción simiesca del modelo europeo y la negación de cualquier originalidad, o mejor de su detracción sistemática.

Así, la formación de un pensamiento social revolucionario o reformista no podía apoyarse en bases nacionales inexistentes y era sólo el reverso de la

---

[4] Ricardo Rojas publica "La Restauración Nacionalista". Está ya en el primer rango literario del país y proviene de la "gente principal" de provincias, pero la advertencia que contiene ha sonado mal en la euforia liberal, como un intento de revisión. Se le cierran las tribunas que dan acceso al escenario público y para volver del ostracismo tiene que renunciar a insistir sobre el tema. Se fuga a un indigenismo folklórico o mira hacia una historia de la literatura argentina dócil a la escala de valores establecida por el mitrismo; así se le reabre el paso hacia las Academias y a la consagración. Más tarde se hará radical, después del 30, y a través de su acción política intentará de una manera difusa volver hacia aquella posición. Entonces completará su conocimiento del país con un destierro a Ushuaia que no herirá la sensibilidad de los intelectuales consagrados.

extranjería mental de la alta clase. El dirigente revolucionario era la otra cara de la misma medalla: extranjero o nativo, transfería al país una visión tan importada de sus problemas y soluciones, como la de la supuesta *élite;* aun en terrenos opuestos, ambos eran el producto del colonialismo mental. Pero éste, es tema para más adelante.

CULTURA EUROPEA Y RITUAL CRIOLLO

Esta sociedad ausentista –y que aun en Buenos Aires seguía ausente reproduciendo en lo posible la vida europea–, no constituía toda la alta clase pero le daba el signo. Subsistía un sector de la clase alta que conservaba los modos de la vieja sociedad porteña, tal vez porque sus recursos no le permitían el ausentismo. Participaba de la misma extranjería ideológica que la otra, como se ha señalado, pero un poco "a contrapelo" de sus gustos criollos que se traducían en una vida más sencilla y tradicional y en su relación patronal directa con la clase inferior, como consecuencia de la convivencia en el país. Todavía estaba ligada a la "gran aldea" con su carga de gazmoñería y de prejuicios.

Tal vez por esto el desarraigo de la alta clase no impedía la práctica de ciertos rituales tradicionales. La Presidencia de la Sociedad de Beneficencia siguió siendo, durante muchos años, el más alto símbolo de la figuración social, y la ceremonia de la distribución de premios a la virtud en el Teatro Colón abría anualmente un paréntesis tradicional en la temporada de abono. En ésta las grandes noches estaban al nivel de los primeros teatros europeos, tanto en el espectáculo del escenario –facilitado por un invierno correspondiente al verano europeo que permitía disponer de las *primas donnas*, tenores y barítonos de fama mundial– como por el de los palcos y la platea donde se lucían los primores de la *haute couture* y la joyería parisina, y el esmero de los sastres de *Saville Road*. Además se conservaba vigente la cazuela, desde donde viudas y viejas solteronas vigilaban al dedillo cualquier transgresión a un tan contradictorio código de convenciones, hijas de ese hibridismo cultural. Así, esta sociedad, descreída en materia religiosa, practicaba un catolicismo formal que se resolvía en una dicotomía familiar en que la religión era buena sólo para las mujeres, con lo que la fe era cuestión de sexo.[5]

---

[5] Este elegante escepticismo para hombres solos y la recíproca posición religiosa de las mujeres del mismo medio, puede ser resumido en una anécdota atribuida a Don Pancho Uriburu, político conservador y director de "La

(Aquel sector ausentista de la sociedad argentina era indiscutiblemente *snob*, pero su snobismo se había inspirado en buenos modelos y el aprendizaje había sido rápido, lo que revela que el material humano era apto. Si la cocina francesa había reemplazado a la criolla, esto no significaba, como ya veremos cree el "medio pelo" que la alta sociedad se alimentaba sólo de champagne y caviar. Si utilizaba con preferencia el francés y el inglés en lugar de su idioma, hay que convenir que cualquiera de los tres era bueno, sin la ridícula afectación de sus imitadores actuales).

También era posible la subsistencia de ciertas relaciones patriarcales con los descendientes de la negra esclava o la mulata que amamantó a los abuelos, con el peón que le había redomoneado el primer "pingo" y también con el bolichero de barrio y con los dependientes de comercio, con quienes se cambiaba los buenos días en un idioma común, en la comunidad de ciertos valores entendidos; en fin, en todo eso que hace que los seres humanos se reconozcan como connacionales.[6]

Duró bastante tiempo la coexistencia de dos grupos; era una diferencia de matiz en las costumbres y en los gustos, más que en otra cosa. La misma Plaza San Martín, cuyos palacios franceses se han recordado antes, nos la mostraba arquitectónicamente con dos estilos distintos: la vieja casa de los Obligado en la calle Charcas y su colindante, la de Romero, ambas desaparecidas hace pocos años, haciendo contraste con los palacios ya mencionados de Anchorena y Paz.

El país, tal como lo ve esa clase, está vigente en la escena de la gran estancia, con "las casas" transformadas en *manors* de estilo

---

Fronda", donde todos los días se le "colgaba" una anécdota a los adversarios.

En una reunión social, una dama se dirige a Don Pancho diciéndole:

–"*¿Cómo es posible que sea Ud. un hereje, Panchito? ¿No ha sido bautizado?*"

A lo que Don Pancho contestó:

–"*¡Sí, señora! Dos o tres veces, pero no me prende...*"

6 El libro de María Rosa Oliver "Mundo, mi casa", de reciente aparición, es un relato sobre la sociedad de la época escrito en lenguaje llano, colonial, anecdótico, sin sofisticaciones y sin pedantería, que contrasta con la literatura de los ausentistas, con su *diletantismo* de viajeros superficiales que en la búsqueda del buen tono europeo sacrifican el estilo, con la supresión de todo lo vernáculo. ¡Qué distinto a esa literatura de viajeros la narración de ese primer viaje a Europa de María Rosa Oliver con su familión porteño, a los 10 años de edad! Una Europa vista con ojos porteños y sin esa prolijidad en ocultar asombros metecos del que adopta un tono de "estar en el ajo". (Claro que el plebeyo ajo no figura en aquellas crónicas).

Tudor y la subsistencia de los ranchos de los puesteros o del galpón donde duerme el personal, del peón de bombachas y alpargatas, obligado al misoginismo[7], coincidentemente con la visita del "niño" –*breeches* y botas inglesas– con la francesa de turno, o la prole numerosa, si se trata de los "patrones", al regreso de la *season* londinense, de París o de la temporada en la *Riviera*, en la oportunidad de una yerra.

Asados humeantes, revoltijo de pialadores, guampas y potros y mayordomo inglés, de gritos guturales, músculos tensos, lazos vibradores, chuscadas paisanas, que dan a las visitas distinguidas, a los invitados extranjeros –millonarios de Europa y EE.UU., literatos y filósofos de moda, venidos de París–, la nota exótica que inútilmente habían buscado en los palacios de sus huéspedes, en los salones de conferencia de Buenos Aires –"Una ciudad tan europea...", como le han dicho al dueño de casa con irónica reserva y para su íntimo regodeo de hombre culto–. A falta de cacerías de elefantes o tigres de Bengala, es necesario que el viajero se lleve una imagen siquiera aproximada a la que puede mostrar el Aga Khan, pero también es posible, por esos matices que ya he señalado en la clase, que a algún "niño" le salte el gaucho que lleva adentro –*como la custodia lleva la hostia*– y se le "siente a un redomón" o se luzca en un "pial de volcao". Pero esto es muy de excepción: en el fondo un gauchismo bueno para mostrarlo a los visitantes, malo, en cuanto expresa una aptitud indígena. Para esa época, los padres estancieros cuidaban que

---

Hay un episodio minúsculo que revela el contraste de pautas en la misma clase. Ocurre en un gran hotel de París: *"Al entrar solía ver sentada junto al gran ventanal del hall a a Victoria Ocampo, ya entre las chicas grandes... conversando con el hijo de Rostand, Maurice, y suscitando el comentario de mamá: «mira aquella preciosa; ... cómo puede perder el tiempo con ése...» Porque Maurice Rostand, con su melena oxigenada y un traje a cuadros ciñéndole la cintura estrecha y las caderas anchas, no parecía un hombre del todo."*

[7] A medida que se moderniza la estancia, salvo el puestero que tiene familia, el peón debe mantenerse en lo posible en permanente soltería.

Es un misterio saber cómo resuelve sus "problemas", sobre todo después del cierre de las "casas públicas".

Un amigo mío estanciero a quien el tema le preocupa interrogó confidencialmente a un mensual, cosa difícil por el pudor criollo.

Este se franqueó una vez, y le dijo: –*Vea, señor, "he hecho uso" dos*

sus hijos no se agauchasen. ¡Era casi como que les salieran militares!

A la hora del té, el orden europeo ya está restablecido. Llegan muy lejanamente –a través de las *pelouses* y el frondoso parque de coníferas– los mugidos de las haciendas y los gritos atiplados,[8] de los peones en sus últimos trabajos del día. Todos se han "cambiado" y la conversación amable y trivial ha recuperado el nivel idiomático del inglés y el francés, displicentemente como en *Mayfair*, salpicada con un poco de español y modismos criollos, pero muy apocopado ligerito, como si se hablara en "puntas de pie", haciendo "pininos" sobre el idioma vernáculo.

DE BURGUESÍA A ARISTOCRACIA DEPENDIENTE

La alta clase había olvidado por completo el origen comercial de su posición y con el *boom* de la prosperidad, el manejo del comercio internacional se le fue de las manos, lo mismo que el de la banca para pasar a las corporaciones extranjeras que instalaban sus sucursales en la *city* porteña y concentraban en manos imperiales –lógicamente de Gran Bretaña, en su mayor parte– la exportación, la importación, el flete y el seguro.

Ya hemos visto que la prosperidad momentánea pudo dar las bases de la formación del capitalismo nacional que, consolidado sobre los márgenes que dejaba la producción argentina, entre su costo chacra percibido por el productor y el resultante de la venta en el

---

veces; una vez que fui con un arreo a Laprida y otra vez que fui al dentista. No será mucho –agregó– *pero tampoco es poco.*

Tal vez la explicación esté en la vida casi monástica y en lo duro y agotador de las tareas diurnas, la cama dura, la falta de contacto con la excitación. Ahora debe ser más difícil con las comunicaciones, el contacto con los sexos, la radio, la televisión, las revistas...

Juan Carlos Neyra, en "Jiménez y el parejero", trae un cuento de un paisano que compra una radio en el pueblo y asocia después las voces femeninas con la vendedora idealizada: para siempre, en su piecita de célibe, estará esa mujer que le llega con las voces de la radio...

[8] Una de las prevenciones que tengo con el actor Petrone es la voz aguardentosa, de mostrador y caña, que pone en sus gauchos, por lo demás conforme a la tradición del género en las tablas. Y el gaucho tiene voz atiplada, pues lo exigen los agudos del trabajo, con que los paisanos dan los "buenos días" de legua a legua. Me gustaría verlo al gaucho Petrone pasando

exterior, permitiese el desarrollo de un proceso de integración económica, tal como se había aprovechado en los EE.UU., que capitalizó los frutos del comercio exterior –en gran parte cerealero– para desarrollar las bases de la expansión interna.

Pero la riqueza territorial era aquí un regalo de los dioses y no el producto del esfuerzo y la aptitud capitalista de esa clase. Aun la misma modernización de las razas ganaderas, donde la clase territorial cumplió una tarea efectiva, careció de los fines típicos del capitalismo y correspondió más a la preocupación estética de reproducir el estilo de la clase territorial europea en cabañas y estancias paralelas a los modelos propuestos, con parques y cascos que rivalizaban con los castillos y *"manors"*, provocando el asombro de los viajeros de primera clase.

El aprovechamiento comercial –en el nivel internacional– de la producción agropecuaria, era por completo ajeno a esa clase, y así la estancia moderna fue más que nada una prolongación del frigorífico que demandaba esa transformación de las razas, y el frigorífico una prolongación del único mercado posible y estimable: el británico.

El progreso nacional debió ser otro: mercado, nave, seguro, frigorífico, ferrocarril, como prolongación de la chacra y de la estancia.

Vender, comprar, fabricar, navegar, asegurar, bancar, disputar clientes, abrir mercados, son cosas de burgueses; los ricos argentinos se han propuesto como modelos a los príncipes rusos, los *nababs* y los lores ingleses, no a esos groseros norteamericanos que se jactan de serlo, hinchas de baseball, que casan la hija con un noble y publican a gritos el precio de la dote y utilizan al título para una marca de fábrica, y que en lugar de imitar el inglés de Oxford se envanecen en su idioma norteamericano. (No saben ver la realidad detrás del aire displicente del *lord* que disimula sus actividades burguesas que le permiten mantener el costoso castillo).[9]

---

al galope frente a la Comisaría –por donde hay que andar al paso– golpeándose la boca provocativamente al lanzar el ¡piu-ju-ju-ju! correspondiente, pero con voz cavernosa. La verdad es que el gaucho tiene la voz "finita" impuesta por el medio.

[9] En "Prosa de hacha y tiza" reproduzco una nota periodística que escribí comentando dos reportajes hechos al doctor Miguel Angel Cárcano en sendos regresos de Europa, después de la revolución de 1955. En ellos el Dr. Cárcano señalaba una vergüenza nacional propia del régimen depuesto: la abundancia de negociantes argentinos que andaban por el exterior vendiendo y comprando cosas para hacer diferencias y comisiones.

Si Buenos Aires fue el puerto de la riqueza argentina, los ricos argentinos sólo conocieron del mismo el desembarcadero de la Dársena Norte, en tránsito a los camarotes de la *Mala Real* o los *paquebotes* franceses.[10]

Buenos Aires será un puerto típicamente colonial, porque lo que distingue esencialmente al coloniaje es que la colonia vende *F.O.B.* y no *C.I.F.* que es como venden las metrópolis.

El comprador está aquí y no en el puerto de destino. Así la exportación no se diversifica hacia los posibles mercados de compra, como ocurre cuando el país productor tiene sus vendedores en el destino de la mercadería; no se va a la conquista de mercados sino que el comprador exterior conquista el mercado productor, unifica la demanda y lo hace suyo obstaculizando la diversificación y la competencia internacional; es el comercio de factoría que el genio político de Gran Bretaña ha descubierto que es más importante que la conquista imperial que seguían practicando las demás metrópolis europeas empeñadas en la disputa del remanente de posiciones ultramarinas. El comercio de importación sigue la misma suerte como complemento de esa política

---

Me parece que no puede decirse nada más expresivo de la pretensión aristocrática de un grupo social al que repugna la actividad burguesa y cree que vendedores y compradores perjudican la imagen, "culta y distinguida" que los argentinos de su clase habían creado en Europa. Es notable la persistencia de las pautas que corresponden al fin del siglo pasado y la *belle époque*, y cuando prácticamente ha desaparecido la preeminencia mundial de los ricos argentinos que facilitó la deformación de la función histórica del grupo.

La aristocracia británica que es auténtica, sabe desdoblarse burguesamente para hacer el Imperio: los *gentlemen* disimulaban bajo su estilo los libros de caja y los muestrarios. ¿Quiénes constituyeron la "Compañía de aventureros de la bahía de Hudson", y cien más iguales, que acompañaron a la expansión británica? Pues bien, Cárcano califica de aventureros a los italianos, judíos, turquitos y criollos aprovechados que jugaban el mismo papel para la Argentina, posiblemente ante la falencia de la supuesta aristocracia en su función burguesa, que dejó al extranjero.

En 1966, con motivo de los agravios de que fue objeto el deporte argentino en el mundial de fútbol, Lord Lovat salió a campear por los nuestros en la prensa británica. El periodismo porteño lo destacó, pero pasó por alto algo que contiene enseñanzas sobre el particular a que me estoy refiriendo: Lord Lovat es miembro del clan Frazer, y los Frazer son los dueños del paquete accionario más grande de la Fábrica Argentina de Alpargatas. ¿Habló el aristócrata, o el burgués interesado en mostrar buena cara a los consumidores nativos (¡y tan nativos!) de alpargatas?

[10] Juan José Sebreli ("Buenos Aires, vida cotidiana y alienación", Ed. Siglo Veinte, 1964), dice: *la elección del lugar del nuevo barrio residencial*

comercial que no necesita el manejo de los territorios, pues basta con el control económico de los puertos y que es pronto control de la política y la cultura.

El grupo económico-político extranjero organiza correlativamente el sistema de transporte dirigiendo sus inversiones para crear una geografía económica adecuada: la red afluente al puerto concebida en función de su producción para esos fines, como lo ha demostrado hasta la saciedad Scalabrini Ortiz en su "Historia de los ferrocarriles argentinos", que documenta, además, el carácter minoritario de esa inversión, que en su mayor parte salió del propio esfuerzo nacional. Cosa parecida ocurre con la banca que permite a las filiales de bancos extranjeros –y aun a los bancos nacionales– capitalizar los ahorros del país dominado para hacerlos instrumento de la colonización en lugar de factores de desarrollo interno: el ahorro nacional es puesto al servicio de la importación y en contra de la promoción interna.

Del dominio económico surge el dominio cultural. La gran prensa es el instrumento más efectivo para sembrar entre la "gente culta" el ideario conveniente que es facilitado por las comprobaciones del éxito inmediato, que parece evidente, de la teoría del progreso ilimitado a lograr por esos carriles; sólo se necesita mantener como dogma indiscutible los enunciados liberales impuestos después de Caseros, y que

---

en el norte, tampoco fue obra del azar, sino de una consecuencia más de la influencia imperialista: la instalación del Puerto Nuevo, por medio del cual la ciudad se vinculaba con Europa, llevaba a todos quienes estaban de una forma u otra vinculados al comercio de importación y exportación, a ubicar su residencia en los alrededores.

Esto desde luego es inexacto, cronológicamente, porque el Barrio Norte comienza a desarrollarse a fines del siglo pasado, como el mismo Sebreli lo señala, y Puerto Nuevo funciona desde hace 80 años. Todo el Barrio Norte de las grandes residencias estaba edificado para entonces.

Pero además esto significa atribuirle a la clase terrateniente una actividad comercial que abandonó precisamente en manos de los extranjeros o a lo sumo en la nueva burguesía de origen inmigratorio. Si algo caracterizó a esa clase fue precisamente que ignoró sistemáticamente la función que le correspondía como burguesía para constituirse en instrumento dependiente de la burguesía extranjera frente al aparato de comercialización. (Ver nota sobre Sociedad Rural).

Precisamente era el desarrollo de la economía imperialista la que determinaba su alejamiento del Puerto al que sólo hubiera estado vinculado si hubiera construido un capitalismo nacional que manejase la comercialización.

constituyen el fondo común del pensamiento ilustrado de la Universidad, la escuela y el libro. Ya veremos cómo la falsificación de la historia es una complementación útil al mantenimiento de esa dogmática.

La alta clase se ha imbuido de una concepción aristocrática a la que repugna cualquier actividad burguesa ajena a la única forma digna de la riqueza; además, si alguno de sus miembros supera el complejo cultural que tipifica a la clase, el manejo de los medios económicos se encargará de acreditar con el fracaso y la ruina de sus negocios, que los argentinos no hemos nacido para eso –como también lo dijo Sarmiento– y su ejemplo servirá para la irrisión de los que no se apartan de la actividad tradicional: será a lo sumo "un loco lindo" que se mete en lo que no entiende.

En cambio hay un destino reservado para la alta clase, cuando los patrimonios entran en decadencia, o cuando no se está en los niveles más elevados: la Facultad de Derecho provee de abogados a las empresas de capitales extranjeros, y la guía social de directores a las Sociedades Anónimas, que son la representación local de aquellos intereses. Abogados y directores son baratos, pues reciben como un favor el que hacen; es la mentalidad del *cipayo* que hasta cree estar sirviendo a su país cuando sirve a sus directores extranjeros; el sistema se perfecciona con gobernantes, jueces y maestros de la misma mentalidad.

Ser burgués disminuye, ser *cipayo* o *vendepatria* jerarquiza. Luego esa incapacidad aprendida se imputará también a la herencia hispánica, católica, indígena, etcétera.

El país ya está realizado para quienes tienen del mismo la idea de que el país son ellos, y contemplan al resto como desde la metrópoli contemplan al conjunto que les incluye.

LA ESCISIÓN DE LA “GENTE PRINCIPAL”: POBRES Y RICOS

Esta brusca prosperidad de los propietarios de la tierra refleja sus efectos en los sectores de la "gente principal" que no han alcanzado los beneficios de aquélla: se produce en ella una solución de continuidad.

La sencillez de las costumbres y la moderada riqueza de los más altos, había permitido antes una relación regular entre los distintos niveles de la "parte sana de la población": las diferencias de fortuna, de jerarquía política y hasta cultural, eran atenuadas por la sensación de que todos pertenecían al "todo Buenos Aires". Las viejas amistades de familia y los parentescos minuciosamente recordados, y que no era extraño se ratificasen con nuevas alianzas a pesar de las diferencias económicas, facilitaban la comunidad de un *status* que venía desde la colonia, entre los grandes propietarios y la gente de condición más modesta constituida por profesores, magistrados, altos funcionarios, profesionales destacados, y más abajo, la generalidad de los empleados públicos, pequeños rentistas profesionales, militares, pequeños estancieros, artesanos calificados, maestros de escuela, etcétera.

Las barreras que establecían las diferencias de rango dentro de la comunidad, no eran rígidas y se disimulaban bajo el manto de las costumbres patriarcales; por alto que estuviera colocado un hombre de la "clase principal", conocía a todos sus congéneres, sus apellidos le eran habituales y si no sus fisonomías, recordaba sus vinculaciones de familia y se estaba atento a los acontecimientos familiares, a sus celebraciones y especialmente a sus duelos. No se ignoraban recíprocamente y el perteneciente a los grados más inferiores de "gente decente" sentía que era parte de ese "todo Buenos Aires", atribuyendo las diferencias de rango exclusivamente a la situación de fortuna. Además, el límite de clase establecido por la rígida separación con la "gente inferior", la "plebe", le daba la sensación del *status* común con sus congéneres altos de la "clase principal" que ejercían una especie de protección patriarcal auxiliando en los apuros, poniendo el hombro y la "recomendación" a su servicio. Había una etiqueta de las "visitas" recibidas y "pagadas" rigurosamente, entre los niveles no muy diferenciados; y aun las relaciones más pobres si no tenían entrada a las grandes casas, a las horas que no eran de cumplido, acercándose a la vida íntima de la familia, solían ser comensales frecuentes en la mesa tradicional; el hábito del mate en "las visitas" de media tarde era compartido por todos en las ruedas íntimas en que la boca de la bombilla marcaba una igualitaria consideración.

Se compensaba el desnivel con la intimidad.

Pero la alta clase se fue distanciando con un lujo y un boato inabordable para los que no estaban en situación, y a medida que los "viejos" iban muriendo, se interrumpían las relaciones: el "todo

Buenos Aires" se achicaba para reducirse a un núcleo más selecto, menos numeroso y más exigente, incompatible para la gente de situación modesta y aun para las medias fortunas, cuánto más para los pobres vergonzantes que vivían "tirándole la cola al gato".

Al mismo tiempo la ciudad crecía e interfería con nuevas promociones de origen inmigratorio en la solución de continuidad creada en los dos niveles de la "gente sana" y los más bajos de ésta se confundían con los que venían del ascenso y de los que se encontraban cerca económicamente.

Pronto los descolocados comenzaron a tener sólo referencias lejanas del "todo Buenos Aires" por la "vida social" de los periódicos. En este distanciamiento astronómico de la alta clase, los sectores postergados de la clase principal se adecuaron al hecho, y prefirieron ser cabeza de ratón que cola de león, ubicándose como parte distinguida de la clase media que surgía. (Los más tilingos no se resignaron y ellos y sus descendientes han vivido desde entonces una dura ficción de "primos pobres", manejándose por pautas de imitación). Es la gente que Silvina Bullrich pinta en "Los Burgueses", desacertadamente en el título, pero acertada en la descripción de esos parientes pobres de los Barros, humillados por dentro en su actitud de obsecuencia al tío remoto; y también se humillaban al cronista social –que puede ser la señorita Pérez Yrigoyen–, de cuya voluntad dependía la mención en la columna periodística, que otro, en la misma situación, leerá con la "sonrisa verde" con que las mujeres se ponderan sus vestidos. Ellos formarán el plantel básico del "medio pelo", muchos años después, cuando aparezca una nueva burguesía ansiosa de recorrer el camino que hizo la clase alta, pero sin el desplazamiento europeo que la divisa fuerte le permitió a aquélla, y que además permitía ocultar las *gaffes* de los primeros pasos, a la sombra de un mundo internacional heterogéneo.

A principios de siglo ya la estructura tradicional está perimida, pero esto no era todavía perceptible para los sectores de la clase alta.

UN TESTIGO DEL "900"

Dejemos que hable un contemporáneo.

Tengo delante un librito de Don Felipe Amadeo Lastra titulado "Recuerdos del 900", cuyo autor fue mozo paseandero por aquellos tiempos (Dios lo conserve por mucho, y pido reciprocidad).

Su crónica podrá ser inimportante literariamente, pero además del valor testimonial, de cuya importancia he hablado en la introducción de este libro, tiene un valor especial porque no expresa la observación objetiva del sociólogo o del historiador, sino la subjetiva del actor y del medio a que pertenece: importa el consenso de su grupo social.

Felipe Amadeo Lastra todavía no percibe la escisión en la "gente principal", pero ésta salta a la vista para el que lee: basta comparar la larga lista de la muchachada "paseandera" que el autor trae con su excelente memoria, con la mucho más restringida de las familias que veraneaban en la Bristol de Mar del Plata y especialmente los jóvenes, los que en el mismo balneario *hacían roncha dragoneando de leones...*

Los más de aquellos apellidos de los "paseanderos" comenzaban ya a ser en los barrios las cabezas sociales de la clase media.

Su descripción de la muchachada que "andaba" es bastante definitoria de lo que para esa fecha todavía se entiende por "gente principal", "parte sana" de la población; así los apellidos que cita enumerativamente son todos tradicionales, o corresponden a descendientes de inmigrantes "situados" con dos o tres generaciones. No se trata de *ricos* aunque abundan entre ellos; aunque tampoco de pobres, por más que a algunos les falte *sólo una pluma para volar*.

Allí se ve que no es la fortuna la que define la clase sobre la base de un *mínimum* necesario para mantener el nivel. Amadeo Lastra habla de "gente modesta" y "no modesta", que son sus correspondientes a "inferior" y "principal", y precisando más el concepto, hace la calificación por el factor fundamental que ya hemos señalado, la familia, cuando define: *gente de ascendencia culta*, y la que no tiene esa ascendencia. "Cultura", en este caso, no se refiere a la preparación filosófica ni artística ni a los estudios realizados, ni siquiera a la buena o mala letra; los conocimientos de esos "muchachos", sobre todo de los "divertidos", eran los imprescindibles para la generosa firma de un pagaré o un cheque "volador".

"Cultura" es una remisión al *status* familiar, que es el que determina la situación por la observación continuada de las pautas definitorias de la "parte sana de la población", principiando por la más importante, que es la filiación legítima continuada. La cultura se refleja en el género de vida, actividades económicas y prácticas sociales, cívicas, religiosas y de comportamiento de la familia que evitan el desclasamiento; no se trata del individuo en sí. Por el contrario, éste seguía siendo culto a pesar de él mismo.

En la clase modesta, agrega, *había los compadritos y los que no lo eran.* Clase modesta es, lógicamente, un eufemismo de "clase inferior" que el autor divide en *compadritos y los que no lo eran*, es decir, trabajadores, con una amplitud que comprende a obreros, peones, artesanos, domésticos y comerciantes minoristas, etc.

La clase alta no veía el cambio social que se estaba operando; Amadeo Lastra es terminante: *Casi no existía la clase media.* (Existía, sí; se estaba conformando sobre los pobres de la "clase principal" y sobre los que comenzaba a emerger con preferencia desde la inmigración. Pero esto no se percibía desde la visual de la clase alta, que no penetraba los entresijos de la nueva sociedad).

Dice el autor: *Era común que al núcleo de personas de cierta alcurnia, es decir de "ascendencia culta", se las denominase con el adjetivo "bien", que sigue vigente. Así se decía "gente bien", "niño bien" y respecto de estos últimos, a los que gustaban la jácara continua, refiriéndose al "niño bien": César Viale los llamó "indios bien", denotando con ello su pertenencia a familias de elevada clase social, por su cultura o ascendencia.* Lo de "indios" deja bien precisado que no es la condición de "Bien". Es la situación del grupo familiar.

CAPÍTULO IV

LA CRISIS DE LA SOCIEDAD TRADICIONAL

LA SOCIEDAD CRIOLLA DEL INTERIOR

Desde mediados del siglo XIX el interior está totalmente derrotado y dominada a sangre y fuego la resistencia de las últimas montoneras federales. Empobrecida la "gente principal" y privada la clase inferior de sus jefes naturales, ésta deja de ser actora en la historia; la población continúa emigrando lentamente hacia el litoral, como empezó a hacerlo desde el comercio libre, o se resigna a la miseria endémica que será su característica durante un largo período de tiempo. Catamarca, La Rioja, Santiago del Estero, suministrarán los contingentes estacionales que proporcionan brazos a la industria azucarera tucumana, sumándose a los locales; más adelante el obraje y luego el algodón abrirán otros horizontes a santiagueños y correntinos en los chacos.[1] También comenzaron a bajar cuadrillas provincianas hacia la cosecha del maíz en el sur de Santa Fe y el norte de Buenos Aires.

Este trabajo que supone el nomadismo, termina por desarticular la familia de la plebe provinciana, que pierde su carácter patriarcal con el alejamiento de los varones y por la aparición de una economía de numerario que concurre, con la desarticulación de la vida familiar, a destruir los hábitos culinarios tradicionales fundados en el aprovechamiento al máximo de los frutos locales, que una sabiduría

---

[1] Bialet Massé hablando de las provincias pobres y su decadencia, dice: *En La Rioja y Catamarca familias que se llenaban de sorpresa cuando se les decía que entre los montes de su estancia se hallaban ruinas de canales de mampostería hidráulica, estribos de alcantarillas y paredes de represas; acá un olivo vetusto y de puro chupones, falto de poda por medio siglo, allá un grueso de plantas degeneradas de café caracolillo; en unas partes el mir vuelto al estado silvestre; en otras, higueras retoñadas sobre troncos de edad desconocida; y todo junto, demostrando que había hábido allí un sistema de riego y fertilizadores, de una agricultura que nada tenía que envidiar a las vegas de Valencia y de Granada; implantadas por los Jesuitas, explotadas por los segundones más nobles de la península.* ("Informe sobre el estado de las clases obreras en el interior de la República Argentina", presentando al Ministro del Interior, Joaquín V. González).

antigua había dado a las mujeres hacendosas de las clases populares: los quesillos, el zapallo, el maíz, la algarroba, la miel silvestre y sus múltiples aprovechamientos. También perecen las actividades artesanales, la talabartería regional, el tejido, la alfarería y las industrias de la madera.

El ferrocarril que cumple finalidades de cohesión geopolítica, en lo que resta del virreynato del Río de la Plata, y acerca la producción de los ingenios a los mercados del litoral, devora a su paso los últimos restos de la economía doméstica y artesanal, pues entrega el menguado mercado del interior a la manufactura de importación y aun a los productos alimenticios provenientes del litoral, que sustituyen las bases de la alimentación popular provinciana; alrededor de los míseros ranchos las "latitas", la madera, el cartón y el papel de los envoltorios del "almacén del turco", forman un círculo de despojos que testimonia el abandono de los hábitos familiares de autoabastecimiento y también de higiene y decoro. Se abandonan los trigos tempranos de regadío que no pueden competir con los de la "pampa gringa", y los pastizales también de regadío que pierden su valor con la extinción de la ganadería local de los yeguarizos o mulares. Estos no pueden coexistir, lo mismo que los carruajes de producción local, con el moderno medio de transporte.[2]

---

[2] Giberti ("El desarrollo agrario argentino", Op. cit., pág. 23), explica el cierre de los molinos harineros de centros agrícolas de la pampa "gringa" a pesar de estar situados sobre el cereal, caso de Esperanza, que llegó a contar con 10, y dice: *Tarifas ferroviarias que gravaban menos las materias primas que los productos elaborados dieron más movilidad a aquéllas, y los establecimientos elaboradores pasaron a concentrarse en los núcleos urbanos principales, como la Capital Federal, Rosario, Santa Fe*, etc. Sólo basta generalizar el caso de la harina para comprender que si la tarifa tuvo esa incidencia en la distribución interna de la economía, con mayor razón operó en favor de la importación manufacturera, por lo cual el dominio del ferrocarril fue instrumento de promoción o de atraso, tanto para dirigir el progreso en el sentido conveniente a sus dueños, como para impedirlo en el sentido inconveniente. Ellos determinan el destino de las naciones, lo mismo que el manejo del crédito y la moneda; estos no pueden ser extranjeros ni estar subordinados a intereses particulares; así, el problema de una supuesta y mejor administración privada de los transportes y los bancos como bienes, resulta minúsculo, porque lo que importa es su incidencia en la totalidad del complejo económico nacional. Es como si entregáramos el manejo de las armas de la Nación a Generales extranjeros porque son más baratos –o mejores– olvidándonos de los fines nacionales de las instituciones armadas. Y la verdad es que ferrocarriles y bancos pesan más en el destino de la Patria que los cañones y las espadas, porque el que domina la economía se hace dueño, por su manejo de la publicidad y las jerarquías intelectuales, del manejo del país, y por ende de las mismas Fuerzas Armadas. Así se puede perder en Caseros lo que se

El ferrocarril altera hasta la geografía: los pueblos del interior se han ido escalonando en función de las aguadas a medida que avanzó la conquista; pero el riel no se ajusta al zigzagueante rumbo de los viejos caminos, y va rectamente a los terminales del Norte, escalonando las estaciones y paradas. Las estaciones y paradas se distancian de las viejas poblaciones, y nacen otras a su alrededor –a muchas de las cuales el tren debe proporcionar también el agua–, que crecen adventicias, desdoblando los viejos pueblos que van muriendo. Los nuevos nacen y mueren al paso de cada tren; algunos tienen una actividad transitoria mientras dura el obraje. Durante la primera guerra el ferrocarril se comió en leña todos los bosques de su trayecto.

El progreso ha destruido la vieja sociedad de características semifeudales del interior, haciéndola teóricamente más igualitaria con un *trabajo libre* que lo sustituye por algo mucho más terrible: la tiranía del "conchabador"; ahora el individuo es un ente aislado de la familia, cuya comunidad de producción se ha hecho incompatible con el comercialismo y cuya unidad de grupo organizado se quiebra con el nomadismo y los hábitos que éste genera, entre los que cuenta el alcoholismo, la mujer pública y las enfermedades que se suman.

Al establecerse el servicio militar obligatorio, las cifras de inaptos

---

ganó en Ituzaingó, y puede desangrarse un pueblo en una guerra de independencia, para crear una nueva dependencia, invisible, que convierte a las FF.AA. en gendarmería de los nuevos dominadores, con una enseñanza que incapacita al soldado para la verdadera defensa nacional.

El ferrocarril en abanico fue organizado conforme la exigencia exterior de promover un desarrollo parcial, no sólo en el recorrido, sino también en la tarifa.

En una ocasión, hace muchos años, llevé a un fabricante de alpargatas la prueba de cómo se utilizaba la tarifa parabólica del Ferrocarril Sur, para perjudicarlo en beneficio de un competidor extranjero, y a pesar de la evidencia, fue incapaz de generalizar el problema a toda la industria nacional. Este era un hombre intruido.

Homero Manzi me contó una vez, que en una estación perdida de Santiago del Estero,se aproximaron a la ventanilla del tren algunos "changos", vendedores de empanadas, pero les sacó ventaja un paisanito que por venir a caballo, estaba más al alcance de la ventanilla.

Homero le dijo: –*Vos sos un hombre grande. ¿Por qué no dejás a los chicos que se la rebusquen?*

Y el paisanito le contestó: –*La única ventaja que nos ha traído el ferrocarril es algún porteño que compra empanadas y no se la puedo dejar a los changos.*

El paisanito sabía más economía política y más historia de la buena que el industrial. Porque es mejor el analfabetismo que aprender mal las cosas.

de las "provincias pobres" irán acumulando, año por año, la comprobación de estos efectos; el progreso, en lugar de levantar las clases inferiores de esas provincias, termina por sumergirlas completamente, haciendo más profunda la diferencia con la "gente principal" empobrecida también, pero sin la pérdida de elementos esenciales para la vida y la cultura.

No es muy brillante el horizonte de esta "gente principal" que sólo puede cubrir las apariencias. El presupuesto nacional y los desmedrados presupuestos provinciales ofrecen un recurso a sus miembros y hasta establecen grados entre ellos. No es lo mismo ser maestro provincial que maestro nacional de la Ley Láinez, y no es lo mismo ejercer una profesión liberal sin otra entrada, que ayudarse con las cátedras del Colegio Nacional. Las familias que pasan por "acomodadas" se alivian con la emigración de sus hijos, que buscan la magistratura o la burocracia porteña, o trabajar en las profesiones liberales, después de haber estudiado gracias al *empleíto* público conseguido por el pariente o amigo político que tiene "influencias" en Buenos Aires. Las escuelas normales proporcionan a las mujeres un título que las habilita para emplearse de la Patagonia al Chaco, en el sacrificado magisterio que sus colegas porteñas eluden. Las "provincias pobres" se convierten en criaderos de emigrantes, que con su tonada y su melancólico recuerdo de la tierra natal, encontramos en todos los ámbitos de la República.[3]

EL CRIOLLAJE DEL LITORAL

Pero veamos la población criolla del litoral, originaria o venida del interior en su continuada migración.

[3] La derrota se refugia en el humorismo. Entre la "gente principal" de provincia se registra el "foguista". Se le llama así al marido de la maestra nacional, porque es tal la desproporción entre el sueldo nacional y el provincial, que el que se saca la lotería de una maestra de Escuela Láinez, comete un error trabajando por el módico estipendio provinciano.

Su tarea consiste en madrugar para encender el fuego y preparar el desayuno a su pedagógica consorte. Después y durante las horas de clase lo debe apagar, para economizar combustible, y tiene tiempo para echar la "siesta del burro" hasta un rato antes del almuerzo, en que vuelve a encender el fuego y pone la olla para el puchero. Por eso le llaman "foguista".

El gauchaje de las pampas del litoral había sido en parte absorbido por el ejército de línea de la Guerra de Fronteras. Muy pocos eran propietarios de la tierra; generalmente, los que pasaban por tales, eran simples poseedores ignorantes de las argucias necesarias para perfeccionar sus títulos, y en general continuaba respecto de ellos, la situación de la "gente inferior" que ya se ha considerado anteriormente.

Las "Leyes de Vagos" continuaban vigentes, y el Juez de Paz disponía de la persona, la familia y los bienes del gaucho. Nos ahorramos de repetir a *Martín Fierro*. Estos mismos hombres que han hecho la guerra de fronteras para ensanchar el *hinterland* del progreso agropecuario, los "milicos" de la *conquista del desierto* que conquistaron para otros, sólo conocen por excepción algún menguado reparto de tierras, que no consulta la necesidad de crearles, paralelamente, los métodos y hábitos de la economía de numerario a la que el país se incorpora. Solucionar esto es una preocupación dominante en Hernández.[4]

Después de la segunda siesta, a la tardecita, irá al club o a la confitería, tal vez a la plaza, y allí la tertulia donde concurren también los otros principales, entre los cuales alternan colegas, legisladores, tal vez el gobernador, periodistas y algunos profesionales. Ni la pobreza, ni el parasitismo deshonran en una medianía sin destino, cuando ya se ha renunciado al sueño de Buenos Aires.

[4] José Hernández en "Instrucción del Estanciero" (Peña, Del Giúdice, editores - Buenos Aires 1953), trae un capítulo sobre el tema: "Formación de colonias con hijos del país". Dice entre otras cosas:

Cada propietario encierra bajo el alambrado a un extenso número de leguas de campo arrojando de allí a cuantos no son empleados de las faenas de su establecimiento. Y habla del trabajo nacional. Los trabajos rurales tienen sus épocas fijas, fuera de las cuales la gente tiene que permanecer forzosamente ociosa. En la campaña no hay el recurso que presentan las ciudades y alquilar por unos cuantos pesos un cuarto en donde vivir con su familia, y el recurso de salir todas las mañanas a procurarse por medio de trabajos de ocasión, los elementos necesarios para la subsistencia.

¿Qué hace el hijo de la campaña que no tiene campo, que no tiene dónde hacer su rancho, que no tiene trabajo durante muchos meses al año, y que se ve frente a frente con una familia, sumida en la miseria?

Cuatro o seis colonias de hijos del país, harían más beneficios y producirían mejores resultados que el mejor régimen policial y que las más severas disposiciones contra lo que se ha dado en clasificar de vagancia.

Tenemos el ejemplo con lo que ha pasado en San Carlos, Partido de

Sin acceso a la propiedad ni al comercio, el criollo del litoral será luego el peón ganadero, para lo que posee una técnica de que carece el inmigrante. También le quedarán reservados oficios que provienen de la *civilización del cuero*, en tanto la talabartería industrial no lo vaya desalojando, o será resero, domador, carrero, actividades libres de la dependencia permanente del patrón estanciero. En la estancia misma no todos son mensuales y puesteros: hasta que la valorización de la tierra provoca el desalojo de los intrusos, gran parte del criollaje vive tolerado en las estancias primitivas.[5]

Bolívar. En 1877 se dio la ley, con el objeto de donar chacras en aquel paraje puramente a los hijos del país, y en 1878 se fundó el pueblo por el agrimensor Hernández. A pesar de los sucesos políticos, que han interrumpido la marcha de la administración, San Carlos, fundado todo con hijos del país, tiene actualmente más de cien casas; más de doscientas chacras pobladas y cultivadas con grandes sementeras de maíz, trigo y otros cereales; más de cuarenta mil árboles de toda clase; mucha hacienda de toda especie y una población activa y laboriosa de tres mil argentinos. A lo largo de las líneas férreas, o próximo a ella, deben fundarse colonias de hijos del país; dándoles tierras, semillas, herramientas, animales de labranza y, en fin, cuanto con tanta generosidad y justo motivo damos a los colonos extranjeros... Así no habrá necesidad de Ley de Vagos.

[5] En "Los profetas del odio", digo: *...se toleraba que en todos los rincones del campo hubiera ranchos con intrusos, que de padres a hijos se criaban allí, disponiendo de campo para su majadita, su tropilla, su lechera y sus gallinas; el estanciero hacía la vista gorda si veía algún cuero estaqueado y a lo sumo lo reclamaba para "las casas". La hacienda valía poco, poco el campo y poco las mejoras. El hombre no formaba parte del personal del establecimiento; changaba afuera: un arreo, las alambradas, las esquilas, pocero, alguna vez en el pasto. Los siete oficios y ninguno bueno del paisano sin oficio. Pero se iba tirando. El campo gratuito proveía a las necesidades fundamentales de la familia: techo y alimentación... El numerario que se necesitaba era escaso –para los "vicios" y algunas prendas– y salía de esas changas, de unas plumas de avestruz y algunos cueritos. La mujer ayudaba en algo a proveerlo; una era tejedora o bordadora o juntaba los huevos de las gallinas; y los muchachos peludeaban, levantaban nidos en el juncal, hacían leña en el monte.*

El hombre sólo debía al estanciero su trabajo en la yerra –una "junción" dirá Fierro–, su voto en las elecciones y su lanza en las revoluciones.

Esa economía patriarcal murió con el frigorífico y el refinamiento de las haciendas...

Así que la población rural se hizo suburbana y se avecindó en los

LA EXPANSIÓN AGROPECUARIA

El frigorífico transforma la economía ganadera y da origen a la estancia moderna, reemplazando con el abastecimiento del mercado británico, al saladero correspondiente al mercado tropical del tasajo, para el que bastaban las formas primitivas de explotación rural e industrial, sólo posibles con la mano de obra criolla que dominaba su técnica. Contemporáneamente, la agricultura cerealera irrumpe en la producción argentina. Para que ésta sea posible ha sido necesario el progreso técnico, que recién toma importancia en la segunda mitad del siglo XIX, y cuyos efectos se hacen sentir del 80 en adelante.

Cuenta en esto el ferrocarril, que permitirá el desarrollo de la agricultura con sus gruesos volúmenes de transporte; otro elemento técnico es el alambrado, factor decisivo. A diferencia de Europa, donde lo excepcional es la ganadería, permanentemente controlada por el pastor –en el caso de la oveja– con el ronzal, la estabulación o la vigilan-

---

rancheríos de latas y desperdicios, crecieron los pueblos con esa población flotante que venía del campo; pero junto al mísero techo no hubo majadas, ni gallinas, ni lecheras, ni trabajo para la mujer. Ya no hubo hogar, sino simplemente un dormidero. Ya no hubo economía familiar, pues ésta se tornó numeraria, y el hombre empezó a vivir en la larga espera de la changa.

En las aradas y en el pasto encontró algún trabajo en invierno –cada vez menos pues la motorización lo eliminaba de las aradas y disminuía el consumo porteño de alfalfa. A fin del año, 20 ó 30 días de trabajo en la cosecha fina –a su vez, la corta y trilla que reemplazaba a la trilladora disminuía la demanda de brazos– y después a esperar el maíz con los primeros fríos, donde trabajaba toda la familia en cuadrilla, a destajo por bolsa...

Así nació el "croto" que ahuyentó al linyera. La miseria del "croto"corrió la pobreza del linyera: éste era el inmigrante golondrina –italiano generalmente– que aprovechando la oposición del clima de los dos hemisferios empalmaba las cosechas de su país con las del nuestro. El golondrina no pudo competir con el brazo barato del peón criollo.

Ninguno de los intelectuales se ha puesto a averiguar por qué se llama "croto" al linyera nativo. Esto es porque siendo Gobernador de Buenos Aires don José Camilo Croto, se le quejaron los ingleses de los ferrocarriles por la cantidad de paisanos que se colaba en los trenes de carga. Don José Camilo resolvió salomónicamente el entredicho limitando a doce colados por tren de carga. Cuando los oficiales de policía en la recorrida controlaban el número de pasajeros, contaban doce, haciendo bajar al resto.

Ustedes siguen por Croto, decían. Y de "crotos" les quedó el nombre.

cia del personal en el pastoreo de vacunos o yeguarizos, en el Río de la Plata la agricultura es imposible sin el cercamiento de los sembrados; las pampas no tienen el bosque con que contó Nueva Inglaterra para cercar en los primeros tiempos; apenas la zanja –del "inglés zanjeador" seguramente irlandés, de que habla *Martín Fierro*– o el cerco de tunas o plantas espinosas que ofrecen una precaria defensa contra la invasión de los semovientes. Esto excluye cualquier posibilidad de desarrollo agrícola importante antes de la aparición del alambrado, en un país en que las haciendas son "como un agitado mar de lomos multicolores", siempre en movimiento hacia las pasturas.

El litoral ha sido importador de harinas y cereales; el signo cambia totalmente y se convertirá en "granero de Europa". Esto, como se ha dicho, sólo podía ser producto de la aparición de nuevos medios técnicos, pero la técnica obedece a quien la dirige y en este sentido el motor es más obediente que el caballo. Los liberales, para quienes la protección industrial y cualquier intervención del Estado hacia la promoción de una economía integradora era un atentado a la libertad de comercio, no han vacilado en establecer la protección para facilitar el desarrollo de la agricultura en sus etapas iniciales. Horacio C. Giberti dice: *La corriente agrícola se vio robustecida cuando se adoptaron medidas proteccionistas que gravaban la importación de granos y harinas. Merced a ella pudo vencerse la postergación de siglos; surgió entonces una corriente que primero apuntó a sustituir importaciones, pero más tarde ganó confianza e invadió los mercados tradicionales.*

Esto sirve para precisar el verdadero sentido de ese liberalismo cuyo doctrinarismo es intransigente o elástico, según las directivas de la política económica, promovidas desde afuera: la doctrina es válida, sólo en cuanto favorece el desarrollo del país como abastecedor de materias primas. Lo mismo ocurre con la inmigración: el Estado no intervencionista cuando se trata de promover la integración económica nacional, opera como intervencionista al tomar las medidas que favorecen la organización de la producción dependiente: *Como proveedor de mano de obra el Estado desempeñó su función más importante estimulando y organizando la inmigración masiva desde Europa* (Sergio Bagú, "Evolución histórica de la estratificación social de la Argentina"). Pero allí se detuvo porque se buscaba mano de obra barata y no la estabilización social de los emigrados. Promovió la inmigración, pero no la distribución de la tierra correspondiente, que hubiera perjudicado las estructuras preexistentes y el monocultivo buscado por el Imperio.

Continuando la cita del mismo autor, veremos cómo se comportó frente a los trabajadores criollos, también interviniendo: *Distribuyó algunos millares de indios "conquistados", dictó leyes y reglamentos para impedir la movilidad física del trabajador rural del país y someterlo contra su voluntad a condiciones muy precarias de trabajo.*

Con más extensión, trata el tema Manuel García Soriano en los números I, de mayo de 1960, y II, de mayo de 1962, de "Revisión histórica", publicación del Centro "Alejandro Heredia", de Tucumán.

LA INMIGRACIÓN EN EL MEDIO RURAL

Corresponde a la expansión agrícola, la ola inmigratoria que cambiará la composición demográfica del litoral. A su vez, la transformación ganadera absorbe, como se ha dicho, parte de la mano de obra nativa, pero no absorbe la desocupación del criollaje en crecimiento vegetativo, que lo arroja a la competencia con la mano de obra importada en el mercado del trabajo agrícola. A raíz de la destrucción, con la estancia moderna, de los medios de supervivencia que facilitaba la vieja estancia, surgen los rancheríos de los suburbios pueblerinos, sin hogar de asiento estable, y el nomadismo del bracero.

En "Política y sociedad en una época de transición", de Germani, se lee: *La inmigración comenzó a partir de la segunda mitad del siglo pasado pero se mantuvo a un promedio inferior a los 10.000 anuales hasta 1880, en que alcanzó en el decenio 80-90 un promedio de 64.000 inmigrantes... el máximo anual fue alcanzado en la primera década del siglo (112.000 de promedio), y en particular en años inmediatamente anteriores a la Primera Guerra Mundial, en que se registró el récord con un saldo en la inmigración de ultramar de más de 200.000 personas. Después de la interrupción provocada por el conflicto, la década 1920-1930 volvió a registrar saldos muy altos.*

La inmigración pone en contacto dos sociedades completamente distintas, tanto en su técnica como en su mentalidad. El criollo del litoral ignoraba la agricultura y en cambio tenía el total dominio técnico del trabajo ganadero. Visto desde el trabajo tradicional, el "gringo" era un incapaz: no sabía domar ni estaquear un cuero, parar rodeo o arrear hacienda, hacer adobe o el "chorizo", quinchar un rancho... Andaba en el campo a pie y perdido como "turco en la neblina". Desde el punto de vista de la cultura criolla, el "gringo" era un inculto. Un ser débil, con una debilidad nunca mejor expresada que en aquel verso magistral del *Martín Fierro*.

> *Había un gringuito cautivo*
> *que siempre hablaba del barco,*
> *y lo augaron en un charco*
> *por causante de la peste;*
> *tenía los ojos celestes*
> *como potrillito zarco.*

Pero en cambio, el "gringo" venía de una sociedad en pleno desarrollo económico y social, del que el criollo, miembro de la clase inferior, estaba excluido por la vigencia de los estamentos sociales provenientes de la Colonia y que la derrota de los federales había consolidado definitivamente; su alteración era imposible dentro de la sociedad en que se había formado.

Ya veremos cómo 50 años después de acelerarse la inmigración sigue siendo cierta para la "gente principal" y sus "nuevos" provenientes de la inmigración, la discriminación que hará con el "cabecita negra", a pesar de la transformación de la economía y la composición de la sociedad argentina.

Si el nativo carece tradicionalmente de perspectivas y por ende de voluntad de ascenso social, carece también de los conceptos de propiedad y acumulación de riqueza como medio de poder que están implícitos en el deseo de emigrar: la riqueza es para el criollo simplemente capacidad de consumo, y sus consumos están limitados a los de una sociedad primitiva; resuelto lo imprescindible para la existencia, la apetencia es sólo de bienes de lujo: aperos, ponchos, percales, pañuelos de seda, armas y los "vicios". Sin acceso a la propiedad de la tierra, los límites de su acumulación no pueden ir más allá de la tropilla y algunos semovientes en los casos más prósperos. Los lujos, "las prendas" son su único ahorro, que lo bancan en un apuro o en el juego.

Se comparará su aptitud en la lucha por la vida con la del extranjero, partiendo del supuesto de una inferioridad que ha sido decretada de antemano; el éxito individual de gran parte de los inmigrantes servirá para el cotejo, olvidando que el europeo forma parte de la economía que se inicia, mientras que el nativo pertenece a la sociedad cuya técnica va a cambiarse, no sólo en las formas de trabajo, sino que también en su fundamento, que es ahora el comercio y el manejo de numerario, para el que no está preparado. De tal modo, su superioridad técnica anterior se convierte en su debilidad cuando la técnica se mide en el mostrador por el cálculo comercial: se olvida también que el cotejo se hace con un individuo de selección para el *struggle for life*, como gustaban decir los "progresistas", porque de las aldeas europeas emigraron los más audaces, los más caracterizados por su individualismo, los posibles Cortés y Pizarros de otra época, y no los desprovistos de espíritu de conquista, que se quedaron allá.

Nadie se preocupó, como lo había querido Hernández, por promover la paulatina adaptación de los nativos a la nueva realidad. Por el contrario, estaban deliberadamente excluidos en el presupuesto de la sociedad de imagen europea que se buscaba y, además, hubiera contrariado las exigencias del progreso acelerado que reclamaban los mercados de ultramar, misión impostergable que sólo podría cumplir aceleradamente la inmigración. (Cincuenta años después se verá que su adaptación fue posible, creando condiciones favorables, como las creó la última gran guerra, cuando la industrialización tomó impulso y no hubo mano extranjera disponible; los que aprendieron todas las técnicas del trabajo industrial hasta colocarse en condiciones de eficiencia a un nivel técnico equivalente y muchas veces superior a los mejores obreros del mundo). ¿Por qué no habrían aprendido y practicado las artes mucho más elementales y afines con su índole del trabajo agrícola? Y sin llegar tan a lo contemporáneo: ¿fue inferior al inmigrante el bracero criollo, cuando el agotamiento de las posibilidades ganaderas de trabajo, lo forzó a adquirir las técnicas de la agricultura?

LA COMPOSICIÓN DE LAS CLASES RURALES

Afortunadamente, la economía agrícola de zona templada, y mucho más antes de la mecanización, no facilita la concentración típica de la plantación tropical que hubiera excluido una nueva composición de las clases. Demandó una relativamente numerosa clase de propietarios y arrendatarios de extensiones limitadas y la formación de familias por encima del nivel proletario, facilitando un comercio de campaña diversificado, que comprendía el suministro de subsistencia e instrumentos de trabajo y el acopio de los frutos de la producción, numerosas actividades de transporte, de crédito, etc., que van formando estratos intermedios que a su vez exigen la ampliación del aparato burocrático del Estado y dan margen a la existencia de profesiones liberales. Todo esto formará parte de la infraestructura de la producción agrícola para la exportación, como se verá más adelante.

La clase media surge como lógica consecuencia. Dice Giberti de los extranjeros, según el censo de 1914: *En el medio rural, constituían el grueso de una incipiente clase media, ubicada entre dos sectores esencialmente nativos: los estancieros y los peones. Cabe recor-*

dar –agrega– *que la mayoría de los chacareros argentinos descendían en línea directa de los primeros colonos inmigrantes de Santa Fe, Córdoba y Entre Ríos, cosa que no ocurría con los peones, casi siempre criollos de vieja estirpe.* Vemos, pues, ahora, en el medio rural, que la inmigración coloca una cuña entre las dos clases tradicionales: es la clase media que aparece.

Con todo, el crecimiento de esta clase media rural estuvo limitada por la valorización desmesurada de la tierra, cuyo valor venal se ha relacionado siempre en nuestro país, más con la especulación en expectativa que con los valores de producción.[6]

Faltó una colonización sistemática, organizada por el Estado –fueron excepcionales las contadas colonias de Santa Fe y Entre Ríos, donde ella se operó por el Estado o por instituciones particulares dirigidas a ese fin y no al especulativo–. Si la *conquista del desierto* no había servido para la radicación de criollos en calidad de propietarios sino para la formación de enormes latifundios, el auge agrícola no fue acompañado tampoco de una colonización dirigida ahora en beneficio de los extranjeros y sus descendientes, a quienes no se podía imputar los defectos atribuidos al criollo. Sólo se fraccionaron tierras en medida muy inferior a la demanda –y especulando con este desequilibrio– por obra de particulares, por la división hereditaria que determinaba el código civil o a consecuencia de aquellas dilapidaciones patrimoniales de los "ausentistas" de que ya se ha hablado.

Pero, paralelamente, la ganadería moderna propulsaba una nueva concen-

---

[6] Entre nosotros la tierra tiene un valor venal separado del que determina su productividad. Es que a la tierra se le incorpora valor especulativo en función del futuro, determinado por el simple transcurso del tiempo. Es lo que quería decir don Lucas Olmos, el famoso terrateniente cordobés, cuando le preguntaron qué había que echar al campo: *–Hay que echarle años,* contestó. Años que significan caminos, rieles, pobladores, todo producto del esfuerzo colectivo y no del propietario.

Agregamos la política bancaria y especialmente del Banco Hipotecario Nacional que aumentaba la capacidad de compra de la demanda, dando crédito a los propietarios ansiosos de agrandar sus bienes. Además, a cada depreciación de la moneda, el campo aparece como un medio de colocación que compensa la depreciación de la moneda, y aún, incrementa la inversión; también actuó en aquel sentido una burguesía comercial e industrial sin conciencia histórica que retira sus utilidades de la fuente de sus recursos, es decir, de la reinversión industrial, para hacer su patrimonio territorial o, como se verá más adelante, para lograr el acceso al plano social de la familia tradicional.

tración. Esto se notó particularmente en la provincia de Buenos Aires por su mayor cercanía al frigorífico exportador.

En gran parte, la agricultura se destinó a "hacer campo" –tarea que antes cumplían las yeguadas–, en especial para la ganadería de invernada. El propietario no vendía campos, lo arrendaba especificando la calidad de la siembra y el porcentaje, porque el objeto último, al terminar el arrendamiento, era la obligación del chacarero de entregar el lote alfalfado, momento en que era retirado de la agricultura para dedicarlo al inverne; aun en el caso de que la zona no fuera apta para la alfalfa, en los campos de cría, una vez "hecho el campo" era susceptible para las avenas o la cebada y aun los trigos doble propósito cuyo objeto era el mantenimiento de las haciendas, y subsidiariamente la cosecha. Giberti nos señala que *Buenos Aires en 1899 sembraba menos trigo, maíz y lino que Santa Fe; la sobrepasa muy holgadamente para 1908 y comienza después una declinación agrícola, pues las sementeras habían cumplido ya la función de servir como cabecera para la implantación de la alfalfa.*

En estas condiciones, al ponerse la tierra fuera del alcance del agricultor como propietario, principalmente en la provincia de Buenos Aires, el sistema de arrendamientos concilió el proporcionar tierra al chacarero temporariamente, y asegurarle al propietario del suelo la preparación de los campos para la invernada sin hacer inversiones para obtener las pasturas. Por el contrario, el chacarero se lo hacía gratis después de pagar los porcentajes de arrendamiento. Giberti, que hace la reflexión, señala: *En 1914 sobre 75.500 chacareros arrendatarios, aparceros o medianeros, 42.300 (50%) tenían convenios por menos de tres años y 10.600 por ese lapso. Apenas 13.000 (17%) habían pactado por cinco años o más. Tal precariedad impedía toda preocupación por conservar el suelo y obligaba a vivir sin comodidades, los campos carecían de mejoras y todo era infierno. El propietario de la tierra poco interés ponía en ofrecer campos con más mejoras, o retribuir las que incorporaba el arrendatario o aparcero, porque ellas entorpecían el posterior ciclo ganadero.*

Agreguemos que los contratos obligaban a sembrar, desde la puerta del rancho hasta el alambrado medianero, y en una sola especie, lo que excluía la posibilidad de cualquier explotación granjera con la escasa duración del contrato y el destino a un solo cultivo de la tierra arrendada. Entonces se criticará al colono "gringo" por su desidia, como se ha hecho antes con el gaucho.

Prácticamente el arrendatario con el monocultivo trabaja en el tiempo de las aradas, el de las siembras y el de la cosecha, oportunidades en que debe apelar al bracero, porque al no haber diversificación todas las tareas deben cumplirse dentro de términos cortos; el resto del año estará mano sobre mano, con lo que terminará siendo más un comerciante que un agricultor: contrata tierra y mano de obra, vende cereal. No hay posibilidades para el asentamiento familiar de una estructura agraria permanente. Agrega Giberti: *El fondo de vida así forjado debería tener más tarde proyecciones negativas, pues, aun convertidos en propietarios, muchos chacareros conservarán hábitos y rutinas, los malos hábitos adquiridos en los años iniciales.*

La observación de Bialet Massé en 1904 es la comprobación de lo dicho, y eso que se refiere a Santa Fe, donde las condiciones son más favorables para la chacra: *La agricultura de Santa Fe no es de las llamadas de arraigo, no es una industria en el sentido verdadero de la palabra sino un negocio accidental que atiende al momento presente, sin cuidarse ni remotamente del porvenir.*

Si la propiedad de la tierra había sido inaccesible para el criollo de la clase inferior en la época de la economía puramente ganadera, cuando las aptitudes técnicas estaban a su favor, en poco tiempo –con la valorización– vino a serlo también para el extranjero a pesar de sus aptitudes agrícolas, el nomadismo individual del criollo se suma al nomadismo familiar del chacarero, en lo azaroso de una agricultura que lo obligaba a jugarse todos los años a una sola carta y que también tendía a alejarlo del agro y mucho más a sus descendientes. De esto resultó que el mal endémico del latifundio, que en la época de la ganadería primitiva podría explicarse en parte por su carácter extensivo, no permitió la constitución de una sociedad agraria de ancha base cuando apareció la posibilidad de la explotación más intensiva.

Hubo permanentemente una falta de proporción entre el volumen de la producción y las bases sociales de la misma: se llamó Gran Argentina –esa que añora nuestro "medio pelo" como una supuesta *Jauja* de ayer– a una imagen puramente crematística desvinculada con los resultados sociales del esfuerzo productivo, en la que las estadísticas de la riqueza general no se corresponden con las de la riqueza social, que es la que determina la grandeza o la pequeñez de una Nación. Es cierto que gran número de inmigrantes y sus descendientes, ascendieron a favor de este progreso agropecuario; pero ese ascenso no fue ni relativamente proporcional al de la producción del país, cuyos resultados económicos se volcaron en mínima parte en los productores y los elementos nacionales del comercio y la distribución: es que la famosa "canasta de pan del mundo" se organizaba cuidando que quedara poco aquí para que el abastecimiento fuera barato en la metrópoli. Sólo un mínimo costo de producción, el imprescindible para que viviera la "gallina de los huevos de oro" en la época en que nos recuerdan con los *saldos de exportación*, ignorando los *faltantes* del consumo interno.

Si pocos decenios antes los EE.UU. habían capitalizado su prosperidad agrícola para proyectarla en la expansión interna, aquí la capitalizaba muy parcialmente un reducido grupo de propietarios, que derrochó su mayor parte en consumos superfluos; el grueso de los frutos de la tierra y el trabajo iba a la estructura extranjera y monopolística del transporte terrestre y marítimo, y el seguro; a los consorcios, también extranjeros, de comercialización, y a los importadores, que además de disponer de un copioso margen de utilidades, tenían a su disposición los ahorros argentinos a través de una política bancaria que financiaba a los exportadores en sus compras internas, y a los importadores en sus compras externas y en sus facilidades de venta interna.

Sergio Bagú dice a este respecto que *sólo después de la guerra del 14 el agricultor y el pequeño ganadero encontraron cierto apoyo por parte de las instituciones bancarias* y que en cambio *el gran terrateniente y ganadero dispuso siempre de crédito hipotecario y bancario para para financiar las operaciones de ganado.* Y agrega: *el industrial y el comerciante, en cambio, tropezaron siempre con una actitud muy reticente por parte de los bancos... la financiación de esas actividades estuvo casi por completo dentro de la órbita de reinversiones de los beneficios de capital. Complejo y vasto sistema de financiación y capitalización de éste, que en ningún momento funciona al azar, sino movido por un criterio permanente y especifico cuyos resultados hablan de su eficacia.* Acertado señalamiento es éste, al que sólo le falta indicar la política extranjera que no dejaba funcionar el azar, sino que se movía con un criterio permanente y específico.

A esta política correspondió el establecimiento de casi todos los bancos particulares y de las sucursales de los bancos extranjeros que daban en la Argentina la impresión de inversiones cuantiosas, cuando en realidad con un reducido capital, muchas veces suscrito en la plaza, podían disponer de la masa de los depósitos de sus carteras, provenientes de ahorro nacional y también por el redescuento de los documentos sobre los depósitos del Banco de la Nación. Este mismo fue, durante mucho tiempo, instrumento de esta política, porque el crédito sólo se movía en función del prestigio de la firma y del carácter de la actividad que desarrollaba, es decir para los grandes propietarios de tierras y ganados. Hubo, por excepción, dos o tres bancos particulares, constituidos por comerciantes extranjeros de la plaza, inmigrantes prósperos cuya especialidad fué el comercio de campaña y las casas mayoristas que proveían al mismo; también financiaban importaciones, las de los mayoristas, pero daban margen al comercio de campaña para que fuera el banco de los agricultores a cambio de hacer parte de los acopios, como reciprocidad, pero también con el riesgo de las malas cosechas. De este modo el comerciante de campaña fue durante muchos años el único banquero de la agricultura.

Sólo por la nacionalización de la banca y el manejo del crédito en función de prioridades nacionales –entre las cuales contó por fin la industria, desde la creación del Banco Industrial por Castillo– bajo la dirección de Miranda, durante Perón, se modifica la estructura financiera creada para la dependencia, dando al mismo tiempo acceso directo al crédito bancario a los productores rurales.

Sería injusto recordar las grandes utilidades que obtuvieron estos comerciantes sin recordar que también corrieron con los riesgos de la agricultura como generales que saben morir al frente de sus tropas.

Lo recuerdo a don Manuel García, patrón del "Sol de Mayo" de mi pueblo, una casa de comercio que tenía manzana y media techada, tal era su importancia, con sucursales en General Pinto, Arenaza, Pasteur y otros pueblos más. Se derrumbó en una de las crisis agrarias, pero vivió largos años rodeado de la consideración de los pueblos que había fundado y promovido; desde Pasteur, uno de ellos, donde vivía en una casita que le había regalado el vecindario, una vez por mes hacía uso del pase libre que le regalaba el Ferrocarril Oeste porque había sido durante 30 años el cargador más importante de la línea y pasaba unos días en Buenos Aires en una lujosa residencia frente a la Plaza Libertad, domicilio del que había sido abogado de su casa de comercio. ¡Gallego lindo don Manuel García!

Alguien ha dicho que la única reforma agraria que había habido aquí la hicieron la *Bute Montmartre* y los joyeros, y modistos de París, pues proviene de los que derrocharon sus patrimonios en Europa, vendiendo sus campos.

Hubo otra que fue la Ley de Arrendamientos de Perón, que expropió gran parte de la renta de los terratenientes en beneficio de los chacareros y tomó, con el I.A.P.I., los beneficios del exportador y los destinó al desarrollo más integral de la economía y a las subvenciones destinadas a mantener el bajo costo de la vida.

De todos modos, gran parte del sector arrendatario pudo así capitalizarse y ser hoy propietarios del predio que ocupan. Lo malo es que, a lo mejor, ahora lo está explotando a través de otro, y le hace mala cara a la Ley de Arrendamientos.

Y ahora vamos a dejar el campo y arrimarnos a la ciudad.

CAPÍTULO V

LA SOCIEDAD URBANA SE MODIFICA

Vamos a acercarnos ahora a los grandes centros urbanos.

Dentro de éstos, en especial a Buenos Aires, que será el caldo de cultivo del "medio pelo".

Pero todavía este momento no ha llegado.

Ahora es el de los "gringos" que ascienden –con la clase media que se constituye y la burguesía inmigratoria que apunta–, alterando el esquema tradicional; su carácter "gringo" provoca una cierta reacción tradicionalista, no muy profunda, como se verá, porque la tradición de Buenos Aires es el antitradicionalismo, valga la paradoja: los "gringos" no tendrán que vencer la resistencia profunda que los criollos "inferiores" encontraban para su ascenso, ya que en el pensamiento de la "gente principal" la incorporación de los nuevos era un resultado natural de su política económica y racial.

Sin embargo, esta modificación de la estructura no fue muy perceptible para la clase alta, para la que la sociedad argentina seguía inmóvil: todo lo que ocurrió desde el mejoramiento de las razas vacunas hasta su incorporación a la vida europea, significó solo la incorporación de la Argentina a la civilización moderna.

Desde el alto nivel de los dueños de la tierra, lo que estaba sucediendo en la ciudad de tránsito entre Europa y el campo, era cosa de "escaleras abajo", porque no incidía ni en el patrimonio ni en su vida de relación. Ya hemos visto que para el autor de "Recuerdos del novecientos", todavía la clase media no existía.

Los "gringos", cuya misión era quedarse en el campo en las tareas rurales, invaden Buenos Aires, la ciudad por antonomasia, hasta el punto de que llegan a constituir la mayoría de la población adulta y se lanzan a actividades que no eran las presupuestas del bracero o de la chacra.

LA CAPITAL DE LA PAMPA GRINGA: ROSARIO

Aunque el tema de este trabajo se centra en Buenos Aires, es conveniente echar una ojeada a las otras dos ciudades más importantes del país, para ver los efectos diversos del impacto inmigratorio.

En Rosario, el surgimiento de la nueva sociedad, es más directo que en Buenos Aires, pues no hay la alta clase preexistente que influye con sus pautas a estos nuevos y limita el ascenso al primer plano; aquí los "gringos" triunfadores irán directamente arriba, constituyendo una sociedad burguesa por excelencia. Apenas alguna protesta de viejo vecino, como el soneto leído en unos juegos florales:

Ciudad de Astengo, de Etchesortu y Casas
–sede del "Honorable" Benvenuto–
ciudad donde se funden dos mil razas,
pero no se funde ningún gringo bruto.
....

(Recuerdo sólo la primera cuarteta. ¿Para qué contar el merengue que se armó...? Además, los viejos vecinos de Rosario, no eran muy viejos, o mejor dicho, antiguos).

Por esta razón la burguesía rosarina accede directamente a la clase alta local y su conflicto de *status* es con la clase alta tradicional de Santa Fe.

Rosario es la cabecera de la pampa "gringa", su capital, bruscamente nacida de un villorrio primitivo del que no se recuerda ni el nombre del fundador. Si Buenos Aires es la capital de los ganaderos, Rosario lo es de los chacareros. (Giberti, *op. cit.*, explica la mayor densidad agrícola de la pampa "gringa" por la distancia con el frigorífico de las colonias santafesinas que ha permitido desarrollar la producción de cereal sin subordinarlo ni limitarlo como simple tarea de "hacer campo", y también por la mejor política de asentamiento del colono). La alta clase terrateniente no tiene ni domicilio transitorio en Rosario. La burguesía rosarina pisa firme; hija del desarrollo agrario, se identifica totalmente con el progresismo liberal y no sólo carece de complejos frente a las viejas clases, sino que las mira por arriba del hombro, porque se siente con mejor derecho a conducir. No postula "reconocimiento" y será ella la que lo dará.

La "Liga del Sur", cuna del Partido Demócrata Progresista, será su expresión política frente a los dos estratos tradicionales de la provincia: la vieja "gente principal", de la capital santafesina, con sus terratenientes a la antigua porque todavía no ha llegado allí la estancia moderna, y sus rangos modestos de las profesiones y la burocracia que tendrá su baluarte en el Norte. (En Barrancas, a mitad de camino entre Santa Fe y Rosario, está la barrera que separa las dos Santa Fe, con tal perdurabilidad que aún hoy las reuniones políticas de importancia, donde se decide sobre los gobernantes de la provincia, se realizan en ese lugar de frontera.[1]

Se está constituyendo una nueva estructura de alta burguesía a clase media, pero sólo sobre la base de la inmigración; los criollos están marginados del proceso ascensional. El inmigrante es proporcionalmente demasiado fuerte, y no hay integración rápida porque en cierto modo se da allí una segregación ecológica en que el extranjero triunfador se atribuye el status más alto.

Así el fenómeno político santafesino se expresará en la división horizontal Norte contra Sur y en la vertical: "gringos" contra criollos, que se confunden.

El proceso que, veremos luego, realizó el radicalismo incorporando a la política nacional los hijos de inmigrantes, se realizó en Santa Fe con la "Liga del Sur", pero marginando al criollaje. Aquí el radicalismo no contará con la clase media y la burguesía; sólo contará en el Sur con unos pocos elementos de las viejas familias federales, pero substancialmente con orilleros y paisanos de la "gente inferior" al que se unirá el peso de las viejas fuerzas conservadoras del Norte, que con su clientela electoral se le volcarán en la hora próxima a la victoria como único medio de parar al Sur. También con los colonos del Norte de origen extranjero, forzados por el localismo incompatible de los del Sur.

---

[1] Ricardo Caballero ("Yrigoyen y la revolución de 1905") nos cuenta una manifestación de la Liga del Sur por la calle Córdoba, de Rosario, donde la abundancia de extranjeros era tan grande que hasta desfiló la tripulación hindú de un barco inglés, tocada con sus turbantes. Unos mozos radicales desde un balcón gritaron "¡Viva Garibaldi!" y la manifestación radical y todos levantaban la mano exhibiendo "la papeleta" que acreditaba su condición de nativos. Los de la Liga del Sur estaban en la vereda como espectadores y, junto a ellos, al borde de la columna, marchaba un criollito de poncho con "pinta" de estanciero que, provocativamente, miraba a los espectadores exhibiendo en alto un billete de $ 50, mientras desafiaba: *–¡cincuenta pesos al que me aparte un "gringo"!*

Caballero es el caudillo de los carreros, cocheros y de la gente sin oficio del suburbio criollo; Villarruel, uno de los suyos, despachante de aduana, es el de los cargadores criollos del puerto: Juan Cepeda, de los "panzones" y la gente de acción. De los trabajadores sin oficio a la mala vida, este remanente de la gente inferior repugna a la mentalidad burguesa de la Liga del Sur y al socialismo que exige previamente un nivel de "cultura" porque en su increíble marxismo la política se expresa en niveles de alfabetización y no en niveles sociales. Mal socialismo, pero buen sarmientismo mitro-marxista.

EL LÍMITE DE LA PAMPA GRINGA: CÓRDOBA

Córdoba es todavía una pequeña ciudad provinciana y su crecimiento moderno llegará mucho más tarde; después de 1914 y definitivamente después de 1945.

Los pobladores de la "pampa gringa" cordobesa, mirarán a Rosario, que es la capital de sus chacras, y les da la imagen apetecible.

La vieja ciudad de los doctores en los dos derechos, se mantiene en los estamentos de "parte sana" y "gente inferior". No existe nadie importante que no sea "doctor" o clérigo, dicen los alacranes porteños que por las dudas le llaman "doctor" al cochero que los lleva al hotel.

(Córdoba, devota y doctoral, es la capital de las sierras, y Rosario la de su "pampa gringa". En Villa María se levantará el Palace Hotel, que cuando se inaugura es más moderno y más confortable que cualquiera de la capital provinciana. Es para los rosarinos en tránsito a las sierras).

Cuando en Buenos Aires se habla de Córdoba, se habla de las sierras: Cosquín para la tuberculosis, Ascochinga y Alta Gracia para los veraneantes distinguidos; recién apunta, más allá de Cosquín, tan mentado en la época de Koch, el valle de Punilla, que en La Falda y después de La Cumbre recogerá y disputará los veraneantes de la burguesía rosarina a los sitios anteriormente tradicionales, hasta que, mucho más tarde, el "aluvión zoológico" de provincianos en un próspero retorno de ruralismo vacacional, se desborda sobre todas las sierras. Por la calle Ancha se va a la Cuesta de Copina, para caer detrás de las Sierras Grandes, pues el General Roca había puesto de moda Mina Clavero, y la indispensable visita a la Villa del Tránsito y su Casa de Ejercicios con el sermón dominical del cura Brochero, del que los humildes recogen el Evangelio y los veraneantes el pintoresquismo.

Con Simón Luengo y la última tentativa, la Revolución de los "Rusos" de Achával, se ha extinguido el Partido Federal que mantenía nexos entre alguna parte de la "gente principal" y la plebe. Los conflictos son ahora entre liberales y devotos, conflictos de "bien pensantes" que no se resuelven tan fácilmente como en Buenos Aires: la mujer a la Iglesia y el hombre a la logia. Conflicto de clase alta en que los ateos son más "comefrailes" que en Buenos Aires y los católicos más "chupacirios", y cuya intensidad se mide por el provincianismo de los actores pero en el que no interviene la "gente inferior" de la que nadie se ocupa, como no sea algún curita de sotana raída como Brochero o algún anarquista que va a terminar en las sierras con los "fusiles" averiados por la intensa vida nocturna y la escasa alimentación diurna que impone "la idea".

En Córdoba, empieza el interior, el país no computado en el progresismo liberal sino como una incómoda carga; lo será hasta que el agotamiento de la *renta diferencial* obligue a ver el país de otra manera.

BUENOS AIRES: INFRAESTRUCTURA DE LA EXPORTACIÓN

Vamos ahora a ese Buenos Aires de principios de siglo.

Dice Gino Germani: *La Argentina tenía en 1869 una población de poco más de 1.700.000 habitantes; en 1959 había pasado a más de 20.000.000 aumentando así en casi doce veces en 90 años. En esta extraordinaria expansión, la inmigración contribuyó de manera decisiva. El mero crecimiento de la población extranjera en los tres períodos intercensales, significó –para los dos primeros, es decir, hasta 1914– alrededor del 85% del crecimiento total.* Agrega que la concentración de extranjeros se produjo en determinadas zonas del país –las correspondientes a la pampa cerealera–, y dentro de ésta, en los núcleos urbanos, fundamentalmente en Buenos Aires: *La aglomeración metropolitana del Gran Buenos Aires concentró, a lo largo de todo el período considerado entre el 40 y el 50% de la población extranjera total. La inmigración de ultramar representó, en efecto, la base del extraordinario crecimiento urbano en la Argentina y puede demostrarse que la formación de la aglomeración de Buenos Aires y de las grandes ciudades del país se debió principalmente al aporte de estos inmigrantes. En realidad, la época de mayor crecimiento urbano corresponde justamente al período de mayor inmigración.*

Precisando las etapas del crecimiento urbano, el mismo autor señala su segundo momento: aquel en que el *proceso de urbanización obedeció a las migraciones internas...* Hay una distancia de más de medio siglo entre la iniciación de los dos procesos: el del "aluvión gringo" que dará la clase media y la primera burguesía y el "aluvión criollo" que llamarán zoológico, y que pondrá en definitiva crisis el esquema de "clase principal" y "clase inferior", incorporando a ésta como proletariado, en la moderna sociedad de clases; será la formación de un proletariado –obreros en lugar de peones y un oficio en lugar de los "siete" y ninguno bueno– o abriendo el acceso a muchos trabajadores criollos a niveles de clase media, y aun de pequeña burguesía.

Interesa determinar el porqué de la concentración urbana y el porqué de su carácter inmigratorio.

Ya en el capítulo anterior he referido que la naturaleza de la producción cerealera, a pesar de ser primaria, no es apta, como la de la plantación tropical, para una composición simplista de la sociedad como la que venía rigiendo desde la Colonia. Agreguemos ahora que la agricultura en expansión no está destinada a satisfacer la demanda local, sino que su mercado es ultramarino, todo lo que exige el aparato ferroviario en abanico, la comercialización por el intermediario y la concentración portuaria. El puerto, estribo del puente hacia Europa, es un canal por donde debe pasar toda la producción, toda la comercialización, todo el transporte, toda la financiación y, recíprocamente toda la importación y toda la estructura de distribución hacia el interior. El puerto determina también, por su condición de llave, la concentración de todo el aparato administrativo del Estado y se convierte en el gran centro de consumo y trabajo, donde son posibles, además de los consumos esenciales, los consumos de lujo y *confort*, la cultura, la difusión periodística, la formación profesional. Por allí pasa toda la riqueza que genera la pampa; allí deja caer la parte de numerario correspondiente a los gastos de distribución y comercialización interna que no se pueden evadir del país porque están incorporados al costo inevitable.

A este respecto dice Giberti (*op. cit.*) después de referirse al *volumen de mercaderías para embarcar, así como el de productos para importar (carbón, rieles, máquinas, materiales de construcción, comestibles, manufacturas, etc.) que surge la necesidad de instalaciones portuarias capaces de movilizar ese tráfico... Al disponer Buenos Aires de un puerto con calado suficiente para grandes barcos de ultramar, robustece su dominio sobre el resto del país... Concentra en peso entre el 70 y 90% de las importaciones, y la mitad de las exportaciones, sobre todo productos ganaderos. Aun la mayor parte de los barcos que cargan en otros puertos del Paraná pasan a Buenos Aires a completar sus cargas.*

Toda esta concentración obliga a construir rápidamente una gran ciudad donde poco antes había una gran aldea. No se trata sólo de exportar e importar porque hay que establecer el asiento de toda esta maquinaria económica y hacerlo apresuradamente. Instalaciones portuarias y estaciones de ferrocarril, edificios para la administración de los negocios, para la banca; techo y habitación para la gente allí ocupada. Junto a las necesidades que determinan la formación de esta aglomeración urbana hay que satisfacer las que surgen de la aglomeración misma; hay que pavimentar calles, establecer teléfonos, alumbrado y energía, aguas corrientes y cloacas, y también paseos y jardines, edificios universitarios, palacio de tribunales, asiento para el Congreso, oficinas públicas, hospitales, escuelas y todos los servicios de una ciudad moderna.

Buenos Aires, en una palabra, está construyendo la infraestructura del país agropecuario; y tiene que construirla adelantándose al mismo para recibir el progresivo aumento de producción. Por eso mismo, cuando aquélla se estabilice, Buenos Aires dejará de crecer porque el aparato es suficiente para la misma y en adelante su expansión estará vinculada al desarrollo interno.

Aquí está la razón de su gigantismo que no es otra cosa que ser el cuello del embudo que vuelca la producción en las bodegas de los barcos, y recibe de éstos la importación para distribuirla. Buenos Aires no es desmesurada sino en relación con la falta de crecimiento paralelo del país y esta es la explicación que no dan los que quieren eludir la verdad por el camino de la psicología o de lo jurídico. Parece contradecir esta afirmación el hecho de que Buenos Aires haya sido el asiento del posterior desarrollo interno, pero esto obedece a que el mercado ya estaba organizado así, con la acumulación del capital, la técnica y la mano de obra iniciales, como también el mayor mercado de consumo. El futuro no puede desvincularse del pasado hasta que en plazo razonable, y con dirección apropiada, se racionalicen las fuerzas constructivas, que es lo que está ocurriendo con la aparición de centros industriales en el interior de lo cual la actual Córdoba es un ejemplo.

Apresuradamente surge la gran ciudad: primero en función de las necesidades que determina el puerto que absorbe el grueso del comercio nacional; después en razón de las necesidades subsidiarias que origina la concentración. Y todo hay que hacerlo en un corto lapso, quince o veinte años, de manera tal que las actividades productivas se multiplican al infinito porque se trata de la etapa inversionista, en la cual la ciudad gigantesca debe estar construida para que tenga sentido lo que está haciendo el agricultor con su arado o el ganadero con sus nuevas razas. Y aquí el extranjero que viene con los oficios y las aptitudes técnicas que reclama esa construcción apresurada se encuentra en su clima y en su técnica, mucho más aún que en el campo, donde la falta de un fraccionamiento de la tierra le resta posibilidades.

También el conglomerado urbano necesita un comercio minorista que no interesa a los grandes consorcios, como no interesa la producción local inevitable de todas las manufacturas de consumo inmediato o que no corresponden a los rubros que se reserva la importación. Al Buenos Aires del personal de los frigoríficos o portuario, de los empleados ferroviarios, de los empleados de banco y de la administración, etc., se suma la multitud que construye el mismo Buenos Aires: la gran industria de Buenos Aires es construir Buenos Aires.

Es la hora de los albañiles italianos, de aquellos maestros de obra friulianos que dieron las características arquitectónicas que subsisten en los barrios del Sur; de los panaderos, los carpinteros y ebanistas, los sastres y las costureras, de todo un artesanado de cuyos miembros saldrán, a medida que asciendan, los pequeños comerciantes y también los especuladores y los primeros industriales. Es como ocurrió cincuenta años después, la hora de los loteadores, cuya oferta hay que comprobar los días de lluvia, para saber si los terrenos no están debajo del agua, y también de la casita propia que los "gringos" construyen, como harán después los "cabecitas negras", pero más a extramuros, luego de su paso por las "villas miseria" a falta de *Hotel de Inmigrantes*, por donde aquéllos pasaron, como hogar de tránsito. [2]

---

[2] Sergio Bagú en "Evolución histórica de la estratificación argentina" (Facultad de Filosofía y Letras, Universidad Nacional de Buenos Aires), reproduce un cuadro comparativo de la distribución de la población económicamente activa en Francia y en la Argentina, del cual resulta que la primera tiene en 1954 la siguiente distribución: actividades primarias 27,5, secundarias 37,2 y terciarias 35,3, que parecen casi iguales a la de la Argentina en 1914, con 28,8, 35,7 y 35,4.

Comenta Bagú que si partiéramos del criterio que *todo desarrollo económico en la época contemporánea se traduce por un desplazamiento de la población económicamente activa de la rama primaria hacia la secundaria y de la secundaria hacia la terciaria,* nos encontraríamos con una supuesta semejanza de desarrollo industrial en la Argentina de 1914 con la Francia de 1954 lo que es absurdo, pues la Argentina de 1914 en modo alguno podía ser asimilada a la Francia de 1954, pues se trata, respectivamente, de un país de producción primaria, más en 1914, y de una potencia manufacturera.

Bagú intenta explicar el equívoco diciendo que en la rama secundaria las actividades se distribuyen entre numerosos talleres artesanales, pequeñas fábricas manufactureras y algunos grandes establecimientos de la época, todos ellos sin gran tecnificación. En la rama terciaria encuentra que el sector está artificialmente abultado por un comercio minorista abundante y por un ejército de intermediarios.

La explicación es otra. En Francia, la producción agraria está dirigida al mercado interno y rodea el centro urbano de consumo de manera que el pro-

EL HOTEL DE INMIGRANTES, EL CONVENTILLO Y LA CASITA SUBURBANA

Ahí, al costado de la Dársena Norte, está el *Hotel de Inmigrantes*, un viejo edificio, cuyo destino suele variar con las necesidades de la burocracia. En la época de la inmigración, era eso que dice el nombre: *Hotel*, y ahí se alojaban los inmigrantes sin recursos, muchos con numerosa prole, a la espera de su primer trabajo. Allí estaba algo así como el trampolín de su destino. Del *Hotel de Inmigrantes* al conventillo se marcaron los primeros pasos en la ciudad; eran las puertas del misterio y la esperanza, después de los largos días en el hacinamiento de las terceras de a bordo.[3]

El conventillo ocupa un lugar bajo en la conformación social de Buenos Aires. Significó miseria y promiscuidad. Francisco Seeber, intendente de la Capital (1886-90), dijo que había en la ciudad *3.000 conventillos donde viven 150.000 habitantes, todos construidos en flagrante oposición a las ordenanzas vigentes, donde la gente vive apiñada tradicionalmente, violando las reglas de la higiene y la moral.*

---

ductor rural concurre con su producto a la feria y al molino. Integra el proceso de producción, como transportador y comercializador, de modo que absorbe en su actividad primaria las derivadas secundarias y terciarias. Distinta es la situación en un país esencialmente exportador, donde el grueso de la mano de obra, transporte, carga y descarga, comercialización y todas las actividades derivadas de la producción primaria se hace al margen del productor, porque el producto no está terminado en la chacra sino en la bodega del embarque. Aquí la infraestructura de la producción primaria es la que genera esas actividades secundarias y terciarias que no tienen su correspondiente en el agro francés.

El grueso de las actividades secundarias y terciarias se origina en Francia fuera de la producción primaria: de la transformación en adelante; en la Argentina dentro de la producción primaria, hacia la etapa en que va a empezar la transformación. Esto revela algo que ya se ha dicho en el capítulo primero sobre la inaplicabilidad de las técnicas y hasta de la terminología importada. En la Francia de 1954 las actividades secundarias y terciarias tienen un sentido completamente distinto al que tienen en la Argentina de 1914, aunque la índole de las tareas sea la misma si se las considera aisladas del medio, que es el que determina su funcionamiento. Así, lo que en Francia es un índice de desarrollo porque revela una sociedad de producción diversificada, en la Argentina significa una expresión de la monoproducción con la prevalencia del mercado externo sobre el interno. No se puede hacer el análisis sin referirlo previamente a la naturaleza de la estructura económica a que

Pero al mismo tiempo, el conventillo es un mundo heterogéneo donde se barajan y se mezclan en el mismo mazo todas las cartas del Buenos Aires que está naciendo. Sergio Bagú transcribe el verso de Vaccarezza:

Un patio de conventillo
un italiano encargado
un "yoyega" retobado
una percanta, un vivillo,
dos malevos de cuchillo;
un chamuyo, una pasión,
choques, celos, discusión,
desafío, puñalada,
espamento, disparada,
auxilio, cana... telón!

A este propósito he dicho

...Cuando el teatro de Vaccarezza no se represente más, se exhumará como documento, y dirá más sobre la historia de Buenos Aires que todo lo que hemos escrito, con pretensiones de ensayo o estudio sobre la ciudad, en aquel paréntesis de treinta años, que empezó con el siglo. Tiempo en que los

---

pertenecen las actividades secundarias y terciarias.

Esa "gran industria" de construir Buenos Aires, que se ha dicho comprende actividades secundarias y terciarias es la que explica el dato estadístico, pero no son una prolongación de la producción primaria por transformación de ésta. Son previas y necesarias a la producción primaria a la que sirven.

[3] Para los "cabecitas negras" no hubo Hotel de Inmigrantes y la Villa Miseria cumplió las funciones de aquel hotel y del conventillo, respecto de los extranjeros. Vista con los ojos "urbanísticos" de la gran ciudad es efectivamente Villa Miseria. Vista con los ojos del economista o del sociólogo es Villa Prosperidad. También con los ojos del "cabecita negra", porque no emigraron de un campo idílico, ni abandonaron cómodas residencias sino rancheríos tan precarios y pobres como las viviendas en que se hacinaron en la gran ciudad, pero con trabajo, es decir con pan, ropa y diversiones que antes no conocían.

Además con medios de cultura accesibles. Hace pocos días viajando con Carlos Seeber, de Añatuya a Pinto, al pasar por Icaño recogimos un grupo de "changuitos" que salían de la escuela: había dos Corias, un García, un Bazán y tres Rojas (el Almirante es también de Icaño) y los llevamos hasta sus ranchos el más cercano de los cuales está a una legua de la escuela adonde van

gringos del puerto pechaban como una sudestada sobre los últimos rincones criollos que restaban de la Gran Aldea.

Estos documentos ilustrarán sobre eso que he dicho del arquetipo, que nos salvó chupándose los "gringos" y haciendo que las aguas que se derramaban del puerto para adentro se mezclaran con la tierra para dar el barro del Buenos Aires de hoy.

La temática del "tano", del "gaita" y del "turco" fue casi obsesiva en el sainete; eso no se explica si no se sabe que Buenos Aires, con una mayoría de población extranjera, era en ese momento de treinta años un digestor que estaba digiriendo, asimilando, construyendo Buenos Aires dentro del país.

El patio del conventillo que se vio en el tablado, con sus tiestos florecidos, canciones, milongas, pitos de vigilantes, viejas Celestinas, mozas deslumbradas por las luces del centro, trabajadores derrengados, guapos y flojos, era el escenario de esa digestión social. (A. J., Prosa de Hacha y Tiza).

Sobre esa digestión social, Germani señala "la modalidad de vivienda" –el conventillo y su convivencia– *que ejerció más bien una función integradora de las distintas nacionalidades;* y quien dice el conventillo, dice la esquina, el almacén, el café, el potrero de los "picados" de fútbol, la escuela pública común, todo ese mundo de la infancia y la adolescencia de los porteños de la clase baja, que va

---

todos los días a pie y bajo el sol santiagueño. Lo recuerdo porque los hijos de los "cabecitas negras" de las villas miseria tienen la escuela más a mano.

La Villa Desocupación de la Década Infame, sí era Villa Miseria. La ciudad tenía miles de habitaciones desocupadas cuyos avisos se leían por todos los barrios y ocupaban un amplio espacio en los clasificados de los diarios. Había habitaciones pero no medios para pagarlas. El caso de la Villa Miseria es inverso; hay medios pero no hay habitaciones que pagar. Además, nadie sabe mejor que el interesado dónde se está mejor, si en la Villa Miseria con trabajo, o en el Barrio de las Latas pueblerino, sin ocupación, y la elección de las villas miseria es un plebiscito decisivo.

Pero casi toda la literatura periodística, o de conversación entre canasta y canasta, o copa y copa, y la conmiseración que expresan, revelan hipocresía: no es la pobreza de la Villa Miseria la que molesta sino su vista. Por eso, cuando algún intendente rodeó con un tapial las Villas Miseria del bajo Belgrano, muchos de estos conmiserativos dieron el problema por resuelto: lo que no se ve no existe o, mejor dicho, lo que no se ve no molesta.

La verdad es que la Villa Miseria es un hogar de tránsito y que la mayoría de sus habitantes han ido emigrando de las mismas, a medida que el lote en mensualidades y la prefabricada les iba permitiendo realizar la casa propia. (Alguna vez habrá que averiguar quién inventó la prefabricada y dio la solución más positiva que se ha dado a nuestro problema de la vivienda en la forma que he descripto en la "Advertencia preliminar" de este libro).

La población de las Villas Miseria se renueva constantemente y práctica-

incorporando pautas éticas y estéticas, modalidades que vienen del pasado tradicional y otros que han cruzado el mar, y que se comunican en la igualdad de las situaciones sociales, donde los grupos no se han separado en estancos sino que se disuelven por afinidades personales de contacto, que superan las afinidades preexistentes correspondientes al grupo originario, pues resulta más fuerte el común denominador que da la vida, que los denominadores particulares heredados. (El empleo del término denominador no es casual, porque la vida está practicando en Buenos Aires un intrincado proceso de multiplicaciones, divisiones, sumas y restas).[4]

La población extranjera en Buenos Aires excedió el 50% y no hay que

---

mente hoy, quedan en ellas pocos de sus primeros ocupantes que en los últimos años han sido sustituidos en gran número por bolivianos, paraguayos y chilenos, que van ocupando las vacantes, ya que el problema de la desocupación rural es común a toda esta parte de América. Esto no excluye que haya un porcentaje de población permanente, constituido por sectores de extrema pobreza sin posibilidades de ascenso. Por otra parte, el fenómeno es de carácter universal y está en relación con el progreso industrial. Así en España –que en los últimos quince años ha dado un salto desde el siglo XVIII cuando Carlos III fracasó en su propósito de construir una España de tipo capitalista– con el desarrollo industrial, se ha generado un fenómeno similar al del "cabecita negra" con todas sus implicancias; en Bilbao se llamó barrios de "coreanos", a los equivalentes, porque "coreano" se le dice al trabajador estacional del mediodía español que emigra a los centros de producción industrial.

También irrita a las "señoras gordas" que se vean las antenas de los televisores y la sospecha de que haya heladeras y cocinas a gas, pues no pueden comprender que la búsqueda del *confort* es una necesidad humana, y que el que no consigue casa adecuada, se provea de lo que está a su alcance dentro de sus recursos.

Afortunadamente, desde que escribí "Los profetas del odio", hace diez años, la actitud de los intelectuales y especialmente los periodistas ha ido cambiando bastante y ahora muchos contribuyen a poner los puntos sobre las íes. Para quien quiera tener una visión aproximada del mundo de la Villa Miseria, visto con otros ojos que los que se ponen detrás de un hipotético "impertinente", y arrugando la nariz para no sentir olores presumidos, recomiendo la lectura de la novela de Bernardo Verbitsky, "Villa Miseria, también es América", que ha incorporado el tema, con inteligencia y amor, a su excelente producción novelística. Podrá ver allí un mundo de hombres como cualquier otro, y eliminar esa actitud corriente de observador de infusorios en un estanque de agua putrefacta.

[4] Carlos de la Púa nos describe en "Barrio Once" el entrevero de las progenies en la esquina, en la escuela, en el potrero...

olvidar que en casi su totalidad era adulta y masculina, es decir, la que trabajaba, andaba por la calle y los sitios públicos; a la vez gran parte de los argentinos que formaban el otro 50% eran hijos de inmigrantes en primera generación. Sólo el que vivió en medio de esa multitud y llenó sus ojos con la variopinta de sus ropas, y sus oídos con el ruido de cascada de todos los idiomas cayendo al mismo tiempo sobre el español o el lunfardo, puede medir la magnitud del milagro de asimilación que se realizó en Buenos Aires, en el vértigo de unos pocos decenios. Y tiene que partir del conventillo para aproximar un poco la imagen.

Por otra parte, la nueva conformación social también partía del conventillo.

Los Pizarros y los Cortés de la vara de medir, la trincheta, la llana y la cuchara de albañil, cabalgaron su aventura sobre los lomos del progreso agropecuario, que aceleraba la formación urbana. Pero no todos los "gringos" triunfaron: la historia sólo recuerda a los vencedores, y así olvida que el mayor número quedó derrotado en el camino, no salió del conventillo y sus hijos se fueron mezclando con la "gente inferior", tal vez maleva o compadritos unos, trabajadores otros, en el obraje o como peones. O salieron del conventillo a la modesta casita suburbana del primitivo Gran Buenos Aires, construida como ya se ha visto: Avellaneda o Quilmes, Talleres y Lanús por el Sur; Ciudadela, Caseros, San Martín, con sus villas, por el Oeste, y por el

---

Para vos, Barrio Once, este verso emotivo
con un cacho grandote de cielo de rayuela.
Yo soy aquel muchacho, el fullback de Sportivo
Glorias de Jorge Newbery, que alborotó la escuela.
Yo soy aquel que al rango no erraba culadera,
que hizo formidables proezas de billarda.
Rompedor de faroles con mi vieja gomera,
tuve dos enemigos: los botones y el guarda.
Y los bolsillos bolsas de bochones y miga,
llené toda la calle de repes y de chante.
¡Mi bolita lechera! ¿Dónde andarás, amigo,
Y aquella mil colores, cachusa y atorrante!
Se fueron con el viejo pepino corralero,
el terror de los trompos, mi troyero baqueano.
Partía las cascarrias con su púa de acero
y a las chicas del barrio les zumbaba en la mano.
Se fueron con los cinco carozos de damasco
de mi ainenti querido... ¡Payanita primera!
Si te habremos jugado con el grone y el vasco
y con Casimba, el hijo de la bicicletera.

¡Y Carlos de la Púa es una carta más en este baraje de pintas y figuras!

Norte en la línea de Belgrano R y en las orillas aún despobladas de la ciudad.

Estos "gringos" derrotados tuvieron su poeta y Carlos de la Púa en la "Crencha Engrasada" dijo el drama de muchos:

Vinieron de Italia, tenían veinte años,
con un bagayito por toda fortuna,
y, sin aliviadas, entre desengaños
llegaron a viejos sin ventaja alguna.
....
Vinieron los hijos. ¡Todos malandrines!
Vinieron las hijas. ¡Todas engrupidas!
Ellos son borrachos, chorros, asesinos,
y ellas, las mujeres, están en la vida.
....

LA FUSIÓN DE LAS NACIONALIDADES

Germani (Op. Cit.) señala que si hubo una segregación ecológica por colectividades, ésta fue disminuyendo con el tiempo; en Buenos Aires, la única que pudo tener ese carácter fue la de la Boca con su población *xeneise* salpicada pronto de elementos portuarios de habla guaraní, correntinos y paraguayos.

En el resto de la ciudad, la distribución de los inmigrantes de distintas nacionalidades –desde luego predominantemente italianos y españoles– fue bastante homogénea y proporcionada a la distribución de la más reducida de adultos nativos, con las particularidades que señalaremos al hablar de los barrios. *No hubo actitudes discriminatorias,* como dice el mismo Germani, comparando con lo que ocurrió en Estados Unidos. No hubo *diferencias de prestigio y tensiones hostiles entre los distintos grupos étnicos y con la población nativa en general.* Lo que hubo, y también el sainete lo documenta, en el conflicto de "tanos", "gallegos", "turcos" y criollos, fueron rivalidades de prestigio mundial, pero sin referencias al prestigio social y a los *status*, porque no había discriminación en el orden económico y social; si más adelante los "turcos", judíos o armenios se agruparon con preferencia en determinados barrios, no fue porque en la ciudad, nativos o extranjeros, los excluyeran, sino por la persistencia de características propias, traídas de afuera, a las que obedecen y también por el tipo de actividades preferentes que los llevan a formar un tipo de comercio parecido al del Medio Oriente. Es fácil comprobar que a medida que los descendientes sustituyen a los inmigrantes originarios, la dispersión geográfica se opera, también, respecto de estos grupos. Del mismo modo la distinción por oficios, se relaciona con sus preferencias propias y no por la imposición de un medio que los excluya de otros.

Los "gallegos", cargadores de la estación Sola, no tenían pretensiones de *status* con respecto a los italianos del puerto, ni los italianos de la cocina más pretensiones de prestigio que los españoles mozos o lavacopas, entre gastronómicos.

Tampoco el conflicto con los nativos excedió del aspecto pintoresco ya que la clase de los inferiores no tenía ningún *status* que defender, pues se sabía "última carta de la baraja" en la sociedad tradicional y además minoritario, por el escaso número de sus varones con relación al aluvión masculino inmigratorio, en su nivel; el inmigrante no amenazaba desalojarlo, sino que por el contrario iba a cumplir actividades a que los criollos se mostraban renuentes; no invadió sus oficios tradicionales, particularmente, los derivados de la tracción a sangre que se multiplicaba, antes de la aparición del automotor, con el acelerado progreso urbano, lo mismo que las actividades vinculadas con el abasto de carnes. (El frigorífico, extensión de esta técnica, también absorbía preferentemente al obrero nativo).

De un horizonte económico en que el oficio era lo menos frecuente, y lo más, la posición de peón o doméstico, se pasaría a otro con la multiplicación de las construcciones y la aparición del desarrollo fabril primario, en que inmigrantes y criollos tenían las solidaridades del asalariado, más fuertes que las diferencias culturales, y que se expresan –es la época del anarquismo– por la literatura ideológica de los "agitadores" extranjeros y los payadores y poetas nativos del suburbio, y más concretamente con el nacimiento del sindicalismo. Hay, sí, una cuestión de prestigio, pero que no radica como en los *status* en la afirmación de un distinto nivel social; es estético y se refiere al estilo de vida que surge de las distintas escalas de valores del nativo y del inmigrante.

LA OPOSICIÓN DE PAUTAS Y SU UNIFICACIÓN

Antes hemos hablado de la mentalidad del nativo de "clase inferior" formado en una sociedad estática donde no le es posible la acumulación de bienes, a diferencia del inmigrado, proveniente de una sociedad capitalista y acicateado hacia el ascenso móvil que lo ha traído a América.

Así el "amarretismo" y la prodigalidad se oponen como vicios y virtudes de uno y otro, según quien haga la calificación, y también ese mismo afán de triunfo del que viene a buscarlo, con la resignación y el escepticismo del que ignora esa posibilidad. Algunos diálogos de Fray Mocho son ilustrativos y han constituido una temática de todos los hogares y ruedas modestas que hemos oído en la infancia (el "criollo" inútil y derrochador y el "gringo" amarrete y ventajero).[5]

Mientras para el inmigrante la valoración del oficio y de toda actividad se da en términos económicos (*¿cuánto voy ganando?*), para el criollo, durante bastante tiempo, no es la retribución la que determina la elección, sino la calidad del mismo. Y es así renuente a muchas actividades que entiende lo disminuyen como individuo.

(Sin posibilidades de clasificarse por un ascenso en el *status*, el prestigio no tiene referencias económicas, ni símbolos correspondientes a la situación de familia o de grupo. Es puramente personal. En la guerra o en la política puede surgir de su capacidad individual de caudillo o jefe de partida; en el trabajo de su particular destreza que da renombre: renombre de domador, de rastreador, etc., en el campo; de desollador, de chatero, en la ciudad. Prestigia la guitarra y el ser poeta o las dos cosas a la vez: payador; y buen bailarín o la generosidad y la amistad. Y sobre todo ser *guapo*, que es la condición que acredita la medida del hombre en la prueba más definitiva por el

---

[5] *–¡Qué me va' decir, amigo! Vea. Ves pasada dentré a trabajar en resjuardo y conocí en la fonda ande almorzaba un muchacho lava-plato qu'era la roña andando... ¿Quiere creer que un buen día ansí en silencio nomás y casi hasta sin lavarse la cara, salió comprando la casa...?*

....

–¡Quién sabe!... Acuérdate de que los criollos somos como los duraznos: nos conservamos en caña. Créame lo que le via decir, aunque paresca macana...

Yo era más viejo hace diez años que ahora, y más zonzo también. Me sabía venir aquí al puerto, ¿sabe a qué?... A insultar a los inmigrantes que llegaban y ellos como no m'entendían le jugaban risa. Después entré a trabajar en la descarga y poco a poco les fui tomando cariño, porque cuantos más llegaban más pesitos embolsábamos nosotros, y hasta llegué a'cordarme de que mi abuelo también había sido de ellos...

Fray Mocho - "Cuadros de la Ciudad".

más arriesgado de los cotejos, aquel en que la vida del contendiente es el premio).

Mucho se ha escrito entre nosotros sobre el culto del coraje, pero creo que se ha tenido poco en cuenta que es una manifestación del ego, en una sociedad que no daba formas agrarias de manifestar superioridad: sólo había situaciones de prestigio personal que no se transmitían a la familia ni se heredaban y donde además, como se ha visto, la ilegitimidad era lo más común en la filiación (es cosa personal aunque se diga el "hijo e'tigre overo ha de ser"; pues tiene que mostrarlo y en seguida lo van a buscar para que lo pruebe. Es decir, para que lo acredite personalmente: es más compromiso que herencia).

Las posibilidades de la mala vida también se amplían con el crecimiento urbano y ofrecen en la nueva composición un derivativo que se conforma al mantenimiento de ese individualismo estético en que la habilidad en el cuchillo y la prestancia física constituyen condiciones que se requieren en el juego, las mujeres, el matonaje. En la simbiosis que se va produciendo, y a la que vamos en seguida, esta evasión se manifestará también, como señala Bagú, en los descendientes de los nuevos: el *"vivillo" y los "malevos" pueden ser descendientes en primera generación de migrantes internacionales o internos.*

LOS ARQUETIPOS NATIVOS DEL EXTRANJERO

En alguna publicación anterior he recordado una reflexión de Homero Manzi que considero fundamental para la apreciación de este momento de la sociedad argentina, particularmente de la porteña: *la suerte del país estuvo en que el inmigrante en lugar de proponerse él, como arquetipo –y hubiera sido lo lógico y lo esperado, por los promotores del progresismo– se propuso como arquetipo el gaucho.* Así en su ridícula imitación, el "cocoliche", se entregó a su nueva tierra. Lo comprueba toda la literatura popular de la época, del circo al tablado, de la letra de las canciones (milonga y tango), en que la idealización del criollo constituye el centro de toda la temática, lo mismo se trate de actores, autores, payadores y poetas, de viejo origen nacional, que se trate de los hijos de los recién llegados y aun de estos mismos, del "negro" Gabino Ezeiza a Betinotti o Gardel, pasando por los autores del drama, de Florencio Sánchez al sainetero, de los folletines de Juan Moreira, Juan Cuello u Hormiga Negra a, más tarde, los novelones de Radio del Pueblo.

Así, mientras esto ocurría con los inmigrantes, la "clase dirigente" viajaba en busca de arquetipo.

En el plano cultural, paralela a esta valorización estética popular del criollismo, marchaba a través de la escuela, del periódico, y de los resultados pragmáticos la valoración de los elementos aportados por la actitud ante la vida que traía el inmigrante, y que correspondía a las exigencias de una sociedad más evolutiva. Hubo un juego constante durante más de treinta años de afirmaciones y negaciones, de contradicciones que se fueron resolviendo naturalmente en esa íntima convivencia; esa heterogeneidad de la composición que no permitió prevalecer a ninguno de los componentes, ni enquistarse, dio como es lógico, la síntesis que constituye hoy nuestra realidad, si existe una realidad del hombre argentino; y dentro de ella, el porteño que Raúl Scalabrini Ortiz ha definido en "El hombre que está solo y espera", que en la esquina de Corrientes y Esmeralda es un hombre de toda la ciudad, cuyas características sustanciales se encuentran, a poco que se rasque, en la intimidad de cada uno.

A principios de siglo algunos argentinos preocupados por las pérdidas de las características nacionales se inquietaron y dijeron palabras de advertencia, máxime ante los hechos producidos por los gobiernos de los países que proveían la inmigración y que a través de sus escuelas, las organizaciones mutuales y culturales, y otros variados estímulos a la cohesión de sus "colonias", intentaban mantener la nacionalidad de sus emigrados y descendientes, casi en la acepción correcta de "colonias". Ricardo Rojas en "La Restauración Nacionalista" abordó frontalmente el problema, sin mayor eco, pero éste se resolvió naturalmente.

Si no hubo enquistamiento por *status* no lo hubo tampoco por la nacionalidad, en cuanto a las colectividades más numerosas. (Por excepción ello ocurrió en cierta medida en algunas colonias rurales del Sur de Santa Fe y Córdoba), oriundos de la baja Italia –allí donde habría más tarde brotes de la *maffia*– y con algunos grupos provenientes del Norte de Europa, tal vez en este caso por la extracción cultural más alta de sus componentes y sus propios prejuicios de superioridad racial y cultural, coincidentes con los de la clase dirigente nativa; fundamentalmente por la jerarquía del papel económico que desempeñaron y que lo colocaba al nivel que ahora se llama de "ejecutivos".[6]

---

[6] Recientemente, a raíz de las actividades dirigidas por Robert Kennedy contra la organización delictiva "Cossa Nostra", se reprodujo en "La Razón"

Desde luego que el idioma de las colectividades más numerosas y las facilidades de su comprensión y aprendizaje recíproco actuaron favorablemente. De la misma manera la comunidad religiosa con las dos inmigraciones más importantes y de un confesionalismo más militante que el de los nativos, vinculado a la costumbre y la tradición más que a una religiosidad profunda.

LA NUEVA SITUACIÓN Y LA FAMILIA POPULAR

En españoles y en italianos, la familia es mucho más aglutinante que la nacionalidad. De sobra es conocida la tradicional solidez del núcleo familiar español y con respecto al italiano igualmente sólido, me parece de oportunidad citar lo que dice Luigi Barzini ("Los italianos", Ed. Americana, 1966) sobre la doble faz de la familia italiana: la apariencia exterior en que el elemento masculino, con su orgullo y hasta su tiranía, parece ser el único que cuenta; y la realidad subyacente en que la mujer silenciosa y pausadamente es el eje vertebral de la misma, resumido así: *en Italia los hombres gobiernan el país, pero las mujeres gobiernan a los hombres. Italia es en realidad, un cripto matriarcado.* ("Madre hay una sola" será pintoresca muletilla de una literatura popular obsesionante desde "Pobre mi madre querida" de Betinotti a Gardel y a los dramones radiales de Pancho Staffa).

---

una carta de un hijo de Mussolini dirigida a aquél, en la que el firmante señalaba que no toda la responsabilidad de la persistencia de modos delictivos propios de la baja Italia en los Estados Unidos es imputable a los inmigrantes. Señalaba que en el Brasil y en la República Argentina la proporción de meridionales italianos respecto de la población es muy superior, y que sin embargo el hecho "Cossa nostra" no se producía. Atribuía la responsabilidad a la estructura social del país del Norte, que conformaba los *status desde* prejuicios nacionales y racistas manteniendo como consecuencia para cada colonia las pautas vigentes en el país de origen: *–Yo, sono americano, nato brocolino,* dice con frecuencia el paisano de Fiorello La Guardia, nacido en Brooklyn, porque hay una relación entre los *status* y la consideración social y el origen racial que dificulta la fusión en el medio. Del alto nivel propio del anglosajón, el holandés o el escandinavo se desciende por el alemán, al irlandés, además católico –recordemos que hasta los Kennedy, el irlandés en política no podía pasar de los cargos municipales y policiales–. El irlandés a su vez le llamará "tallarín" al italiano, y más abajo están los sudamericanos hasta el negro que, a su vez, según Vance Packard, marca su superioridad sobre el portorriqueño, que es la última carta de la baraja.

Vuelvo aquí al valor documental que tiene el teatro de la época y en cuya escena es inevitable la presencia modeladora de la mujer criolla casada con extranjero, que dice siempre la palabra de conciliación, que marca el rumbo de la fusión que se producirá en sus hijos, que son su objetivo. (Entre el "compadrito" y el "tano" siempre aparece la mujer criolla de éste, atemperando los roces y dando la solución pragmática, lo mismo que entre el viejo criollo, padre de la hembra empacado en sus prejuicios estéticos, y el yerno "cocoliche", el "bachicha" que pretende imponer sus valoraciones despectivas de lo indígena. Situada en un plano intermedio, resulta la permanente arbitradora, y así "la vieja" adquiere la categoría de un símbolo unificante en las tendencias dispares que podrían disociar el hogar. Porque el hijo del inmigrante toma frecuentemente del criollo una actitud peyorativa con respecto del padre, recubierta de un cariñoso humorismo –cosas del "viejo"–, que hasta pueden comentarse jocosamente con los amigos desde la criolledad que se atribuye, pero teniendo siempre presente, a través de la madre, una solidaridad profunda que corresponde al tono del sólido hogar que se ha constituido).

En ese sentido la inmigración aporta una valorización de la mujer, a través de la valorización de la familia, que la convierte en un instrumento en el cambio de la estructura tradicional.

Ya se ha visto que la inmigración es esencialmente masculina y adulta, y esto explica la mucha mayor frecuencia del matrimonio de extranjero con nativa que de nativo con extranjera. De tal manera la

---

Abonando lo que dice Mussolini sobre lo que ocurre en Brasil y en la Argentina, quiero recordar una anécdota.

Actuaba yo en política de barrio en la Sección Décima de la Capital, que se configura alrededor del mercado Spinetto, núcleo de trabajo caracterizado por la abundancia de "meridionales". Había entre éstos un tal Pepe Loncesano, al que se suponía un poderoso "capo" de la *maffia*. Un día le pregunté qué había de verdad en la existencia de la famosa sociedad secreta, en ese ambiente del mercado. Y Pepe me contestó:

¡Ma qué capo ni qué maffia!, y continuando en su idioma "cocoliche" me explicó a su manera que ésta requiere un ambiente de temor, de un clima que no existe en Buenos Aires, porque la mezcla en que conviven los integrantes, les destruye las normas que traen y que sólo pueden conservarse por el aislamiento del grupo social. Y agregó que después está el problema de los hijos que se hacen *cregoyos* y no le llevan el apunte a las tradiciones paternas.

Terminó diciendo: *–¡Ma qué capo! Si el mío figlio anda al café con lu compadrite cregoyo, el rusito de al lado, el galleguito et tuta la mersa y cuando ío pasa frente a la vidriera il propio figlio mío dice riéndose: ¡Ahí va el capo! E la maffia e una cosa seria, e si se ríeno lo figli, no puo andare.*

sólida estructura de la familia que pudo ser un factor de enquistamiento contribuye también a la fusión, con la unión mixta, en que es un elemento decisivo la mujer por el papel importante que desempeña en el hogar que se constituye, conforme a las pautas que trae el extranjero de las clases populares.[7-8]

EL ASCENSO SOCIAL DE LA MUJER

La inmigración ha incorporado un elemento básico que faltaba en la clase inferior, y cuya falta era factor sustancial de situación: la regularidad del vínculo matrimonial y el establecimiento de una situación de familia permanente que es facilitado por las nuevas condiciones económicas. En el mundo del inquilinato cada pieza es un mundo completo y los individuos no están aislados como en la clase inferior de la sociedad tradicional, sino recíprocamente apuntalados en una serie de normas comunes, en que la familia se perpetúa, a diferencia de la situación anterior en que cada adolescencia, como el pichón del ave, llevaba implícita la necesidad de volar y de valerse por sí, y para sí mismo, de gaucho a orillero, en el espacio abierto de las pampas o en las encrucijadas del suburbio porteño que conducían a la vida provisoria de la orillas: la familia era también precaria con su perdurabilidad y reducida en su ramificación.

La mujer ante el extranjero gana posición: no es la cosa que se

---

[7] *–Ese friolento medio recortao que esta'hi junto a las canastas, ha e ser el marido d'esa grandota con trazas de capataza... ¿Qué quiere apostar a qu'se tiene almacén p'al año que viene?... Véalo: tiene ojos de codicioso y de aporriao por la mujer... Mire amigo... ¿Sabe por qué se hacen ricos estos bichos?... Pues es porque le obedecen a las mujeres, que no saben sino juntar pesos y criar muchachos...*

Fray Mocho: "Cuadros de la ciudad"

[8] Sin embargo, es frecuente ver a quienes se lamentan de la pérdida de las virtudes familiares "de antes", particularmente en provincias. Pero si usted presta atención verá que se está refiriendo a la "gente decente" que descargaba el amor irregular sobre las clases humildes. La irregularidad de la familia plebeya era el precio de esas virtudes tan reconocidas en la clase culta que particularmente aceptaba la coexistencia de dos o más familias "de la mano izquierda".

toma como un lujo, del varón nativo; ella hace el sacrificio de muchos prejuicios al unirse a ese extranjero desprovisto de los encantos que hacen el prestigio personal, según las estimaciones de su medio. Su unión es una concesión –siempre lo destaca– que hace forzándose en la estimación de otras aptitudes más prácticas, más positivas, pero menos brillantes. Ese matrimonio no es simplemente la unión de los sexos en el arrebato pasional de cuando era normal que la mujer fuera "presa" de conquista, "la Vicenta" que se saca en ancas del hogar paterno en la literatura gauchesca, y destinada a ser sólo un complemento de la vida del hombre. La compensación del "gringo" y sus aspectos negativos es la perspectiva del sólido hogar que empieza por el matrimonio legítimo que a éste puede exigir, y que éste desea porque se conforma a sus pautas y no podía exigirle al otro, en cuyas pautas contaba excepcionalmente. Esto determina en plazo de dos o tres generaciones que la legitimidad del vínculo y los hábitos familiares eliminen lo más definitorio de la clase inferior: la falta de filiación legítima, porque ya todas las mujeres lo exigen, hasta al criollo. (Recordemos que estamos hablando de Buenos Aires y no del interior argentino donde el proceso que se cumple es inverso a medida que se profundiza el desamparo de la "gente inferior").

Todo lo dicho anteriormente no importa excluir del sentimiento del criollo la estimación y el afecto para la mujer, que en páginas tan llenas de ternura nos canta Martín Fierro; tampoco el afecto para con los hijos. El criollo es, además, poco mujeriego, más bien casto, pero su idea de la pareja –agravada después por la descomposición de la sociedad patriarcal de que se habló antes– se aproxima a la unión libre en que la continuidad del afecto es lo que mantiene la cohesión; en cambio, en los inmigrantes existen normas rígidas en las que la pareja es sólo medio de un fin: el grupo familiar frente al cual pierden importancia hasta el amor y el afecto entre los cónyuges que cede su primer término a la conservación del matrimonio como base de aquél. La institución familiar adquiere esa perennidad de la española y la italiana, que implica una continuidad desde remotos abuelos a remotos descendientes, a veces bajo el mismo techo, el mismo solar, y en los mismos modos de vivir transmitidos de generación en generación, a diferencia del hogar criollo de la "clase inferior" de donde los hijos salían hacia el mundo definitivamente, apenas alcanzada la pubertad.[9] Claro está que cuanto para el hogar criollo se daban condiciones económicas favorables –así en la "gente principal"– la

---

[9] Sobre las características de la familia de la sociedad italiana ver Luigi Barzini (en "Los Italianos").

estructura de familia era la tradicional venida de España, hecho que también se dio en muchos casos en gente que perteneciendo por calificación social a la "inferior" tuvo oportunidad de asentarse en forma estable en los excepcionales casos en que lo económico hizo posible la perdurabilidad de la familia aunque el vínculo no fuera legítimo.

Otra particularidad de la época referida a la mujer criolla es el papel que jugará en la nueva economía como parte activa. Si su papel ha sido secundario, complementario del del otro sexo, también ha estado postergada como factor de producción para la obtención de recursos propios. Fuera de la atención de su hombre y de sus hijos en la niñez y los quehaceres domésticos, tiene solamente actividades accesorias en el servicio doméstico, en el lavado y planchado y en las escasas industrias caseras generalmente alimenticias. (Otras actividades femeninas: bordados, tejidos, costura, son labores "finas" que no se ejercen a nivel de la clase inferior. Más bien son actividades vergonzantes de los estratos femeninos más bajos de la "gente principal" que se ayudan con técnicas minuciosas heredadas y por lo tanto producto de situaciones de familia ajenas a las de la plebe del suburbio. Se cose para fulana o mengana, se borda o se teje de encargo, se elaboran puntillas y algunas hacen la deliciosa repostería criolla, producto de recetas transmitidas de generación en generación, como los famosos alfajores santafecinos de las señoritas Gonselvat. Son cosas que no están en el comercio y a las que se llega por recomendación si no hay una relación tradicional, y previo un juego de cortesías y reservas que disimulen el carácter comercial de la operación).

La ciudad de adultos masculinos crea necesidades de vestidos que genera actividades para las mujeres de la clase inferior. Del lavado y planchado individual se pasa al taller de lavado y planchado, una institución de la época donde, bajo la dirección de la patrona, numerosas ayudantas y aprendizas constituyen una célula colectiva de producción. (Aún subsisten los criollos renuentes al trabajo de "gringos" cuyo ocio en chancletas y camiseta *musculosa*, alternando entre el umbral del taller de la cónyuge y las visitas al boliche de la esquina, nos describirá Roberto Arlt en uno de sus más acertados bocetos porteños). Pero será la costura para la confección de la ropa que Buenos Aires suministrará a su población y al resto del país, la actividad femenina por excelencia. Son las chalequeras, pantaloneras, camiseras a destajo, que retiran y entregan semanalmente a los registros, el producto de las largas horas de labor sobre la Singer y la New-Home, cuyo pedaleo constituye el rumor inconfundible que sale de la pieza de los inquilinatos y de las casitas suburbanas.

Estamos aún muy lejos del momento en que la mujer entrará a la competencia del trabajo asalariado –ya aparecen las telefonistas– y participará en todas las actividades de la economía; pero se puede decir que es la primera que rompe masivamente la frontera que separaba a los oficios de "gringos", de los oficios nativos, y aquí hay que anotarle a ella otro punto como factor coadyuvante a la fisonomía social, económica y cultural que define la transición entre la gran aldea y la ciudad.

LA CLASE "INFERIOR" SE EXTINGUE

Para el Centenario de 1910 criollos e inmigrantes se han unificado en el mercado del trabajo y compiten en las mismas actividades como cargadores, portuarios, ferroviarios, cocheros; y más, a medida que las fábricas van jerarquizando un nuevo concepto: el obrero cuyo trabajo es indistinto a la nacionalidad del que lo ejecuta, y a sus costumbres, porque es un hecho nuevo que no está regido por las pautas calificantes de los oficios anteriores; el pito de la fábrica y el vencimiento de la quincena son iguales para todos, y el trabajo tendiente a la producción en serie, es extraño a pretéritas calificaciones. Seguirán, desde luego, y más por una razón de destreza, siendo criollos los chateros y los trabajadores del abasto y sus industrias derivadas, y preferentemente entrarán a los servicios, como porteros, mozos de café y de mostrador, y changadores, los españoles, mientras que por la misma razón, destreza técnica, en la construcción actuarán preferentemente los italianos, con los que entreverados en los andamios andarán los descendientes de esa confusa mezcla que ya dejan de ser simples aprendices y oficiales. En la mala vida ya no habrá distinciones de origen y en el depósito de contraventores de la calle Azcuénaga no será posible distinguir entre los prontuariados, los criollos y los hijos de inmigrantes; sólo en la prostitución, predominan las importadas. (Es la época en que se escribió "El Camino de Buenos Aires").[10]

---

[10] "El camino de Buenos Aires", de Albert Londres, tuvo gran resonancia en el momento de su aparición, pues señalaba Buenos Aires como uno de los centros más importantes de la trata de blancas a cargo de los "macró" –versión porteña del término *"maquereux"*, marsellés– que designaba una forma capitalista de la estructura del comercio de mujeres que superaba al primitivo y "artesanal" sistema del "cafishio" criollo.

Estas cosas sólo podían suceder con la divisa fuerte, y así, mientras la alta

La clase baja de la sociedad porteña no ha formado ese proletariado, que los dirigentes socialistas se empeñan en buscar; y no ocurrirá tampoco en los años sucesivos. No existe la ideología homogénea que llaman "conciencia de clase"; existe una solidaridad de intereses concretos en los gremios, pero para fines inmediatos. A lo sumo como conciencia de clase lo que hay es una irritación de pobres contra ricos, la espontánea protesta social que origina la desigualdad y la comparación de la miseria de unos con la prosperidad de otros, y a la que resultaba más fácil llegar con la encendida protesta del anarquista y su ideología difusa; esto se traducirá en la calle en la agitación social que altera la fiesta de la prosperidad de las altas clases que es el Centenario de 1910 y se prolonga hasta las jornadas trágicas de enero de 1918, siempre bajo el signo conductor de los anarquistas cuyos centros y gremios contrastan con la actividad reposada del proselitismo socialista.

LA PSICOLOGÍA DEL "ASCENSO" EN LOS TRABAJADORES

El socialismo explicará su incapacidad de cavar hondo en el campo obrero con su remanida fórmula de la "política criolla", que es transferencia a la política del juicio que tienen hecho sobre la ineptitud del nativo –pero que también ocurre para el hijo del inmigrante–; el socialismo requiere supuestos "niveles culturales", y así sus maestros, identificando su juicio con el de la "gente principal", atribuyen su fracaso a una irremediable falta de cultura popular que por su carácter congénito corresponde a un inconfesado racismo.

Por un lado descarta como objetivo el criollaje, que es para él

---

clase argentina emigraba a Europa en busca del placer, un sector femenino de la baja clase europea emigraba a la Argentina para satisfacer a los argentinos que, por su pobreza, no estaban en condiciones de divertirse "in situ". El poder de la divisa se refleja hsta en el amor. Recuerdo que siendo muy joven, en Santiago de Chile, cuya divisa era muy baja, le preguntamos a un carabinero por un sitio de diversión, y éste nos indicó uno, diciendo para marcar su calidad excepcional: –¡"Hay francesas!"

Lo mismo pasa con la clientela de los grandes hoteles internacionales, donde las categorías no están dadas por la jerarquía social de su clientela, sino por la calidad de la divisa del país de donde provienen.

"lumpen proletariat" indigno de su prédica –todavía lo será en 1945– y por el otro se opone, con su librecambismo, a la industria nacional, única posibilidad de clase obrera en qué asentarse.

El hecho que no percibían, y que aún, en general, no perciben las izquierdas, no es exclusivo de Buenos Aires y del país, y se parece en mucho a lo que ocurrió en la sociedad norteamericana del siglo pasado, en la etapa de la inmigración masiva y la marcha hacia una frontera interior.[11] Se trataba de una sociedad en movimiento por la ampliación o modificación constante de sus bases económicas; la Argentina que se incorporaba al mercado mundial como productura de materias primas –sin perjuicio de que después, llegado el límite, se intentara detenerla– era un país en desarrollo cuya estática se había roto y donde estaban abiertas las posibilidades del ascenso vertical. Eso es lo que precisamente buscaba el inmigrante; el único sector que no lo había buscado antes, ni había tenido perspectivas, el criollo, en Buenos Aires se incorporaba entonces a la misma actitud ante la rup-

[11] Germani, en "Argentina, sociedad de masas", trae la siguiente cita: *En un libro publicado en 1942, F. Serret nos cuenta que su primer empleo en Buenos Aires fue el de desbardador en una fundición, luego pintor de letras, cuyo oficio no conocía, para tentar después el de profesor de matemáticas y francés con el mismo desenfado anterior. En una nueva y efímera experiencia tiene un conflicto con los alumnos y a los diez días será changador de bolsas de maíz en Zárate, por dos días. Pasa a ser mecánico de un aserradero en Córdoba, tendero, panadero, conductor de mulas, minero en Salta, empleado de farmacia, tapicero, pintor de arte, cocinero en La Quiaca y finalmente ingeniero, cargo al que llegó por un aviso en la prensa y para el que demuestra los mismos conocimientos que para los anteriores.*

Desde luego que ese francés es un campeón, pero si hago memoria de mis ascendientes recuerdo que mi abuelo paterno, de cuyos oficios no estoy muy enterado, trabajó en Zárate entre el 50 y el 60, que anduvo con carretas, que después fue fondero en Salto y Arrecifes, hornero más tarde y que tuvo en General Pinto cancha de pelota. Agregaré que mi bisabuelo materno vino como escultor a San Pablo y lo mataron los indios como ganadero cerca de Junín; mi abuelo materno vivió en Lincoln y Carlos Tejedor y había trabajado antes entre los primeros pobladores en Barranqueras y en Posadas, donde mi madre pasó la primera infancia. De un hermano de este abuelo, que se perdió, recuerdo que tenía una mano inválida, pues se le había helado como buscador de oro en Tierra del Fuego. Con esto, quiero señalar que el personaje citado por Germani es corriente en la extraordinaria movilidad del medio en la época y sus analogías con la formación de la sociedad norteamericana del Oeste.

tura de su situación cristalizada, y las nuevas posibilidades.

El carácter que los sociólogos atribuyen a la clase media que no se cristaliza sino que tiene una movilidad constante ascendente y descendente, era compartido por los estratos más bajos de la sociedad, y aún lo es. Además, las condiciones cambiantes del trabajo, la aparición de nuevas actividades y la reunión frecuente en los mismos sujetos, de actividades de productor, de comerciante y hasta de especulador, facilitaban el cambio de las actividades, con mayor razón en quienes no tenían ningún *status* que cuidar: se alternaban las labores de la ciudad con los trabajos estacionales del campo, en las épocas de las cosechas, y se pasaba de un trabajo al otro, siempre tentando la aventura del éxito, cuyo objetivo había traído el inmigrante y cuya posibilidad era fácilmente comprobable en el vecino de ayer de la pieza de inquilinato, en el compañero de trabajo que lo cambiaba y en la sucesión constante de individuos que, saliendo de las más modestas condiciones, estaban "parados" poco tiempo después. En una palabra: el comportamiento cultural de la clase baja no era, según los esquemas, transferido de la lucha de clases, y se parecía más al de las clases medias con una esperanza de ascenso en los hechos, ya que la mayoría de los individuos ubicados más alto, de origen inmigratorio, de la clase media de la burguesía, eran de reciente ascenso. (Se trataba de los compadres del pueblo originario, los compañeros de la tercera del barco, muchos de los cuales habían vivido en la pieza de al lado durante largos años, o sus hijos, de muchos de los cuales el obrero habría sido padrino en la piedra bautismal, cuando no estaban ligados por vínculos de parentesco que no había borrado todavía del todo las distancias de la fortuna).

LAS CARACTERÍSTICAS DEL INMIGRANTE

No comprender esta particularidad es además desconocer la naturaleza del fenómeno inmigratorio. Se emigra precisamente para salir del estrato de sociedad cristalizada a que se pertenece; no es el hombre, como se ha dicho con frecuencia, el móvil inmediato de la inmigración, que sólo actúa excepcionalmente, y los emigrantes, ya se ha señalado, son individualmente fuertes, ansiosos de avance, con relación a los que se quedan, incapaces de tentar la aventura: son los nuevos conquistadores siguiendo la huella de los que se abrieron camino con la punta de la espada; pongamos herramientas, picardía, ambición, donde decimos espada y no habremos hecho más que adecuar el instrumental correspondiente a una misma psicología.

Por otra parte, no se emigra al azar como una tropa de carneros que toma por la primera puerta que encuentra en su camino. Se emigra hacia posibilidades que se sabe que existen, que pinta el paisano que ha venido antes, el pariente que "llama" y manda el pasaje. Se emigra con la voluntad y la aptitud del triunfo hacia el lugar donde las posibilidades existen. De que ellas existían es prueba lo masivo, continuado y firme de la inmigración. Cuando ellas dejan de existir también la inmigración se detiene, cosa que puede estar determinada por el agotamiento de las posibilidades del país de destino, como por la creación de otras condiciones locales en el país emigratorio o por la atracción de otro rumbo más prometedor. Bastará un ligero vistazo a la curva del movimiento inmigratorio en la Argentina, que se verá más adelante, para comprobar en su variado ritmo la influencia de estos factores propios de nuestro país, o de los países de emigración.

Creo que con lo dicho basta para explicar las particularidades de nuestra clase trabajadora en el ámbito del Gran Buenos Aires en la época a que me estoy refiriendo, y que corresponde a la fluidez económica y social del medio, elástico y cambiante, objetivamente, y a la composición de la misma, subjetivamente vinculada al fin mediato del ascenso, por encima de las inmediatas solidaridades generadas en la comunidad de trabajo que expresa el gremio. Diferente situación era la de las clases trabajadoras europeas, donde todas las perspectivas eran colectivas, vinculadas a la suerte del grupo social y no a las posibilidades individuales. (Convendría ver ahora, en la Europa contemporánea, si la actitud de la clase obrera no ha variado con las nuevas condiciones económicas).

Eso explica también por qué el socialismo no pudo prosperar en el campo obrero más allá de un sector calificado, generalmente artesanal, con su conservatismo típico y que respondía a la tradición del socialismo europeo. También se asentó en los gremios de servicios públicos, donde se daban condiciones de estabilidad y de preeminencias aseguradas, que eran de privilegio con respecto al resto de los trabajadores y los hacía renunciar a la aventura de la búsqueda de oportunidades– y en sucesivas incorporaciones también de la clase media y baja, del pequeño comercio, y de empleados de carrera.

Fracasado como movimiento socialista-revolucionario –y aun como reformista–, cosechó su base electoral en los sectores más estacionarios del proletariado y la clase media que definieron las características de hormiguitas prácticas y partido municipal que le atribuyó Lisandro de la Torre con acertado diagnóstico: una especie de cuaquerismo de virtudes pasivas con soluciones edilicias y cooperativas, que era lo único que lo distinguía de los viejos partidos gobernantes, en la comunidad de mitos históricos y económicos, los mismos próceres y la división internacional del trabajo.

En la trastienda de la farmacia pueblerina el idóneo de corbata voladora hablaba mal del cura y amenazaba con un socialismo internacional para cuando el pueblo se hubiera preparado "culturalmente", ante la sonrisa alentadora del comisario y los "vecinos respetables" que estaban bien dispuestos para un "entonces" que se aseguraba remoto.

Mario Bravo escribía versos:

De pie, joven atleta de la joven escuela:
Vamos a nuestro estadio; hacia la plaza pública
A laborar por el día triunfal de una república
sin sables, sin cañones y sin escarapela.

Luego, cuando los trabajadores aparecieran en la "plaza pública" lo harían "con sable, con cañón y con escarapela". Pero sería mucho después. Además "sin libros y en alpargatas", como lo verá horrorizado un estudiante de la Escuela Normal Nº 1 que ya había aprendido la "Teoría y práctica de la Historia": Américo Ghioldi.

Esta vez serían criollos, pero también emigrantes en busca de un ascenso que no por ser colectivo excluía la perspectiva de cambios individuales de situaciones, típicos de una sociedad en transformación.

CAPÍTULO VI

BURGUESÍA Y CLASE MEDIA

(PRIMERA PARTE DEL SIGLO)

LOS NUEVOS RICOS

Los inmigrantes que levantaron cabeza constituyeron pronto fortunas que, en muchos casos, superaron las de la "alta clase"; fueron propietarios de casas de renta, preferentemente los italianos, o patrones del alto comercio, preferentemente los españoles. También les pertenecían las industrias que iniciaban la diversificación de la producción sobre el fracaso de tentativas anteriores, incompatibles con la política liberal, que barría con los Quintana, los tímidos alientos de los Pellegrini: fábricas de rodados de tracción a sangre, confeccionistas, calzado, sombreros, galletitas, cigarrillos; en general productos de bajo costo y de elaboración simple, donde el valor incorporado por la industrialización es escaso y sin la exigencia de instalaciones fijas costosas y que podían competir gracias a la distancia con la industria metropolitana, a pesar de la política imperante. También algunas industrias complementarias de la producción agropecuaria.

Ya hemos señalado que la clase alta porteña era normalmente permeable a los nuevos. Pero con esta burguesía demasiado nueva y sin pulir fue reticente, como lo había sido con los vencedores del 80; hemos visto cómo había incorporado en la primera mitad del siglo XIX, a los europeos pobres pero de estilo distinguido, política que siguió practicando habitualmente. Pero ahora los *nuevos* aparecían masivamente y la clase alta ya tenía seguridad, dictaba cátedra en los salones, en las veladas del Colón, en las tardes de Palermo y en las ruedas de sus clubes, en la escala que empezaba en el *Club del Progreso*, subía por el *Jockey Club* y llegaba al *Círculo de Armas*.

Nada tenían de común esas gentes de la vara de medir por más pesos que hubieran acumulado, con los descendientes remotos de los que habían traído las primeras. No se les toleraban las mismas *gaffes* que también la clase alta había cometido en París en sus primeros pasos, pero corregidas con la displicencia señoril en el gesto de quien lo ha heredado. Estos no eran herederos y apretaban fuertemente los bolsillos.[1]

Además estos nuevos ostentaban apellidos imposibles –italianos y hasta españoles– porque la clase alta profesaba el racismo liberal, que había decretado junto con la inferioridad del hispano-americano la de todo el Mediterráneo. Otra cosa sería, y fue, si se tratase de apellidos anglosajones, escandinavos, alemanes o franceses y aun de vascos o irlandeses. Pero sobre todo, esta burguesía comercial o industrial, o simplemente especuladora, no había echado las bases en la posesión de la tierra y sus rentas, la estancia, única fuente prestigiosa de recursos; creía en el progreso que la estaba levantando, pero lo vinculaba a la grandeza de una Argentina futura en que la propiedad de la tierra como en sus países de origen, sería secundaria.

¿Sabía la clase alta que una vez creado el aparato correspondiente al progreso agropecuario, éste se detendría en ese límite? Me inclino a creer que los hijos de la generación del 80 se comportaban simplemente como "hijos de ricos". Carecían del empuje creador de aquéllos, una élite que se propuso hacer el país conforme al mito del progreso. Aquéllos eran revolucionarios a su manera, pero los que los sucedieron, satisfechos con el éxito momentáneo, se despreocuparon del destino del país y prefirieron sólo ser conservadores en el usufructo del mismo; esta tónica distinta es la que diferencia una élite de un grupo de privilegio.

Los Barolos o Roveranos, entre tantos, con monumentales edificios; los Llorente, Ibarra, Sangrador, del comercio; los Lagomarsino, Merlini, Campomar, Llauró, Colombo, Pini, Vasena, de la industria, no encontraron fácil la entrada a la alta clase. A este propósito José Luis Imaz, y refiriéndose a un momento muy posterior ("Los que mandan", Ed. Eudeba, Pág. 142), dice: *Salvo algunas pocas excepciones notables (Dodero, Fortabat, Masllorens, Pasman, Bracht, Bráun, Menéndez y otros contados), el prestigio económico obtenido*

---

[1] He oído una anécdota atribuida a Don Ramón Santamarina, el fundador de la familia.

En cierta ocasión lo entrevistó la Comisión Directiva de una sociedad de beneficencia de Tandil, asiento originario de su fortuna, para recabarle una contribución. Esta fue más exigua de lo que esperaban los solicitantes, y uno de ellos le dijo a Don Ramón:

–*Sus hijos han contribuido con mucho más...*

Y el viejo Santamarina le contestó:

–*Es que ellos son hijos de rico...*

Auténtica o no, la anécdota perfila dos actitudes correspondientes al ascenso y la estabilización de las clases.

por los empresarios no parece haber ido acompañado por su equivalente "reconocimiento" al más alto nivel social. Anotemos de paso que entre los apellidos que cita Imaz con "reconocimiento" uno sólo es italiano, cuando en realidad los apellidos italianos constituyen fácilmente el 50% de esta burguesía (recordemos lo dicho sobre el racismo de los liberales). Todavía no ha llegado el momento económico de los judíos y los turcos, cuyo reconocimiento será mucho más difícil.

Pero digamos también que esa burguesía de inmigrantes de las primeras décadas no se aflije ni se preocupa por esa falta de *reconocimiento*. No desnaturalizará su papel histórico como ocurrirá después para hacerse estanciera o cabañera y abrir las puertas de ese *reconocimiento*. Ni siquiera le interesó la *Recoleta* y prefirió perpetuar su nombre en el bronce y el mármol a la genovesa en las lujosas bóvedas de la *Chacarita*. Su revancha, si la tenía, estaba en la aldea originaria, a la que asombró con esplendidez de "indianos", en obras de beneficio, y también haciendo de ellas la fuente proveedora del personal directivo de sus empresas, que tendrían que empezar como ella, durmiendo en el mostrador y abriendo muy temprano las puertas del negocio, después de lavarlo y barrerlo.

Hacia Barracas, Parque de los Patricios, Boedo y Almagro, aparecen las primeras fábricas. El comercio de registros, de importación, y los confeccionistas van ocupando las viejas casas del Barrio Sur que no se convierten en conventillo, mientras la alta clase se muda al Barrio Norte.

Esta burguesía de origen inmigratorio, carece de "berretines" y complejos; en todo caso, si le preocupan los *status* cree que basta esperar, por la confianza que le inspira el país y que su triunfo acredita: según van las cosas, los "gringos" ahorrando y capitalizando, y la alta clase dilapidando su patrimonio, los "niños" y las "niñas" vendrán al *pie* como en el truco, o a servir el *palo* como en el tute, que conocen mejor, y como termina por ocurrir. Tiene la intuición de los procesos históricos naturales y no se le puede ocurrir que en la Argentina se realizarán procesos anti-históricos, en constantes soluciones de continuidad en el cacareado progreso.

Por ahora esta burguesía se honra con las distinciones que le dan en su país de origen; el Reino de Italia distribuye un nobiliario abundante y difuso, ampliado por los "comendatori" y "onoreboli", y hay además una nobleza pontificia. España también distingue a sus hijos, en la expatriación, con títulos y condecoraciones y hasta de Francia llega la cinta de *La Legión de*

Honor. Tienen sus propios clubs: el *Español*, el *Círculo Italiano*, sus instituciones de caridad, sus mutuales y poderosas entidades culturales que los gobiernos de sus países de origen apoyan y prestigian enviando conferencistas y expositores. Hasta congregaciones religiosas que cumplen su labor con más criterio colonizador que ecuménico.[2]

Las residencias de estos ricos no se ajustan en general al estilo francés, que importa la clase alta, y un barroquismo pintoresco en que se mezcla lo florentino y lo veneciano con renacimiento, ojivas, columnas salomónicas y arcos arábigos, rivaliza su arquitectura con las tortas iluminadas de la confitería de *El Molino* y *Los Dos Chinos*, que se combinan con el *art-nouveau*.

El mármol de Carrara y los travertinos alternan con los prodigios de la yesería en los interiores que se enriquecen con la estatuaria y la pintura de las más prestigiosas firmas italianas contemporáneas, mientras los españoles lucen los Madrazo, los Benlliuri, Romero de Torres, Zuloaga, Sorolla, Moreno Carbonero, etc.

(La clase alta tiene surte: ha traído lo francés en el momento cumbre de la pintura francesa: el impresionismo y el post-impresionismo que los marchands le ofrecen en abundancia, porque todavía no tienen un mercado próspero. Hay que decir que se salva del "art nouveau" que está en su apogeo. ¿Suerte o buen gusto? Ya hemos dicho que aprendió aceleradamente).

La burguesía inmigratoria no participa del poder político, como lo anota Imaz, y parece no interesarle, tiene una posición parecida a su indiferencia con respecto a los rangos sociales tradicionales. Sus medidas de prestigio están referidas a ella misma en un cotejo de luchadores que miden sus múscu-

---

[2] Ricardo Rojas, en "La restauración nacionalista", había señalado las características inconvenientes de la escuela confesional, pero esto no se refería a la cuestión de la enseñanza laica o religiosa tal como ahora se discute. El problema era el que suscitaban las escuelas religiosas de congregaciones extranjeras estimuladas y protegidas por el país de origen de los inmigrantes, cuyos planes de enseñanza e idioma contribuían a mantener la cohesión de los emigrados e impedir la disolución de sus hijos en la comunidad argentina. No se trataba de la religión en sí, sino de la religión como pretexto, tras el cual se emboscaban los fines de los gobiernos extranjeros que subvencionaban y orientaban esas instituciones. Era la época en que el gobierno de Italia hablaba de la "otra Italia" que se pensaba que nacería en el Río de la Plata. En ese sentido, como instrumento de fusión, la escuela común obligatoria fue una medida nacionalista de los liberales que cumplió efectos que no se le pueden retacear.

los por los músculos de sus paisanos y colegas; sus pautas de distinción están dadas por una rivalidad entre paisanos, o de colectividad, cuya naturaleza ya vimos al hablar del conventillo.[3]

LA CLASE MEDIA: SUS DOS VERTIENTES

La clase media con su amplia movilidad vertical surgía del ascenso de los descendientes de la inmigración, y pronto estuvo a nivel del sector venido a menos de la "gente principal"; el contacto fue relativamente fácil.

Es cierto que este sector rezagado de la "parte sana" de la sociedad tradicional, opuso prevenciones de forma, pero no la resistencia al reconocimiento que encontró la nueva burguesía en las clases altas. Más bien esta resistencia era de la misma naturaleza que la opuesta más abajo por la clase criolla inferior y se refería a pautas estéticas. Era la renuencia a actividades parejas a las que más abajo se consideraba disminuyentes: al trabajo manual en la categoría de pequeños empresarios de taller, contratistas y el ejercicio de artesanías técnicamente calificadas, como sastres, relojeros, joyeros, y las actividades comerciales, libreros, tenderos, dueños de hoteles y restaurantes, confiterías, panaderías, despensas, viajantes de comercio, etc., que eran para los "gringos", a quienes abrían el acceso a la nueva clase. También había la preocupación por ocultar el carácter lucrativo, la preocupación por la ganancia que era cosa de "gringos".

La gente antigua, durante mucho tiempo se resistió a estas actividades que entendía significarle una disminución. Donde faltaban las rentas mo-

---

3 Esto de los luchadores y sus músculos me recuerda una cosa muy típica de la época, respecto de las rivalidades entre las colonias española e italiana, cuyo escenario era el teatro Casino, y sus torneos de lucha romana donde la competencia entre los campeones se extendió, muchas veces, al público de la platea. Esta rivalidad también se ventilaba en las pizarras de los diarios, cuando la Primera Guerra Mundial, entre los italianos aliadófilos y los españoles germanófilos. En "Prosa de hacha y tiza", he recordado que los "gallegos" cargadores de la Estación Sola celebraron con un banquete la derrota italiana en Caporetto, y recíprocamente, se celebró de igual manera el desastre español en Annual, Marruecos. Alguna vez también, el *paraíso* perturbó el ambiente *comme il faut* del Colón con la pretensión hispánica de imponer el prestigio del tenor Fleta sobre los Caruso y Titta Rufo, de la lírica italiana. Y eso que era el *paraíso* el que verdaderamente iba a escuchar música.

destas que proporcionaban algunos bienes urbanos, o parcelas de campo que no daban para mantenerse en el nivel de la clase alta, la burocracia, ampliada por el crecimiento del país, dio la solución preferida, y también el ejercicio de las profesiones liberales. El puesto público fue el recurso más frecuente para mantener el nivel exigido por el decoro; también las escuelas militares y navales ofrecían carreras que la clase alta despreciaba pero que bastaban a satisfacer las necesidades mínimas y una cierta distinción en el rango ya definitivamente secundario. (Es la época también de la pobreza vergonzante, en que las pensiones graciables a los descendientes de guerreros más o menos supuestos de la Independencia y del Paraguay y la Campaña del Desierto, y la distribución de decenas de lotería, permitían a la gente de "copete" político o social transferirle al Estado la protección de los pobres, pero decentes, que abandonaba al desvincularse de la parentela lejana.

Además los distinguían el modo de actuar más fino y arreglado que el de los nuevos, procedentes de estratos bajos de la sociedad europea, que mostraban muy a la vista su preocupación por la riqueza material con su afán de ganancia y aprovechamiento.

Pero todo esto dejó de jugar, a medida que los inmigrantes eran sucedidos por sus hijos que asimilaban la estética que los *antiguos* aportaban a la clase media en formación. En la segunda etapa del ascenso, la nueva clase media se caracterizó por la presencia de los hijos de inmigrantes graduados en la universidad, que año a año iba volcando nuevas promociones de profesionales liberales que con su jerarquía se ubicaban en los más altos niveles de clase media, y también en la carrera de las armas y en los rangos de la enseñanza; a falta de título profesional, competían en la burocracia y en los trabajos no manuales con los viejos porteños: eran rematadores, comisionistas de bolsa o de bienes raíces, periodistas, escritores, artistas, directores de institutos privados, de música especialmente, y otras actividades llamadas culturales en que corren disciplinas muy típicas de la época destinadas a la "cultura" de los hijos de familia, como declamación, pintura, repujado, etc.

LA MUJER DE LA CLASE MEDIA

Las mujeres de la clase media estaban inhibidas de las actividades que hemos señalado en la clase baja –del taller de lavado y planchado y la costura, hasta el empleo de telefonista– y su situación se hacía especialmente difícil porque no tenían otra posibilidad que el magisterio o la enseñanza de las artes decorativas; a lo sumo el *corte y confección* que sin embargo corresponde a los planos más bajos de la misma o a la ejecución de aquellos trabajos que hemos mencionado antes –bordar, "coser para afuera", tejer–, que pasaron a serles comunes, con los de las viejas familias pobres, pero con el mismo cuidadoso escrúpulo de disimular el aspecto comercial de las labores.

El problema de la mujer, sin otro horizonte que el matrimonio, será uno de los dramas de la clase media que sólo empezará a resolverse en los últimos treinta años. Nuestra literatura lo documentará constantemente en el personaje clásico de la solterona; y en la angustia de los padres de numerosas "chancletas" donde, aparte de lo insoluble del problema sexual –que el pudor de la época disimula–, juegan las dificultades de la familia numerosa que hace difícil el mantenimiento del *status* ante la multiplicación de las necesidades, sin el correlativo crecimiento en el aporte de los recursos. Puede ser leyenda la de que el hijo trae el pan bajo el brazo, pero ni siquiera lo es, la de que lo traiga la hija, que sólo aporta dificultades que se suman a la custodia rigurosa del honor familiar, al que los inmigrantes han aportado pautas aún más rigurosas que las de la sociedad tradicional. Es de la época, la escena constantemente repetida de los hermanitos, corriendo al galán que "pasa" la calle, si al nivel del inquilinato el tema es el "bacán de yuguillos" que seduce a la "milonguita" deslumbrada por las luces del centro, un poco más arriba, ya en el filo de la clase media, está la *vendedora de Harrods* de Josué Quesada y sus similares, de las novelas semanales.

Todo el sentimentalismo que se arrastra en las letras de los viejos tangos no es más que un reflejo de una temática social correspondiente a la realidad: la vendedora de tienda pertenece a ese estrato bajo de la clase media, pues ella, con la telefonista, hace punta en la incorporación de la mujer al trabajo no domiciliario, cuando la de clase baja empezaba a incorporarse a la fábrica.

EL BARRIO EN EL NACIMIENTO DE LA CLASE MEDIA

La expresión *clase media* es sumamente ambigua y se define mejor negativamente que afirmativamente; por eso muchos sociólogos prefieren un término más genérico, clases intermedias, más acertado porque la clase media es una agregación de estratos superpuestos y cambiantes que descienden desde la clase media alta ubicada cultural y económicamente en las fronteras de la alta burguesía y aun de la aristocracia –esto lo veremos particularmente al tratar de nuestro "medio pelo" actual–, hasta los confines de la clase baja. (En el Buenos Aires de la época, ciudad de ascensos frecuentes como se ha visto, en la etapa expansiva de la economía agropecuaria, es difícil también determinar el límite inferior de esta clase desde que la baja participa de muchas pautas de la sociedad intermedia por los factores ya dichos que determinan que no se cristalice una clase obrera como estrato definitivamente diferenciado).

Veremos la clase media en su propia salsa: el barrio.

Si el conventillo es el ambiente típico donde se barajan inmigrantes y criollos pobres, paisaje que complementa el barrio, éste es el escenario donde la clase media se conforma y se define.

Buenos Aires al crecer ha generado multitud de barrios y cada uno es un centro de vida, de relaciones, con sus jerarquías y dignidades locales, donde los distintos niveles económicos, la naturaleza de las actividades más o menos prestigiosas establecen las diferencias entre las familias. La clase media es el nivel más alto del barrio y allí desarrolla su propio *status* de clase alta local, modelando sus propias pautas. Ya iremos viendo que durante el primer cuarto de siglo la mayoría de los barrios constituyen núcleos urbanos perfectamente diferenciados del centro, los que van naciendo del desarrollo de la ciudad o como ampliación de viejos pueblos; el caso de *Flores*, de *Palermo*, de *Boedo*. El nacido en el barrio crea todo su sistema de amistades, de amores y de hábitos dentro del mismo y es reacio a cambiar de domicilio fuera de él, particularmente en la clase media. Las mudanzas se hacen dentro de sus límites y son los mismos la confitería, la iglesia o el cine al que concurre y los negocios donde compra; trata de mandar sus hijos a la misma escuela a la que él asistió. Es una vida que se parece a la de las pequeñas ciudades del interior, donde todo el mundo se silba de memoria, la gente se conoce desde siempre y circulan los chismes, los apodos y las anécdotas como en una ciudad provinciana. Mucho más tarde, con la aparición de las casas de departamentos, la desaparición de los espacios que establecen soluciones de continuidad urbana, el transporte automotor y la vida más intensa y agitada, aparecerá esa movilidad de los domicilios que desborda el límite de los barrios.

LA FAMILIA ES DE BARRIO

Hay aquí que resaltar un hecho al que ya nos hemos referido y al que tenemos que volver: en esta nueva clase que aparece a principios de siglo, como en la sociedad tradicional, la situación de familia es fundamental pues la calificación no se hace por individuo sino por grupo familiar y los inmigrantes refuerzan la solidez del grupo con las pautas rígidas de los italianos y españoles y en las que juega en primer término la ya señalada honorabilidad de la vida sexual.

Desde el principio, el inmigrante no encuentra para su ascenso la inhibición del "inferior" tradicional provocada por su marginal situación de familia: no es "guacho" ni lo son sus descendientes, y así, la filiación legítima será un elemento de calificación que gravitará en su subconsciente, cuando la clase inferior intente el ascenso. (No en este Buenos Aires en que los criollos se están adaptando a las normas regulares, pero sí cuando se encuentre en presencia, años más tarde, de la multitud innominada que viene del interior con la carga, mucho más difundida, de la ilegitimidad en la filiación).[4]

La *Avenida de Mayo* es el eje central de este Buenos Aires nuevo, llena de una multitud también nueva y el símbolo de conjunto de la ciudad. Pero ni sus cafés, teatros y hoteles, y la feria constante de sus negocios de tránsito permiten percibir el acondicionamiento de las clases, más que por el aspecto exterior. Es como una estación de ferrocarril por donde desfilan los pasajeros.[5]

---

[4] En algunas provincias donde aún subsiste fuertemente la separación entre "gente principal" e "inferior", como en Salta, por ejemplo, es fácil percibir las huellas profundas que marcan esta barrera, caso imposible de pasar. A pesar de los cambios económicos producidos y de los trastrueques que han traído las contingencias políticas, en los pocos casos en que algunos "inferiores" han terminado por situarse de hecho en el primer plano, su aceptación se hace a regañadientes y sin prescindir de una calificación que va unida al apellido: son los "coyas" tales o los "gauchos" cuales. Es que el forastero, hijo de inmigrantes, cuyos antecedentes se ignoran, no tienen ninguna dificultad para su admisión en los círculos más elevados en cuanto sus maneras y presentación externa sea adecuada, lo que revela en qué medida es la situación familiar originaria y conocida la que determina la calificación. El forastero, cuya ascendencia es desconocida, está en ventaja por eso mismo, pues se la supone "culta", como dice Amadeo Lastra. Y lo es, porque el gringo tiene filiación legítima.

[5] En el primer cuarto de siglo, la ciudad y el país todo, pasan por la

Es el *barrio* el que revela el asentimiento y la composición vertical de la clase media. (Esto no excluye que el *centro* sea en mucha medida barrio, o barrios, pero cuesta diferenciar entre la multitud de tránsito, el condicionamiento social de sus habitantes estables que sólo se hace visible después del cierre de los negocios, y sólo donde no hay vida nocturna. Lo digo porque me ha costado bastante, aquí, en Córdoba y Esmeralda, por donde vivo, diferenciar la vida de barrio, que existe por debajo de la vida del *centro* que es la visible).

El *barrio* para el que trabaja en el *centro*, no es un simple

---

Avenida de Mayo. En ella están casi todos los grandes hoteles, las grandes confiterías y cafés, y es la síntesis del Buenos Aires moderno, construida con elementos de arquitectura francesa penetrados de *art nouveau*. Los hoteles *Cecil* y *Majestic* reciben la mayor parte de los visitantes extranjeros; recién aparece el *Plaza*. El hotel *París* es el asiento habitual de los políticos conservadores y estoy viendo allí la figura inconfundible del "Payo" Roqué. El hotel *España* es el asiento de los radicales con su clientela de estancieros bonaerenses. En la Avenida de Mayo tienen su escenario popular los grandes acontecimientos políticos, especialmente las manifestaciones radicales, y en las pizarras de sus diarios, "La Prensa" y "El Diario", después "Crítica", se aglomera la multitud con motivo de los grandes acontecimientos políticos o internacionales. Pero desde el principio, fue la calle de los españoles, carácter que ser irá agudizando a medida que el centro comercial y de las diversiones se fue desplazando hacia Corrientes. Llanes ("La Avenida de Mayo") vincula la españolización de la Avenida de Mayo a la existencia de "barrio", que subyace aún en su radio aunque difícil de percibir bajo la máscara del centro, a que me refiero en seguida. Porque en los alrededores de la Avenida de Mayo hacia el sur, estaba establecida la mayor parte del comercio español de tejidos, confecciones y almacenes mayoristas, como ya se ha dicho, lo que determinaba que su personal, también hispánico, se domiciliase en la misma zona. Otros suponen que fueron los teatros de género chico, de la zarzuela al sainete español, la causa originaria, siendo muy posible que ambos factores se influyeran recíprocamente.

A este propósito hay una anécdota que se atribuye a Borges y María Luisa Levinson.

Esta última, cuenta en rueda que ha nacido en la Avenida de Mayo.

Y Borges le objeta: –*¡Pero María Luisa...! La Avenida de Mayo no es un lugar para nacer. Es un lugar para que discutan dos españoles.*

¡Y vaya si han discutido y peleado!

Basta recordar las que se armaban cuando la Guerra Civil española entre la clientela del hotel *Español* y la del *Café Iberia*, en la esquina de Salta y Avenida de Mayo.

"gallinero" adonde se va a dormir; es el establecimiento permanente de la familia y el ámbito del círculo de relaciones y las tablas estimativas del *status*: si la naturaleza económica de la actividad es elemento informativo, el más importante es el rango en que se desenvuelve la vida familiar. Pero el barrio es además centro de gran parte de actividades que él mismo genera por su propio desenvolvimiento.

Hay, desde luego, barrios con predominio de clase media y barrios preferentemente obreros, porque ya la fábrica cobra importancia dentro de ellos, como en Parque Patricios, San Cristóbal Sur, Boedo; el puerto, en la Boca; o en Mataderos, donde la pampa se prolonga en la ciudad y el criollaje afirma su preeminencia; o en Almagro, con el Mercado de Abasto, o en Barracas, con el acopio de lanas, su lavado y clasificación, que se prolonga al sur del Riachuelo. Pero en cada uno, un sector de clase media se desarrolla en mayor o menor medida y tiene allí el centro de su vida y su ubicación de *status*, con una preeminencia local de jerarquías desvinculadas de las de la ciudad en conjunto.

El barrio tiene su *centro*, una esquina importante o una plaza, alrededor de la cual está la Iglesia, las confiterías, el teatro, después los cines y todo el comercio importante y en cuyas proximidades reside la gente de pro (la clase media alta), en el casco de las viejas quintas desmembradas por los loteos, en las casas de tres patios que subsisten, y en los modernos chalets –hasta *petit-hoteles*– que empiezan a surgir destacándose de la uniforme arquitectura de la casa con un zaguán y dos balcones, de las construcciones menos pretenciosas de la época, o la de dos plantas con negocio abajo; se prolonga después hacia las calles sin pavimentar, donde los fraccionamientos van sustituyendo los tapiales panzones por un caserío uniforme con espacio delantero reservado para la futura sala que prevé el ascenso, de medidas más reducidas que las anteriores y en que los frentes imitación piedra alternan con los revoques descascarados blancos, azules y rosados del antiguo suburbio, porque cada barrio ha tenido el propio. Hay también en cada barrio, otro centro comercial que rodea el mercado con su típica población italiana meridional y alrededor del cual se constituye un comercio de menor categoría que el del centro del barrio, en cuyo alrededor pulula un conjunto abigarrado, donde se confunden la clase media baja y los trabajadores. Aquí las diferencias económicas suelen ser bastante más efectivas que en el centro distinguido del barrio, pero están ocultas por la naturaleza rústica de las actividades y el nivel de cultura inferior, y sólo se pondrán en evidencia con el título universitario de los hijos o de las hijas "pescadas" por algún mozo de la clase media alta que sabe sacar las cuentas.

PARTICULARISMOS DE LOS BARRIOS

Algunos barrios antiguos tienen un estilo que no es sólo el de la construcción, que subsiste. San Telmo, la Concepción y Monserrat, conservan las maneras de otra época, tal vez porque es muy fuerte la gravitación de los viejos vecinos que no han emigrado al Barrio Norte, muchas veces por tradicionalismo, pero principalmente porque no han participado de la riqueza que llega a los grandes propietarios de la tierra. Constituyen en el barrio el nivel más alto de la clase media, junto con los comerciantes prósperos.

En estos barrios son muy perceptibles las dos vertientes de donde procede la clase media. He visto en mi juventud, en los comités radicales de distintas parroquias la diferencia de estilo. En estos siempre contaba entre los dirigentes el núcleo de vecinos importantes que parecían darle un cierto tono señorial: la costumbre de descubrirse al entrar, el modo reposado, los saludos ceremoniosos y las referencias familiares. Una urbanidad por completo ausente en otros comités de barrio, donde el caudillo era generalmente mucho más joven, la relación había perdido el carácter de trato de vecino a vecino, y de ciudadano a ciudadano, pues la recluta era puramente cuantitativa entre los "puntos" de la barra del café o del despacho de bebidas de la esquina.

Lo que determinaba esta diferencia en el estilo de cada barrio, de que el comité era un reflejo, no era la composición cuantitativa sino la antigüedad del barrio que determinaba una mayor abundancia de gente proveniente de la "principal" antigua. Así hasta los niveles más altos del barrio correspondientes a la inmigración tenían ya dos generaciones de argentinos por lo menos, lo que da un índice sobre la conformación histórica de la clase media. (Esta y no otra es la explicación, pues los sectores más bajos socialmente vivían precisamente en esos barrios, que son los más abundantes en conventillos; los personajes del sainete no han salido de los nuevos barrios que se estaban fundando; sólo cuando se trataba de criollos se referían a ciertos núcleos alejados del centro como el Palermo bravo o Villa Crespo, antes de la radicación de gran parte de los judíos que se desplazaban de sus sucesivos centros de la calle Libertad primero y Balvanera Norte después; tampoco de los barrios típicamente obreros de principio de siglo. Ya se ha dicho que el conventillo y el inquilinato se alternaron con las casas de registros y el comercio importador de paños y los almacenes mayoristas, en la ocupación de abandonadas residencias de la alta clase en el Barrio Sur, cuando ésta se desplazó hacia el Norte).

Hay barrios típicamente de clase media como con los de Villa Urquiza, Villa Devoto, la parte Norte de Palermo, el centro de Belgrano, vinculados al centro de la ciudad por las líneas de tranvías, (Cómo no recordar el 5 y el 2, y los treinta y tantos, con el nocturno a Belgrano. Sería como olvidar los corsos vecinales con sus comisiones, sus comisarios, y sus palcos de las familias "importantes" y los carruajes ocupados por las "niñas distinguidas" que intercambiaban flores con los jóvenes conocidos. ¡Oh, la vara de nardos con su aroma cálido y erótico bajo una inocente albura de mínima azucena!, entre el tumulto plebeyo de murgas y comparsas y la gente común que llena las veredas). Hay comisiones vecinales de fiestas patrias, de fomento, las de los clubes deportivos importantes; todo un mundo de jerarquías establecidas pero cuyo movimiento vertical corresponde, exclusivamente, al barrio y cuyas pautas de *status* son comunes a los barrios, pero que no se remiten a las que corresponden a las de la clase alta, que pertenecen a un mundo distinto. La vida social de la clase media alta tiene su esfera propia y no se confunde ni intenta confundirse con la "alta sociedad" de Buenos Aires .

Hay lugares donde se encuentra la clase media alta trascendiendo el límite de barrio. Las barrancas de Belgrano, por ejemplo, en los conciertos del maestro Malvagni; los jueves –día de moda– del Parque Japonés, antes de que pasara a los terrenos de Las Catalinas. Casi adonde ahora está el Ital Park, en Callao y Libertador.

EL CENTRO Y SUS SATÉLITES

También deben ser considerados como barrios porteños los que se extienden en las afueras, servidos por el ferrocarril, sobre el *Central Argentino*, particularmente en la línea de *Belgrano R* hasta *Borges*, pues el fraccionamiento de las quintas de la costa es bastante posterior (línea a Olivos, La Lucila, Acassuso, etc.) Crece el núcleo central de *San Martín* y algunas de sus villas, como *Ballester*; hacia el Oeste comienza a ser un centro residencial *Ramos Mejía*, y sobre la línea del Sur, *Talleres*, centro ferroviario con predominio de trabajadores al igual que *Lanús*. En *Bánfield* empieza a predominar la clase media, que va adquiriendo importancia en *Lomas de Zamora, Témperley*, con un centro aun mucho más característico: *Adrogué*, que tiene un tono social propio que aún parece mantener, seguro de sí mismo y sin las preocupaciones del "medio pelo" que veremos en otros centros con más pretensiones del Gran Buenos Aires. *Avellaneda, Barracas al Sur*, prolonga al otro lado del Riachuelo las características comerciales e industriales de Barracas.

Cuando oigo hablar a los urbanistas de las ciudades satélites, me parece que le están inventado el agujero al mate; porque Buenos Aires y su con-urbano, como dice Alende, que me parece haber impuesto el término, funcionó como tal casi hasta 1930.

Florencio Escardó en "Geografía de Buenos Aires" (Ed. Eudeba, 1966) y refiriéndose a época muy posterior a la que trato, dice: *Buenos Aires no es, en ningún sentido, una unidad; su descriptiva y su captación se fragmentan en mil pedazos... A despecho del nombre genérico "el centro", la ciudad no tiene sino centros... Y en marcha por Rioja hacia el sur, halla de sopetón en Caseros, un "centro" luminoso y activo, que abarca pocas cuadras; lo mismo le sucede a quien va por Independencia hasta Boedo, o por Almirante Brown hasta la Boca; centros de barrio, con sus cines, sus cafés, sus negocios, sus "habitués", su historia, sus tipos, su mística, en los que aún vive gente que no conoce el Obelisco... Buenos Aires no es una unidad; sus barrios son diversos, múltiples, cada uno con su personalidad y su estilo.*

Si contemporáneamente, como lo observa el citado, todavía Buenos Aires, y el Gran Buenos Aires, más que una estrella es una nebulosa, una acumulación de pequeños astros de variadas magnitudes, que pasan del centenar, mucho más lo fue cuando baldíos, potreros, quintas, hornos, intercalaban espacios abiertos entre sus barrios de número más reducido, conformando la ciudad con sus satélites propuesto por los urbanistas de hoy.

También nos lo cuenta Escardó, refiriéndose a la época: *A veces es posible seguir las etapas primarias del crecimiento de la ciudad... una avenida queda interrumpida por una huerta; nadie sabe por qué, pero hay que dar un rodeo para continuar la ruta; serenos hasta la indiferencia en medio del artificio urbano, dos italianos cultivan sus tomates, sus lechugas, sus cebollas y algunas flores... De pronto, un buen día los alambrados caen y los sembrados vuelven al baldío; la calle continúa su línea en ese tramo sin pavimento; los chicos no tardan en aprovecharlo para jugar interminables partidos de fútbol... por fin una mañana vienen aplanadoras, el pavimento oculta y urbaniza el piso vegetal; la ciudad se establece sobre el sembradío; poco después aparecen a uno y otro lado las casitas, pero durante algún tiempo persiste a cada vera un pedazo de tierra en el que coexisten las últimas hortalizas y las primeras malezas. Huerta, cancha de fút-*

bol, pavimento. Esa es la historia de la ciudad de la pampa que puede ver a trozos el paseante curioso. A veces la urbanización es tan vertiginosa que el interlocutor sonríe incrédulamente cuando al cruzar un barrio le decimos de pronto: Hace seis meses había aquí una chacrita...

Hacia 1950, un turista extranjero me glosaba aquello de "la pampa tiene el ombú", diciendo: *–la pampa tiene el letrero colorado.* Se refería a los letreros que decían Guaraglia, Vinelli, Luchetti, Bencich, Ezcurra Medrano, Taquini, etc.[6]

FLORES: "LA FLOR DE LOS BARRIOS"

A principios de siglo ir a *Flores* o a *Belgrano*, a *Villa Urquiza* o *Devoto* o a *Mataderos*, por tranvía o por ferrocarril era siempre un viaje aunque se realizase diariamente, y no el simple tránsito de un lugar a otro de la ciudad. El vecino de clase media del barrio cuyas actividades se desenvolvían en el *centro*, partía y retornaba como quien pasa de su pequeña ciudad a la grande, donde se perdía en el anonimato de la multitud; allí su jerarquía estaba medida por el nivel a que se desarrollaban sus actividades, pero no definían la idea de *status* que íntimamente se asignaba, conforme a su situación familiar en el barrio de su domicilio.

---

[6] La clientela de esos rematadores no está en la alta clase, ni en la burguesía grande o pequeña sino en la clase media baja y en los trabajadores. Ayer en los inmigrantes, hoy en los "cabecitas negras".

Juan José Sebreli ("Buenos Aires, vida cotidiana y alienación", Ed. Siglo Veinte, 1964) explica la casita propia por *la inversión inmueble como garantía de seguridad, abandonada por las clases altas por anticuada y antieconómica...; por la obsesión fundamental de la baja clase media, fomentada por otra parte por la propia burguesía, quien trata, de ese modo, de ligar a las clases más pobres a la defensa de la propiedad privada.* Me parece mucho más lógico ligar esta obsesión a la característica psicológica de una sociedad en que los individuos buscan la seguridad por el ascenso más que a un renunciamiento del mismo por la seguridad. Agreguemos que la casa propia da *status.* (Una maestra de Villa Celina me cuenta esta frecuente conversación entre los alumnos: *–Papá se compró una prefabricada...*, a lo que otro contesta: *–En casa ya tenemos dos piezas de material...* Y otro: *–Papá la va a hacer cuando termine de pagar la heladera,* y esto entre los hijos de los "cabecitas negras" que se esfuerzan en adquirir "cochecitos" para sus bebés y vestirlos con trajecitos de punto, ropitas elegantes que contrastan con el recuerdo de sus infancias desvalidas en la miseria provinciana).

Esta voluntad de ascenso de las clases bajas, que según Sebreli, en cuanto

Así su preocupación de *status* no estaba afectada por la emulación, la envidia o el modelo de la alta clase de la que se sentía completamente marginal e independiente; esta era una sociedad que contemplaba a la distancia, a lo sumo a través de la información periodística, que le traía en su *Vida Social* los ecos de los grandes acontecimientos mundanos o la versión de escándalos aristocráticos que solía difundir una literatura muy de la época, vertida también en las novelas semanales, en algunas crónicas de Josué Quesada y especialmente en la pluma de Souza Reilly. La pueblerina sociedad de los barrios, abroquelada en sus pautas, tradicionales e importadas, de rígida moralidad familiar, encontraba en esas crónicas el término de comparación para valorizarse por contraste, a diferencia de lo que ocurrirá después con el "medio pelo" que gusta suponer en la alta clase una descomposición de costumbres propias de la "gente bien", cuya imitación es de buen tono.

De todos modos, esa clase media no miraba a la alta sociedad para repetir las pautas que le atribuían; se trataba de un mundo distante y

---

a la casa propia, nace del propósito deliberado de la burguesía de ligarla a la defensa de la propiedad privada haría suponer en la burguesía una política de la vivienda popular que no se ve por ninguna parte. Cien veces más han hecho por resolver este problema los loteadores y los fabricantes de prefabricadas, con fines puramente especulativos o comerciales, que toda la burguesía a la que se atribuye ese plan que no surge de los hechos sino del esquema ideológico previo del escritor que los analiza.

Por el contrario, la reacción ante el mejoramiento en la gente humilde, es enconada y agresiva. Reynaldo Pastor, en un libro que he comentado en "Prosa de hacha y tiza" (El aluvión zoológico y la nariz de Reynaldo Pastor) nos ilustra al respecto, como cualquier comentarista de "medio pelo" cuando ve las antenas de televisores sobre las viviendas de las Villas Miseria. (El televisor no sólo divierte, sino que da *status*). A esta gente le irrita cualquier signo de prosperidad popular, y la casa propia lo es. ¡Vaya si lo es! En el capítulo primero he hablado de la construcción de las barriadas y cómo se realiza por esa voluntad de ascenso.

Me gustaría oír qué opina sobre esto el padre de Sebreli, a quien supongo inmigrante, pero no ideólogo.

En otra parte Sebreli atribuye el andar sin saco, a la falta del mismo en los pobres. Desgraciadamente lo que le falta a los pobres no es el saco: es el pantalón, pues siempre hay más sacos que pantalones, que son los que se gastan primero y quedan viudas las chaquetas (lo digo por casticismo y por sexo, en ese matrimonio de vida despareja que es el traje. Lo descubrió hace tiempo el sociólogo Braudo. Sabemos que la Casa Braudo observó el problema, imponiendo el traje con dos pantalones). Es lo que llamo "estaño": ¿Sebreli no fue nunca pobre?

sin conexión con el suyo, como puede serlo la vida de los artistas cinematográficos que difunden las revistas de hoy, o las crónicas del gran mundo internacional, que suelen proporcionar las Elsas Maxwells para la curiosidad de los que se saben del otro lado de la vida.

Pero entre todos los barrios hay uno donde la clase media tiene su definición inconfundible: es *Flores*. Su clase media podía precisar las características porteñas de toda la clase.

Flores, en el recuerdo de los que han conocido ese Buenos Aires, es una imagen con pianos al atardecer, con *Danubio Azul* y *Sobre las Olas* para el oído, con perfume de glicinas, jazmines, diosmas, diamelas, magnolias foscates y óleo-fragans para el olfato. Enredaderas, tapias panzonas, zaguanes y balcones, palmeras, para los ojos. Barrio con salida de Misa y la "vuelta del perro" en el paseo de la tarde como en el pueblo por las tres o cuatro cuadras sobre Rivadavia y la plaza, con su confitería tradicional, y chicas, muchas chicas, con sus mamás, "empavesadas como fragatas" –según el poema de Girondo–, estudiantes que vuelven del centro a la hora del paseo, largas miradas preparatorias y noviazgos eternos, con pasadas frecuentes, furtivas entrevistas y zaguán, y después "adentro", como en los bailes folklóricos, en la salita apresuradamente desnudada de las fundas que envuelven las sillas y de los tarlatanes que cubren los espejos y la araña.

Flores es en aquella época lo que serán Olivos y San Isidro al "medio pelo" contemporáneo. El *Club de Flores*, es el centro social más característico de aquella clase media. Pero se detiene ahí la analogía, pues no puede confundirse clase media con "medio pelo".

Un componente de la clase media alta del barrio, es el estanciero medio de la provincia de Buenos Aires –muchos vascos e irlandeses entre ellos, y estancieros criollos no comprendidos en la clase de los grandes propietarios– que ha ascendido económicamente con el progreso agrícola-ganadero y se permite el lujo de tener casa en la ciudad ante el reclamo de las hijas casaderas y los doctores que le están saliendo en la cría. Se domicilia en Buenos Aires en el mismo momento en que empieza el desplazamiento hacia el Barrio Norte de la alta clase, pero tampoco se la propone como arquetipo. Las jerarquías del barrio son suficientes para satisfacer sus *status* de clase media alta en la que se siente cómodo sin las exigencias que importan mayores pretensiones, pues conserva los hábitos simples de la vida rural que en la vida de relación son parecidos a los del barrio, y sus familias son pronto gente representativa de éste.

Las amplias casas de principio de siglo que se ven en Monserrat, la Concepción y San Telmo, siempre sobre Constitución, son testimonio de la radicación de esta gente y de su modalidad ambiental de clase media. El lector las encontrará en ese radio que se acerca a la estación del Ferrocarril Sur y son fácilmente identificadas por mucho más modernas que el grueso de la construcción de la zona, que corresponden al siglo anterior; ostentan fachadas más importantes, pero muy distintas a las casonas tradicionales. Se las ve aún de Perú a Santiago del Estero y de Belgrano al Sur, desbordando Brasil para entrar a Montes de Oca –estas últimas han sido totalmente demolidas– y, por Caseros, de Montes de Oca al Parque Lezama, queda una masa de construcciones de categoría que al descubridor de la ciudad le sorprende como una inclusión exótica en el barrio. Estar cerca del ferrocarril es estar cerca del campo, de donde se arranca con dificultad a los "viejos". (Yrigoyen vive a media cuadra de Constitución, en Brasil. Sería osado suponer que éste sea el motivo de su radicación, pero no es inconveniente, desde luego, tener cerca a sus vascos del sur de Buenos Aires).

En Almagro, Caballito y hasta Flores tienen también su domicilio porteño muchos estancieros cuyos trenes salen de la Estación Once.

Al hablar del "medio pelo" y su proyección hacia los medios rurales, tendremos oportunidad de comprobar el cambio experimentado desde esa época, en la misma clase de los estancieros medios.[7]

---

[7] Mucho se ha batido el parche sobre el éxodo de los trabajadores rurales a las ciudades industriales porque a la clase propietaria de la tierra y a la economía dependiente, les conviene el estado de desocupación endémico de una masa de trabajadores rurales que sólo cuentan con los trabajos estacionales para subsistir en la semiocupación que provoca la miseria rural por la competencia de excesiva mano de obra en oferta, y la desocupación industrial, por el achicamiento del poder adquisitivo de los trabajadores. Se añora un estado típico del subdesarrollo que permite bajar los costos de producción creando en la clase patronal rural la ilusión de un mayor margen, cuando en realidad este mayor margen es absorbido por el aparato exterior de comercialización y por los menores precios internacionales que origina la producción argentina a bajo costo. Se olvida que al aumentar el margen la diferencia se transfiere al exterior. Se intenta así, restablecer las bases de la renta diferencial, haciendo absorber al país los efectos de la relación adversa de los términos del intercambio, con el achicamiento del costo-hombre, en la pretensión de fundar la prosperidad de un grupo en la miseria popular y en la disminu-

ción del país. Y al mismo tiempo se habla de tecnificación y diversificación agraria, que son incompatibles con la mano de obra a vil precio.

En cambio, no se habla para nada de la emigración de los propietarios rurales a Buenos Aires. Bastaría una elemental investigación sobre las unidades de vivienda construidas después de 1955 y concentradas casi todas en el Barrio Norte y sus aledaños, para comprobar cómo, a consecuencia de la transferencia de la renta operada desde entonces,se ha radicado en la Capital una enorme masa de los llamados productores rurales, que antes vivían en el campo o en los pueblos cercanos a sus establecimientos. El pretexto más usado es la necesidad "de educar los chicos", que antes se internaban como pupilos en los colegios, o cumplían su enseñanza secundaria en los colegios de las localidades rurales.

De tal manera el propietario medio, de cuatrocientas a mil hectáreas, ha multiplicado sus gastos de consumo con la diferencia que va de vivir en Buenos Aires –a nivel estanciero– a vivir en el propio campo o en el pueblo cercano, y así los efectos de la transferencia de la renta y las exoneraciones fiscales, que debían traducirse teóricamente en mayor inversión se traducen en mayores consumos superfluos que excluyen la reinversión. Además esta forma de ausentismo implica la imposibilidad de la tecnificación que requiere la conducción de un experto que no puede ser, en el caso de las pequeñas fortunas, otro que el interesado o sus hijos, a diferencia de los grandes establecimientos cuyas condiciones económicas permiten tener un experto a sueldo. Asimismo, las inversiones en máquinas, aprovechando los beneficios dados por réditos, resultan excesivas desde que no son aprovechadas al máximo, cuando no se han traducido en automóviles y camionetas de alto precio, en las que la utilización para las necesidades reales de la producción es subsidiaria de la necesidad de "hacer pinta", y de trasladarse a la lejana base de producción siquiera una vez cada quince días. (Se hace imprescindible determinar qué se entiende por productor rural, que no lo es el rentista de la tierra, aunque esté eliminado el arrendatario, si el propietario no concentra su vida y su actividad en llevar al máximo la producción del predio). El estudio de la mentalidad del "medio pelo" es imprescindible para concer la influencia de las pautas porteñas en la actividad agropecuaria, pues este llamado "productor rural" que estoy señalando, se complace en imaginar las posibilidades de desenvolverse como un *farmer* norteamericano o europeo, pero no admite ni por broma sujetarse a su disciplina de trabajo y de consumo, que es exclusivamente agraria. Porque ese "productor rural" envidiado no vive en las grandes capitales, ni dilapida sus bienes: engorda personalmente el chancho y el vacuno, siembra y cosecha su cereal, etc.

CAPÍTULO VII

LA SOCIEDAD Y LOS LÍMITES DE LA “PATRIA CHICA”

Hacia ese año (1930), la totalidad de las tierras de la región pampeana estaban ya en explotación y la producción agropecuaria no podía seguir aumentando como lo había hecho tradicionalmente por la incorporación de tierras inexploradas a la frontera productiva. Tal dice Aldo Ferrer (ob. cit.) ratificando que *en la etapa de la economía primaria exportadora la expansión fue hija de la demanda mundial de productos agropecuarios y la puesta en producción de las nuevas tierras.* Analiza seguidamente una serie de factores que se suman a la desaparición de la frontera de avance en la pampa húmeda como son la quiebra del sistema multilateral de comercio y pagos, la disminución de la demanda de la población ultramarina de productos alimenticios, especialmente cereales, pues el aumento del nivel de vida diversifica la alimentación y también crea otros consumos no vinculados a las materias primas de importación a los que suma la política sistemática de las metrópolis del flujo de las corrientes de capitales hacia los países productores de materias primas. Por su extensión y lo prolijo del análisis, a él remito al lector.

Pero si 1930 puede ser fijado como fecha límite de la expansión agropecuaria, 1914 señala ya lo que en 1930 será definitivo; marca la tendencia, porque allí termina el ritmo acelerado que caracterizó al primer decenio del siglo. El decrecimiento de la atracción ejercida por el país sobre los inmigrantes nos lo revela.

El decenio 1901-1910 con 1.120.000 inmigrantes ya en 1921-1930 sólo arroja 878.000. En el decenio 1931-1940 caerá bruscamente a 73.000, juntamente con el momento crítico de 1930 que Ferrer señala (no se toma el decenio 1911-1920 con sólo 260.000 porque incide la Primera Guerra Mundial, que interrumpe la inmigración de algunos de los países que la proveen, pero no puede escapar que la suma del decenio que le sigue está incrementada por parte de inmigración postergada y que recién se opera entonces). Después de 1930, 1941 - 1950, con 386.000 inmigrantes, y 1951-1958 con 245.000, ya el número de ingresados al país indica el cambio de condiciones que el autor citado más arriba señala.

Ha pasado el momento de expansión horizontal en que se ocupa totalmente la pampa húmeda en expectativa del surco y del ganado; la propiedad

de la tierra, poco fluyente de sí, se estabiliza y gran parte de ella dejará de ser cerealera, pues, como se ha visto antes, el cereal ya ha cumplido su función preparatoria del alfalfar. En adelante, ganadería y agricultura variarán sus límites, según los años y el mercado, en la ocupación de las tierras donde se excluyen recíprocamente, más allá del aprovechamiento ganadero de los rastrojos o el pastoreo de avenas, trigales, centenos y cebadas de doble propósito, cuando el año excepcional permite cosechar las siembras hechas para los pastoreos de invierno. Ya no aumentarán las hectáreas en explotación agrícola; por el contrario, el aprovechamiento ha sido exhaustivo y numerosas zonas semi-marginales sufren los efectos de la disminución de sus reservas y son castigadas por la erosión.

En adelante la producción agrícola tradicional sólo podrá aumentar por las mejoras de la técnica, como la genética, los abonos y el mejor manejo de la tierra, es decir, por el aumento del rinde por hectárea.

Si 1930 es la fecha límite objetivamente apreciada por Ferrer, en 1914 ya está ocupada la frontera agrícola de la pampa húmeda y se pronuncian los factores demográficos que indican el cambio de condiciones en el país. Un índice claro está dado por la desaparición de la inmigración golondrina, que no está incluida en las estadísticas citadas más arriba, que se refieren a saldos, es decir no computan los braceros estacionales, que vienen y retornan después de cada cosecha y que han constituido un contingente numeroso todos los años que duró la expansión; ellos son reemplazados, como se ha dicho antes, por el "croto", trabajador nativo. La demanda de brazos del agro irá en disminución, que se acelerará con la mecanización de la pampa húmeda.

Por otra parte, la infraestructura fundamental de la economía exclusivamente agropecuaria estará prácticamente terminada y su construcción deja de ser una fuente de ocupación en incremento.

PROGRESISMO Y ANTI-PROGRESO

Todo esto determinará que el progreso adquiera un ritmo más lento que en el momento expansivo de la producción agropecuaria. Si el país se detiene allí, ya habrá llegado a su límite. Ahora tendrá que mirar hacia dentro o hacia otros mercados y el progreso posible sólo podrá realizarse por la diversificación y la multiplicación de otros consumos. La población y su nivel de vida han de ajustarse a ese límite.[1]

El aumento de población y sus consumos, en aquella economía simplista, se vincula a la capacidad de importación y ésta no debe superar la capacidad de exportación; una vez que el país pasó los 10.000.000 de habitantes toda la población que lo supere es excedente. La historia económica de la República desde entonces será una permanente lucha de los progresistas de ayer, retardatarios de hoy, contra la expansión vertical y horizontal ajena a la producción agropecuaria de la pampa húmeda. Ahora son necesarios nuevos mercados de otras formas de la producción, especialmente el interno que además absorbe cada vez mayor cantidad de lo que antes estaba destinado a la exportación.

Ese es el sentido del pensamiento de Hueyo (exportación del exceso de población nativa) o la fórmula de Fano (un habitante cada cuatro vacunos).

Ya se ha dicho que Ferrer identifica este grupo retardatario que concentró la propiedad territorial en sus manos, como fuerza representativa del sector rural; "un grupo social que se orientó en respuesta a sus interees inmediatos y los de los círculos extranjeros (particularmente británicos), a los cuales se hallaban vinculados hacia una política de libre comercio y opuesta a cualquier reforma del régimen de tenencia de la tierra".

Este sector, que también ya se ha visto, fue incapaz de convertirse en la burguesía argentina, por la acumulación capitalista proveniente de la expansión agropecuaria, y que aparece como expresión del capitalismo nacional, es el primer negador de sus posibilidades; tan anticapitalista como el socialismo de la cátedra y su partido, adscripto también a la división internacional del trabajo y opuesto a la formación de una burguesía nacional que sólo puede ser hija del cambio de la producción; por motivos aparentemente inversos, los dos coinciden en la práctica, como se verá en su permanente posición paralela frente a los gobiernos de origen popular, yrigoyenismo primero y peronismo después, en cuanto que, con plena conciencia o sin ella, interpretan las necesidades y soluciones fuera del esquema tradicional.

Las dos posiciones antiburguesas tienden a conservar la situación depen-

---

[1] En el decenio 1921-1930 los extranjeros de otras nacionalidades, es decir, ni españoles ni italianos, que anteriormente no habían pasado del 10%, llegan al 32%. Predomina la gente de Centro-Europa: alemanes, austríacos, polacos, ucranianos, en general judíos, con lo que está indicado la existencia de nuevas actividades en el mercado interno vinculadas al comercio y la pequeña industria, que son sus actividades preferentes. (La época de la colonización agraria judía es otra cosa y corresponde a principios de siglo, lo mismo que los llamados alemanes del Volga, ya muy asimilados bajo el nombre genérico de rusos).

diente de la Argentina con la previa renuncia a toda posibilidad de grandeza. Los primeros por las razones antedichas que se decoran ahora de un tradicionalismo aristocratizante; los segundos por aquello que ya Lenin había señalado respecto de la socialdemocracia polaca; *temiendo el nacionalismo de las burguesías de las naciones oprimidas, favorecen en realidad el nacionalismo ultrarreaccionario de los grandes rusos.* En efecto, el mantenimiento de las condiciones tradicionales de producción, no importa que sea en defensa de privilegios o el supuesto costo de la vida del trabajador, son antinacionalistas respecto de la Argentina y en la misma medida resultan nacionalistas respecto del Imperio Británico; es un común cipayismo con uniforme distinto, porque las cosas se juzgaban por sus resultados aunque los fines perseguidos no sean los mismos.

Desde el punto de vista de este trabajo, lo cierto es que desde 1914 y deteniéndonos en el esquema progresismo agropecuario, ya la Argentina ha terminado con las posibilidades de movilidad vertical que la han caracterizado del 80 en adelante como una sociedad en ebullición que permite percibir el rápido ascenso de las burbujas que vienen desde el fondo de la vasija.

LA SOCIEDAD Y EL ADVENIMIENTO DEL RADICALISMO AL PODER

Pero ocurre en ese momento una circunstancia excepcional: la primera guerra europea y la neutralidad argentina. Se le interrumpen los suministros manufactureros del exterior y el país aprovecha para diversificar algo su producción, reemplazando importaciones y creando actividades nuevas no dependientes del intercambio exterior, lo que supone una dinámica en el mercado interno, en la producción y en el consumo que no estaba en los papeles imperiales. El ascenso que iba a interrumpirse recibe entonces un nuevo empuje, cuya causa está ahora referida a la profundización del mercado interno.

Aparece en escena el radicalismo: la ley Sáenz Peña le ha abierto el camino y a los triunfos electorales parciales de 1912 y 1914 le sucede la elección presidencial que lleva a Hipólito Yrigoyen a la presidencia en 1916. El momento límite de la expansión agropecuaria es el momento en que la sociedad salida de ella llega al poder político y comienzan los balbuceos del cambio que se inicia con la primera guerra.

Se trata de una revolución aunque ella se haya canalizado por el camino del comicio, gracias al genio político de Sáenz Peña e Indalecio Gómez. Le tocó al radicalismo cumplir un papel nacionalizador, pues le dio cauce nacional a la inquietud política y a las aspiraciones de las clases medias surgidas de la inmigración, en el momento en que el país pudo constituirse en campamento de colonias extranjeras, si carentes de cauce argentino, los hijos de los inmigrantes se hubieran agrupado sin otra preocupación política y cultural que las de las colectividades originarias. La escuela pública y el radicalismo en la niñez y en la juventud, respectivamente, contribuyeron con los demás factores que ya se han enumerado a impedir el enquistamiento en colonias, el recibir en su seno a todos, en pie de igualdad, marginando las influencis nacionales de origen.

Esa clase media considerada en el capítulo anterior actuó entonces como tal, sabiendo que no era la alta clase argentina sino un componente de la nueva realidad del país; ella nutrió esencialmente las filas del radicalismo, alineándose detrás de viejos conductores que preferentemente provenían, en el litoral del alsinismo y en el interior del roquismo, después de la desnacionalización de éste, y en muchos de los cuales era fácilmente perceptible la continuidad familiar de la tradición federal como lo documenta Ricardo Caballero ("Yrigoyen y la Revolución de 1905").

Pero expresión de la clase media en sus planos directivos intermedios, recibió en el interior el sufragio y el apoyo de la antigua "clase inferior". El sufragio hizo de nuevo un elemento activo en la vida política, del criollo postergado desde la caída del Partido Federal. La libreta de enrolamiento le dio al hombre del común una nueva jerarquía que había perdido cuando perdió la lanza; volvió a ser alguien cuando al ser ciudadano, hubo que contar con él. Mucho antes que su presencia en el Estado se tradujera en política social, la existencia de su voto determinó que se lo comenzara a respetar, y frente al juez de paz, el comisario o el patrón, tuvo "palenque donde rascarse" en el caudillo que echó la compensación de su amparo en la desigual balanza de la igualdad teórica; otra vez los "inferiores" pesaron y la política del sufragio obligó al gobernante, aun surgido de las clases privilegiadas, a contemplarlos como entidad humana.

Así, si en el litoral el radicalismo se manifestó como un movimiento de clases medias, en el interior significó el ascenso político de la vieja clase inferior dejada de la mano de Dios en el largo interregno antipopular. Por eso el fenómeno fue más complejo de lo que suponen los que afirman que sólo fue *un partido con predominio de clase media de origen inmigratorio en Buenos Aires y el litoral, con apoyo obrero esporádico y parcial*, como dice Bagú ("La realidad argentina en el siglo XX"). Lo acreditó Lencinas en Mendoza y aquí sería de recordar la frase de Don José Néstor: *las montañas se suben en alpargatas* frente a la alternativa muy posterior de "libros o alpargatas" del socialista Américo Ghioldi; lo mismo, Vera y Bascary en Tucumán, Cantoni en San Juan, Mateo Córdoba y después Miguel Tanco, en Jujuy.

La llegada al poder del radicalismo no significó que el nuevo gobierno fuera a replantear las bases de la estructura económica argentina. Me parece acertado Ramos cuando dice (op. cit., tomo II): *Las transformaciones llevadas a cabo por el radicalismo yrigoyenista durante su primera presidencia, se dirigían a la superestructura del aparato gubernamental, y no alteraban las bases mismas del sistema oligárquico. Encarnaba un nacionalismo agrario fundado en los presupuestos mismos del país agropecuario y exportador heredado del siglo anterior... Yrigoyen buscaba tan sólo redistribuir la renta agraria, fruto de la condición semicolonial del país, en un sentido democrático. No se propuso alterar los fundamentos agrarios del país, sino mejorar las condiciones de vida de aquellos que hasta ese momento habían estado excluidos de los derechos cívicos y de las ventajas económics que podía facilitar una política nacional... De ahí que en el radicalismo se sintieron representados desde los ganaderos menores vinculados al mercado interno hasta los peones despojados de todo derecho, los hijos de extranjeros y los criollos nativos, la pequeña burguesía urbana que buscaba un lugar bajo el sol y los universitarios sin porvenir en una universidad gobernada por camarillas exclusivas, los obreros que no se sentían atraídos por la prédica del Partido Socialista porteño, los olvidados trabajadores del Nordeste, del Norte, del Centro y de Cuyo.*

YRIGOYEN FRENTE A LA REALIDAD

Yrigoyen expresó solamente ese ascenso de la sociedad argentina que provenía de la economía agropecuaria, pero percibió el cambio de situaciones que motivaba el surgimiento de nuevas bases. Si el ideario del radicalismo estaba limitado en la forma que Ramos expresa, los hechos, la insuficiencia del crecimiento agrario tradicional, que tocaba sus límites y la transformación operada por la guerra que abría otras nuevas perspectivas con el surgimiento de actividades industriales y comerciales dirigidas esencialmente al mercado interno, imponían trascender los sagrados principios de la economía liberal que habían sido dogma hasta entonces. El cierre de la Caja de Conversión actuó sobre la moneda con su consiguiente pérdida de poder externo, como factor proteccionista; la Ley de Alquileres que tendía a un hecho inmediato terminó con la intangibilidad absoluta de la propiedad privada; la política ferroviaria del Estado fue a la búsqueda, en el Pacífico, de nuevos mercados, la del petróleo propulsó su explotación oficial y marcó la necesidad de que nuestros yacimientos minerales no se mantuvieran como zonas de reserva de los consorcios; la ampliación de las funciones del Estado incorporó servicios imprescindibles a una sociedad moderna y la política obrera dio por primera vez personería al sindicato como expresión de fuerzas sociales que habían carecido totalmente de representación. (Te invito, lector, a que busques en los archivos de los diarios "serios" los indignados editoriales fundados en la "inadmisible" pretensión de que los obreros debatieran sus problemas en igualdad de situación con los gerentes de las grandes empresas de servicios públicos, recibidos unos y otros, en el mismo pie en la Casa de Gobierno).

La ley 11.289 que generalizaba las jubilaciones contó con idéntica oposición en la derecha y en la izquierda. (Estoy viendo la cabeza de la columna que marcharía de la Plaza Congreso a la Plaza de Mayo para pedirle su derogación a Alvear, como se consiguió. Allí están Joaquín de Anchorena y Atilio Dell'Oro Maini, presidente y secretario de la Asociación del Trabajo, fundadora de los "sindicatos libres" de "pistoleros", junto a la plana mayor del Partido Socialista). La política de la neutralidad en la Primera Guerra fue una piedra de toque: los grandes diarios, la Sociedad Rural, el Jockey Club y el Círculo de Armas, Ricardo Rojas, Leopoldo Lugones, Enrique Larreta, Alfredo Palacios (los recuerdo hablando en el mitin belicista del Frontón Buenos Aires, aquí a la vuelta en la calle Córdoba, donde yo también hacía el "idiota" ante la vibración democrática y culterana que los oradores administraban en dosis para adultos), los socialistas, los radicales "galeritas", todos los que eran alguien de derecha o izquierda, con la sola excepción de unos pocos como Manuel Gálvez, el General Uriburu, Belisario Roldán a la derecha, del Valle Iberlucea a la izquierda, todos vistos como desertores por los *status* consagrados de la inteligencia y la responsabilidad, como serían vistos después los pocos peronistas salidos de esos rangos.

La neutralidad expresaba en el plano de la soberanía lo que Yrigoyen expresaba en el plano económico y social. La existencia de un nuevo país para el que las fórmulas del liberalismo estaban perimidas porque no cabía dentro de ellas. No era un pensamiento orgánicamente definido, pero sí el balbuceo de una tentativa para manejarse por modos propios y hacia fines propios. La presencia del pueblo en el Estado, ahora con descendientes de inmigrantes y criollos, creaba un sentido nacional que había caído con la ausencia de las viejas multitudes federales. La realidad llevó a Yrigoyen a hacerse el intérprete del país que políticamente tenía detrás.

YRIGOYENISMO Y ANTIPERSONALISMO: ALVEAR

Consecuentemente la unidad del radicalismo hizo crisis y los "galeritas" fundaron el anti-personalismo; lo real es que ellos se aferraban al viejo contenido ideológico e Yrigoyen marchaba con los tiempos. No interesaba saber cuáles fueron los móviles del caudillo, si una simple especulación electoral como querían sus adversarios con el socorrido mote de demagógico, o una adecuación de su pensamiento al país que tenía delante. Lo cierto es que significaba un avance progresista que alteraba el plan de la Patria Chica ya terminada y completa.

A Yrigoyen le sucede Alvear. Este ha disentido con Yrigoyen en política internacional. Ausente del país durante largos años, no conoce las transformaciones que éste ha experimentado en su composición social, y cómo se ha modificado la composición de su partido con la del país. Es radical por motivos distintos a los que han llevado al radicalismo a los peones del interior, a los obreros de Buenos Aires y a la clase media que asciende. El radicalismo que rodea a Yrigoyen, de "gringuitos" recién llegados o de criollos de procedencia gauchesca u orillera, es ajeno al que motivó su militancia. Su posición democrática en favor del sufragio universal y el respeto de la Constitución y sus críticas a las corrupciones administrativas del régimen, es un disentimiento dentro de su propia clase, en la cual se siente altivamente superior en razón de su mejor prosapia hispánica; es también un típico impulso de su juventud romántica, rica en audacias que chocaban con los prejuicios de su clase y que ha demostrado en los actos decisivos de su propia vida íntima. Mario y los Gracos, Alcibíades, lo seducen más que Sila, pero es ajeno por completo a lo que ya caracteriza al radicalismo como yrigoyenismo, en la medida en que éste expresa la sociedad del momento de su victoria, mejor que la sociedad de los años de las revoluciones fracasadas. Su radicalismo no ha recibido la impregnación de la Argentina que surge, pertenece al pasado liberal, en el que las diferencias de los partidos se limitaban a esos vagos enunciados formales de la plataforma política originaria. Su alejamiento del país no ha contribuido a su mejor conocimiento: todo lo contrario, y su disentimiento en materia internacional, no es más que su correspondencia con la escala de valores que practica en Buenos Aires en su extranjería, la "intelligentzia" y la "gente bien".

Mientras Yrigoyen iba conformando su pensamiento con la responsabilidad de conducir una nueva realidad de que tomaba conciencia, a medida que definía su carácter social la fuerza política con que gobernaba, Alvear estaba absorbido por el drama de la Europa en guerra, sin poder percibir a la distancia los factores que lo distanciaban cada vez más de su antiguo jefe, que lo hacía presidente, y cuyas motivaciones no podía interpretar. Desde que apareció como candidato, la vieja clase comenzó a rodearlo, tras las avanzadas de los radicales "galeritas". La constitución de su gabinete confirmó la nueva orientación y el impulso renovador que había significado. Yrigoyen quedó atrás. Así gran parte de las industrias que estaban en sus comienzos cayeron o limitaron su producción. Dice Ricardo Ortiz refiriéndose a ese momento: "En cuanto las circunstancias adversas dejan de actuar, la industria europea retoma sus posiciones y ello se traduce por un decrecimiento experimentado por las industrias típicamente nacionales".

"Se abre la aduana a los aceites de España e Italia, a los tejidos británicos, a la manufactura europea en general. Ingresa nuevamente libre de derechos la maquinaria agrícola y se gravan los elementos necesarios para la industria nacional que producen esas maquinarias. Los industriales se convierten en importadores", agrega Ramos.

Esta marcha hacia atrás en el proceso económico interno no produjo sin embargo el impacto que hubiera provocado en otras circunstancias. Alvear, que fue toda su vida un feliz heredero en lo particular, lo fue también como gobernante: heredó aquel momento próspero de la primera post-guerra en que la producción agropecuaria tuvo factores climáticos tan favorables como los del mercado, y que constituiría el último momento próspero de la economía tradicional. Su gobierno tuvo, en consecuencia, un momento económico de excepción, que ocultó los aspectos negativos de su política, en cuanto interrumpía el necesario desarrollo de la transformación interna. Fue un momento de vacas gordas similar al proceso expansivo de principios de siglo que contó, además, con el desarrollo interno operado gracias a la guerra y la política de Yrigoyen, y así la incidencia social de la vuelta a la economía tradicional no produjo el impacto social que el país percibiría después de 1930, cuando la detención del progreso interno ya no sería compensada por la curva creciente de las exportaciones.

Esto no impidió que la clase media y las clases populares tuvieran clara conciencia de la restauración de la vieja política que el gobierno de Alvear había significado, y la nueva elección de Hipólito Yrigoyen desbaratando el "contubernio" de los "galeritas" con las fuerzas conservadoras, ratificó la demanda de una política correspondiente a la realidad del país.

Poco duró el nuevo gobierno de Yrigoyen, que llegó precisamente en el momento de la gran depresión mundial que castigó aun más violentamente que a las metrópolis a los países con economías dependientes. Evidentemente las circunstancias reclamaban una personalidad más vigorosa que la del viejo caudillo en declinación y una política económica más recia que la contenida en los enunciados generales y en la voluntad comprensiva que habían bastado en el primer gobierno para iniciar la marcha sobre la base de las circunstancias favorables creadas por la guerra.

Ahora terminaba el paréntesis eufórico, el último chispazo de la prosperidad agropecuaria. Bruscamente el país se encuentra ante la realidad que Ferrer nos ha señalado para esta fecha. Los ascensos generales de la sociedad y los movimientos verticales dentro de ella que permitieron la ampliación de los estratos intermedios y han operado desde la sustitución de la sociedad tradicional se tornan cada vez más escasos. La crisis del año treinta en las metrópolis lanza sus efectos multiplicados a los países de economía dependiente.

El anterior gobierno de Yrigoyen ha correspondido a la sociedad en ascenso; ahora el fenómeno es inverso y acelerado y precisamente donde el impacto se siente más fuerte es en la clase media. El viejo conductor no está en condiciones físicas para afrontar este momento difícil de una economía monoproductiva cuyo mercado cae verticalmente, sin que se den las condiciones sustitutivas que en el gobierno anterior proporcionó la primera guerra.

1930: EL SALTO ATRÁS Y LA DÉCADA INFAME

La revolución de 1930 viene a consolidar definitivamente la política tradicional: como después de Caseros, las multitudes argentinas no pesarán más en las soluciones del Estado y se inmovilizarán los ascensos de las clases porque una sociedad estática es la correspondiente a la economía estática cuyos resortes van a cristalizarse. El doctor Alvear, y sus galeritas, entretanto, se adueñan de la dirección del radicalismo para cumplir la función reguladora que desvía hacia la conformidad, el instrumento que podía expresar resistencias.

Estamos en la "Década Infame". Es la infamia del fraude y el vejamen al ciudadano, pero esta es la infamia de la forma. La infamia de fondo es la traición deliberada y consciente al destino del país, porque el fraude en sí no es más que un medio. (Lo es hasta la misma lucha contra el fraude, porque esta lucha tiende a disimular el contenido real de la usurpación del gobierno. Hace creer que su objetivo es determinar quiénes son los que gobiernan y no para qué se gobierna, cosa que muchas veces ignoran hasta los mismos ejecutores y beneficiarios de la estafa electoral. Los fraudulentos arguyen su mayor capacidad técnica como gobernantes para justificarse; los defraudados, la autenticidad de su representación. Todos se dicen democráticos, y hasta se lo creen; sólo que unos dicen postergar la hora del sufragio auténtico al momento en que los argentinos se capaciten para ser ciudadanos; los otros creen que éstos ya están capacitados, pero unos y otros son ajenos a las finalidades que van implícitas en la vigencia de un gobierno popular). Pronto el país percibirá que el conflicto es exclusivamente un conflicto entre políticos: "res" entre ellos. Las multitudes se irán alejando paulatinamente de la pasión política. Desde las altas tribunas de las canchas de fútbol o de los hipódromos, terminarán por contemplar el espectáculo como la arena de un circo en que sólo son espectadores.

Y este justamente es el momento crítico que señala Ferrer "cuando las nuevas condiciones del desarrollo del país exigían una transformación de su estructura económica".

La tarea del gobierno debió ser esa. El gobierno del General Justo y sus continuadores hizo todo lo contrario. Para eso había sido llevado al poder: para cristalizar de una manera definitiva una política "opuesta a la integración de la estructura económica del país". El tratado Roca-Runciman es un pacto entre Gran Bretaña y la Sociedad Rural, que firma la Argentina. Aquélla se compromete a garantirle a ésta la continuidad de sus compras (de las que no puede prescindir todavía), con alguna mejora de monedas en los precios, y ésta a crear en la Argentina condiciones que impidan su desarrollo progresivo.

El Congreso sanciona todas las leyes que constituyen el "estatuto legal del coloniaje" y los pocos representantes radicales que participan del mismo, colaboran adelantando con esto, a su vez, la garantía de que no obstarán al mantenimiento del sistema con lo que se preparan para el acceso al poder cuando, asegurada la estabilidad del sistema, los grupos de presión ya señalados (entonces no se empleaba todavía esta terminología), consideren que ya no le son necesarios los políticos fraudulentos para la continuidad del mismo; política que empieza a perfilarse en la presidencia de Ortiz, y sólo se frustra por la ceguera y el posterior fallecimiento del presidente. Ya está arreglada la economía ("Estatuto Legal del Coloniaje"); sólo falta democratizar la política para que el Estado de Derecho ratifique y protocolice la intangibilidad del sistema económico.

Se inaugura en el país el dirigismo económico. Los liberales son ahora dirigistas como antes eran anti-intervencionistas de Estado. Volverán al liberalismo clásico cuando el dirigismo se haga nacional. Las doctrinas económicas como las doctrinas políticas servirán lo mismo para un fregado que para un barrido: se usará en cada oportunidad la más conveniente para impedir la integración de la economía nacional.[2]

---

[2] De cómo las doctrinas económicas más opuestas pueden servir para la misma finalidad es un ejemplo vivo, ¡vivísimo!, el Doctor Federico Pinedo. Socialista en su juventud, sostuvo con su partido la política de la división internacional del trabajo combatiendo, con el pretexto de la defensa del costo de vida, la formación de un capitalismo nacional: ya maduro, fue en el gobierno del General Justo el realizador de la política dirigista, con los mismos fines, y ya en la vejez se vuelve contra el dirigismo en cuanto éste, bajo el gobierno de Perón, utiliza los mismos instrumentos que él había creado para orientarlos en sentido nacional. Vuelve así otra vez a ministro después de 1955, como ortodoxo de la doctrina manchesteriana. Tres personas distintas y un solo Dios verdadero, consustanciadas en un solo personaje, consecuente con el interés imperial bajo los tres antifaces doctrinarios.

Toda la gente que confunde "moralina" con moral y que lo ha apoyado en sus sucesivas transformaciones porque carece también de moral nacional, no se fija tampoco mucho en la moralina cuando se trata de estos casos. Porque el Doctor Pinedo, como lo he recordado, propició como ministro un proyecto que había elaborado como abogado por el precio de diez mil libras esterlinas, jactándose de sus aptitudes técnicas al confesarlo. (*)

(*) Del discurso del ministro de Hacienda de la Nación, Doctor Federico Pinedo en el Senado Nacional el 17 de noviembre de 1940:

"He sido o he colaborado en las grandes compañías navieras, las grandes casas financieras, las más importantes y se me pagó por él, como correspondía, honorarios importantes, compañías de transportes urbanos... *porque de todas ellas soy abogado.*

Lisandro de la Torre dirá en el Senado que "hay pánico entre los propulsores de la mayor parte de la industria argentina, sobre todo de los fabricantes de artículos que también se fabrican en la Gran Bretaña...".

"Alguna explicación hay que buscar ante el hecho enorme de que en la Argentina podrán trabajar persiguiendo el lucro privado las empresas extranjeras y no lo podrán las empresas nacionales". Agrega: "el mismo informante decía ayer: *el gobierno inglés quiere o el gobierno inglés no quiere...* y eso que el gobierno inglés quiere o no quiere se refiere a cosas que pertenecen a la República Argentina, y debieran ejecutarse por el gobierno argentino... En estas condiciones no podría decirse que la Argentina se haya convertido en un dominio británico, porque Inglaterra no se toma la libertad de imponer a los dominios británicos semejantes humillaciones... Inglaterra tiene, respecto de esas comunidades de personalidad internacional restringida, que forman parte de su Imperio, más respeto que por el gobierno argentino. No sé si después de esto podremos seguir diciendo: "al gran pueblo argentino ¡salud!".

"Hoy se ha publicado en los diarios un plan referente a reorganización ferroviaria que yo he dado a muchas personas, a todo el que me lo ha pedido, y haciendo presente que ese plan había sido elaborado por mí, *en mi calidad de abogado de todas las empresas del país*, que me habían consultado sobre esa materia cuando estuve en Londres y después en el país. El trabajo era muy importante y se me pagó por él, como correspondía, honorarios muy importantes: 10.000 libras esterlinas".

El Dr. Pinedo se adelantó a manifestar esto madrugándolo a un senador opositor que le estaba por lanzar el dardo, en el mismo recinto en que fue asesinado el senador Bordabehere durante el debate de las carnes, por un guardaespaldas ministerial.

La memoria de la gente suele ser muy flaca y a veces se pregunta por qué esa época se llamó Década Infame. Creo que en estos dos hechos, que no son más que modestos botoncitos para muestra, está explicado todo. El Dr. Pinedo escribió después un libro ponderativo de esa época ejemplar que llevó el nombre de "Tiempos de la República". Toda la gente que añora aquella supuesta *Jauja* coincide con Pinedo en que aquellos eran los tiempos de la República, y no la Década Infame: hasta muchos que fueron amigos de Bordabehere y de De la Torre y gran parte de los opositores apaleados para que existiera esa clase de gobierno grato a la evocación del "medio pelo". Y todos son campeones de la moral, de una moral que no exigió el fusilamiento

Todo se votó como lo había querido Gran Bretaña. El cadáver del senador Bordabehere hizo más roja la roja alfombra del Senado, bajo los disparos de Valdez Cora, un guardaespaldas que habían llevado los ministros al debate.

Lisandro de la Torre se matará pocos años después. "No interrogues el alma del suicida", como dijo en su verso otro suicida, Leandro Alem. Pero puedo vincular el suicidio al derrumbe de toda una vida. Lisandro de la Torre ha sido el niño mimado de la oligarquía terrateniente; es el hombre para las grandes soluciones; el General Uriburu ha querido imponerlo como presidente, y él no ha aceptado. Seguramente cuando sale a defender la soberanía nacional y el progreso de la sociedad argentina cree que va a tener detrás de sí a todos sus viejos admiradores y sobre el cadáver de su camarada de banca descubre que son sus enemigos. Su mundo se derrumba. En ese momento dramático conoce los verdaderos motores de la historia argentina y el papel que juegan las supuestas élites. Es que ha descubierto el resorte misterioso que ordena las fuerzas en la economía liberal. Ahora sabe, pero siente que es tarde.

---

del Dr. Pinedo, sino que permitió que fuera después ministro en dos oportunidades, con los resultados que se reconocen, y que continuara hasta su muerte siendo consejero "in extremis" en los momentos críticos de la economía cuyos males provienen de esos procedimientos.

Y no es que el fenómeno imperialista y sus consecuencias sea una invención exclusiva de cripto-comunistas y de cripto-nazis, que es la técnica usada para desprestigiar el patriotismo positivo, que se sienta en la realidad y no en la declamación a fecha y ceremonia fija.

El doctor Enrique Uriburu, hermano del General Uriburu y Presidente del Banco de la Nación en la presidencia de aquel, es autor de una de las más precisas definiciones del imperialismo, en el caso concreto, mucho más comprensible para nosotros que las importadas.

"El imperialismo tiene dos formas: una es la anexión pura y simple, el imperialismo por kilómetro cuadrado. La otra forma es la colocación e infiltración de capitales, su empleo en la producción, transportes, servicios públicos,y luego un banco que corona el edificio con su bandera ajena. *Uno de los ejemplos más claros de esta forma es nuestro país.* Nosotros no vendemos trigo y carne como cree la gente, vendemos un compuesto de intereses, fletes y amortizaciones. Las estadísticas de la comisión de cambios son de una gran claridad a este respecto. Deben tenerla los argentinos muy presente. NUESTRA COSECHA ES LA MASA DE UN CONCURSO".

Tal vez ha mirado hacia atrás y ha desfilado por su memoria su larga lucha de la juventud y descubre que los que le seguían, lo utilizaban. Tal vez también lo descubrió el General Uriburu, pero no tenía las aptitudes de De la Torre para llegar a las últimas consecuencias. Aquél era frívolo y superficial, mientras Don Lisandro se entregaba con pasión y en profundidad.

ORDEN SOCIAL Y MISERIA POPULAR

Es un momento dramático para la sociedad argentina. Se dirá que la crisis de los años 30 es universal, pero sus efectos en las metrópolis son distintos. El economista alemán Fritz Sternberg ("Capitalismo o Socialismo", F. de C. Económica, México, 1954), hace notar la escasa disminución del ingreso general en Gran Bretaña, y la explica: "En primer lugar, porque la baja de los precios de las mercaderías importadas, en su mayor parte alimentos y materias primas, fue mucho mayor que la de los productos industriales que exportaba. La industria mundial reaccionó a la crisis económica reduciendo su producción; la agricultura mundial reaccionó ante todo con una baja en los precios de los productos agrícolas". Así nuestro país alimentó a bajo costo al pueblo británico y "los trabajadores europeos que tenían empleo de tiempo completo lograron, pues, un aumento en los salarios reales durante la crisis debido a la baja de los precios". La pobreza argentina subvencionaba el buen nivel de vida de la metrópoli. ¡Y qué pobreza! Scalabrini Ortiz lo ha dicho: "ajustaremos acá el cinturón para que allá puedan correrle algunos ojales".

Reproduzcamos alguna de las admirables páginas con que Jorge Abelardo Ramos (ob. cit. tomo II) nos hace la descripción del Buenos Aires de entonces.

"... Discépolo, poeta del asfalto, escribe sus tangos, penetrados de amargura siniestra. ¡Un canto a la desesperanza, un himno al fracaso! En todos los labios se repiten los versos estremecedores de *Yira, Yira*: es la biblia del «raté» en la monstruosa ciudad de cemento".

"El mate había sido una necesidad en los viejos tiempos de la pampa libre; luego fue un vicio amable en las conversaciones lentas. En 1930 es de rigor como alimento casi exclusivo, con el bizcocho con grasa. Reina el bar automático: con una moneda, baja del tubo sucio de vidrio un sándwich indiscernible. Era el templo gastronómico para los *gourmets* de la crisis; revestido de azulejos, como el hospital o la morgue, en el local pululaban actores sin trabajo, borrachos disertantes, estudiantes crónicos, vagos sin origen ni destino, empleadillos, mujercitas sin clientes...".

"... De Tucumán, Santiago del Estero o Corrientes, bajaban a la Capital las jóvenes vestidas de negro, macilentas y tristes, de alpargatas y monedero vacío, a conchabarse en las familias de la alta o baja pequeña burguesía, por $ 20 ó 30 mensuales, *con comida y cama adentro*. El zoológico será su fiesta, los conscriptos de la Plaza Italia el amor furtivo en la inmensa ciudad hostil..."

"... En las madrugadas, los desocupados rodean a los canillitas que venden «La Prensa». Los *ofrecidos* son muchos más que los *pedidos*. Los desocupados con bicicleta llegan antes que los otros a la oficina o a la fábrica. No hay vacantes, de todos modos. En el conventillo de cinco patios, con las macetas de malvones en las latas de Ybarra, se hierve al infinito la yerba y un solo ejemplar del diario arrugado circula por toda la población de la casa. La *Singer* jadea en el fondo. La pantalonera trabaja por pieza..."

LA CLASE MEDIA PAUPERIZADA

Pero no es sólo la miseria de los trabajadores. Ella golpea violentamente en la clase media que se creía a salvo de sus riesgos.

"El peso es un peso *fuerte*, sólido, respetable, exclusivo. Otra canción de la crisis lo busca: *"dónde hay un mango, viejo Gómez, los han limpiao con piedra pómez"*. El Ejército rechaza a miles de jóvenes por no aptos. La tuberculosis hace estragos. La palabra neumotórax es una palabra del año 30. Los maestros sin empleo, los analfabetos con el estómago vacío y los maestros que no cobraban sus sueldos son los fenómenos corrientes de la década. La pequeña burguesía se degrada; se forma una subclase de desocupados. El dolor se combina con la picaresca para sobrevivir. Buenos Aires se puebla de buscavidas y de oficios inverosímiles. Porteños y provincianos hundidos en la desdicha se hacen buscones. El amigo del jockey, que persigue la quimera de un *dato* preciso para el domingo; el atorrante divagador y filosófico que bebe café a crédito; el abogado que busca un empleo público; el organizador de banquetes o de rifas inexistentes, el falso influyente, el gestor de empleos, que es cesante, el cesante yrigoyenista de 1930 que hace de su desgracia una carrera y sólo acaricia durante años la esperanza de reingresar al empleo público, el desesperado que corteja a la dueña de la pensión, el escuálido poeta que vive cada quince días, por turno, en casa de algún amigo, el protector de leprosos que vende rifas sin número, el antiguo proxeneta herido como un rayo por la ley de profilaxis y que ahora alquila departamentos por hora para el amor fugaz; el empleado embargado y concursado, el ave negra sin pleito que espera el asunto salvador en el bar Tokio, frente a los Tribunales, el rematador sin remates, el naturista transformado en curandero o yuyero, el grafólogo que adivina el carácter, el astrólogo que descifra el porvenir, el falso médico que adquiere su título por 300 pesos en la frontera de Bolivia, el nihilista y el iluminado, el espiritista y el marinero en tierra, el comerciante quebrado y el conspirador radical que sueña con el regreso. ¡Buenos Aires! La pequeña burguesía tirita bajo el vendaval. En la Chacarita de los automóviles se acumulan todos los modelos y junto a ellos, calaveras y gigolós se hunden en la bancarrota".[3]

El Ejército ha sido utilizado para restablecer la alianza entre el Imperio y la clase que lo proyecta dentro de la República. Ahora el General Justo lo disciplina de nuevo y encuentra un Ministro, el Coronel Rodríguez, que pasará a ser el arquetipo del militar que lo devuelve a su "destino específico": asegurar el orden, cuando el orden es el de la Patria Chica, el de la dependencia. Los mismos regimientos de "Empujadores" y "Animémonos y vayan", de civiles, que lo han sacado de los cuarteles, lo aplauden cuando retorna a ellos una vez que los consolidan en el poder. Historia repetida pero jamás aprendida.

Pero ocurre algo que no estaba en los papeles de los hombres sabios: otra

---

[3] Hablaba yo en Plaza Italia en la tribuna de FORJA allá por 1936, y comentaba los dramáticos días que vivía entonces la clase media condenada a la vagancia o a actividades semi-marginales. Señalaba al auditorio la presencia del oficial de policía que controlaba el orden e hice un elogio del funcionario cuya excelente foja de servicio conocía. El oficial, muy agradecido, me hizo dos o tres venias. Pero, continuando en el desarrollo del discurso, agregué: "Imaginemos ahora que este excelente funcionario no hubiera tenido la suerte de poder ingresar en la Escuela de Policía y me pregunto ahora, sin la carrera que consiguió, qué sería en este momento". Agregué: "Es muy posible que fuera quinielero".

El funcionario se indignó, cosa razonable, pero todo el auditorio que vivía el drama comprendió perfectamente la dolorosa alternativa. Y no faltó quien me informara poco después que dos hermanos del mismo que no habían conseguido trabajo, se estaban defendiendo con el lápiz. Imagino el drama de ese modesto hogar; en ese tiempo no hacía falta imaginar mucho, pues se vivía en todo Buenos Aires con sus infinitas variantes.

guerra mundial rompe el esquema de la economía tradicional. Ortiz, proclamado candidato por la Cámara de Comercio Británica, antes que por los partidos de la Concordancia, muere antes de finalizar su período y ocupa la presidencia el doctor Ramón Castillo, su vice, y ante la sorpresa de todos, este viejito provinciano, personalmente honesto y pieza de recambio en el juego de la oligarquía, afirma la posición neutralista, y sobre ella intenta soluciones cuya perspectiva se abre con el nuevo desarrollo industrial que va a ocupar la vacante dejada por la importación. El país, cerrada la puerta de entrada y salida, se vuelve sobre sí mismo.

La industrialización progresiva genera la ocupación, que a su vez incrementa el consumo y así surge un mercado interno que diversifica la producción y señala un auge de la economía. La demanda de brazos acelera la inmigración de la gente del interior a los centros industriales que nacen y nos vamos acercando en el campo obrero a la plena ocupación, mientras que la diversificación de las actividades multiplica las posibilidades de la clase media.

Es curiosa la situación que se crea: el Presidente de la República se encuentra aislado del pensamiento y de la voluntad de las fuerzas que lo llevaron al poder; su política de la neutralidad y la orientación económica que se perfila con la creación del Banco Industrial y la Flota del Estado es resistida por sus partidarios, e igualmente por la oposición, cuyos dirigentes, del radicalismo y el socialismo al Partido Comunista, exigen intervención en la guerra y la subordinación a las políticas imperiales. La unanimidad de la gran prensa, de la cátedra universitaria, de los intelectuales, está en contra de la política práctica. El programa belicista es común a la dirección de todos los partidos políticos del gobierno a la oposición. El presidente está solo.

¿Solo? Solo en la Argentina nominal, la de los títulos de los diarios, de las entidades representativas respectivas, de las academias a la Sociedad Rural, de la Universidad a la Unión Industrial, de entidades de los intelectuales. Pero la Argentina real y profunda, la que no tiene medios de expresión ni títulos representativos pero es el país de la multitud que está con el viejo Presidente; en esto solo, porque lo sabe fraudulento y mal acompañado, pero sabe que la neutralidad es punto de partida para la marcha hacia adelante o punto de rendición. Pero la ocasión le va grande a Castillo. Sólo tenía que jugarse a la carta del pueblo rompiendo con los círculos políticos de la concordancia y convocar al país alrededor de ese tema central acabando con el fraude y con la entrega. Llegó hasta el borde de la decisión y se echó atrás.

Va a terminar sin pena y sin gloria en un fraude más. La revolución de 1943 le ahorró esa vergüenza.

El Ejército ha tomado el poder pero no sabe para qué. Un general que al solo mérito de su mayor jerarquía "se ha colado" en el momento decisivo resulta presidente: Rawson. Expresa la política belicista en lo internacional y en lo interno un nuevo 1930. No alcanza a durar dos días y lo sucede otro general: el general Ramírez. El máximo pensamiento de éste es una convocatoria electoral que asegure el triunfo del radicalismo que había domesticado Alvear. Lo sustituye Farrell, que es un interregno mientras se definen las luchas internas dentro de las fuerzas armadas. Termina por perfilarse la personalidad de Perón, que ha ido concitando a través de su política social el apoyo de los trabajadores.

Nada expresa este momento nuevo de la Argentina que se viene realizando desde el principio de la guerra con la transformación de la economía, como la presencia de un proletariado que no tiene nada de común con el que se había nucleado antes alrededor de un sindicalismo escuálido, anarquizado por las tendencias ideológicas importadas. El que ahora está en Buenos Aires y sus alrededores es la expresión máxima de una sociedad en ascenso, que ha hecho posible la brusca expansión industrial que constituye su base de trabajo y de consumo en un mercado en potencialidad creciente.

El ritmo permanente pero pausado de la migración del interior hacia los centros urbanos se ha hecho violento. Los trabajadores, rubios o morochos y de variado idioma que entraban por la dársena hasta hace treinta años, tienen su réplica actual en esas multitudes que día a día desbordan las estaciones de ferrocarril con su "pelo duro" y sus rostros curtidos y el canto de su tonada provinciana. Es migración, pero también de ascenso como la de los gringos de antes. Son peones de "pata al suelo", trabajadores ocasionales y desocupados habituales, que ingresan al trabajo estable y aprenden rápidamente técnicas que parecían reservadas para los "gringos", porque de peones devienen obreros. Desbordan la ciudad que no está preparada para recibirlos y desbordan también el viejo sindicalismo reclamando cuadros que los interpreten.

Ignoran y no les interesan las ideologías transferidas desde Europa. Son el sector obrero de una sociedad en ascenso, pero sin las inhibiciones ideológicas de la antigua conducción sindical, comprenden que su ascenso está ligado al ascenso general de la sociedad. *Tienen la conciencia histórica de su falta de destino dentro de los límites de la Patria Chica estrangulada en la estructura de la dependencia, y ligan su destino a las posibilidades de la Patria Grande.*

Porque se trata otra vez de una sociedad en ascenso, su signo no es la lucha de clases según lo exigen los partidos marxistas: sus conflictos empujan a las otras clases porque sus exigencias crean mercado y oportunidades. Es la marcha hacia una frontera interior cuyo signo es el ascenso por la creación de oportunidades imposibles en la sociedad cristalizada. *De tal manera la cuestión social es para ellos la cuestión nacional y su prosperidad, la continuidad de su ascenso, se liga inseparablemente con la grandeza de la Nación.* Ya su doctrina está hecha con comprenderlo: *soberanía nacional, liberación económica y justicia social son inseparables.*

No están solos. Las nuevas condiciones han abierto un nuevo horizonte a la clase media que sobrevivía cada vez más empobrecida sin otra perspectiva que el empleo público y las profesiones liberales de mísero rendimiento. Las ocupaciones típicas de la misma se multiplican, y se crean las condiciones para que de su seno, y aun de los mismos trabajadores que ya poseen aptitudes técnicas y comerciales, surjan los elementos constitutivos de una burguesía nueva, industrial y comercial, que por otra parte ha madurado bajo la influencia del pensamiento de los grupos nacionalistas, forjistas y muchos de los radicales intransigentes y los pocos marxistas que ajustan el método sobre la realidad; hay una conciencia nacional a la que contribuye gran parte de la oficialidad del Ejército, y dará los elementos políticos de un pensamiento nacional. Perón tiene el talento de capitalizar esa realidad poniéndose a la cabeza de la misma y conduciéndola. Pero este momento de la clase media se verá en los capítulos siguientes.

La "intelligentzia", con la oligarquía, ha elaborado la peregrina tesis de que Perón inventó un país con los recursos del poder y el soborno al margen de la realidad, cuando la cosa fue totalmente al revés: el país inventó su hombre a falta de una élite conductora. Claro que no lo podía haber inventado si el hombre no hubiera tenido las condiciones para la conducción del proceso. Pero las tuvo y su victoria no fue una victoria de Perón: fue una victoria del país nuevo a través de Perón. Y porque las tuvo profundizó el proceso, lo aceleró y trató de integrarlo hasta las consecuencias que estaban en sus manos frente a la conjunción de todos los intereses locales e internacionales que se oponían a la actualización de la Argentina.

Es extraño a la finalidad de este trabajo el análisis de la política económica peronista, que remito a un trabajo posterior. En él se analizarán las soluciones económicas con sus aciertos y sus desaciertos, así como los aspectos culturales del gobierno peronista. Las referencias que este trabajo contiene en lo económico y lo cultural, como se ha dicho, sólo son imprescindibles para encuadrar los hechos sociales que estoy tratando.

Realizar una política nacional importaba dar un salto en el vacío al que ninguna ayuda proporcionaban los libros, la cátedra y la doctrina y todo el aparato de la importación ideológica de derecha a izquierda. Por el contrario, aceptar su pensamiento oscilaba entre la alternativa de someterse a la política tradicional de los liberales, o a la de un marxismo desvinculado de la realidad argentina, que también se movían con dos alternativas: el reformismo del Partido Socialista, cuyas soluciones prácticas coincidían con las exigencias de la división internacional del trabajo en su oposición al desarrollo del capitalismo nacional, o una hipotética revolución total en que la Argentina jugaba como pieza insignificante en la estrategia soviética, sin compromiso con la Argentina del presente y del futuro inmediato.

La responsabilidad del gobernante siempre será: hoy y aquí.

Se trataba de realizar lo posible en el mundo de la realidad circundante y para esa realidad y esas posibilidades no había literatura doctrinaria, ni teórica, ni maestros. Se trataba de marchar hacia una frontera interior de avance jaqueada por todas las fuerzas internas y externas que querían cristalizar el país de la Patria Chica, o utilizarlo como pieza en el juego de una estrategia mundial revolucionaria.

Recién ahora, en 1963, Raúl Prebisch ha descubierto (ob. cit.), como ya se ha dicho, que todas las teorías elaboradas en los grandes centros, no tenían en cuenta los problemas de la periferia y resultaban inoperantes, y también contraproducentes. A falta de una doctrina económica elaborada, había que proceder pragmáticamente y elaborar sobre la marcha las soluciones. Y así como la política social resultó de la existencia de los hechos, de éstos resultó la política económica. Sólo que se invirtieron los términos empleados en la Década Infame: durante ella, la política del gobierno había sido la coerción sobre los mismos para impedir que produjera sus frutos: la nueva, consistió en estimularlos y dirigirlos en búsqueda de la potencia nacional.

En la oportunidad de ese otro libro se verá en detalle cada una de las medidas que se tomaron y se analizarán a mi entender sus aciertos y sus errores, pero por ahora el hecho que nos interesa es que el proceso peronista ha sido el único ensayo de política económica nacional que el país ha tenido.

Entramos en ese momento al desarrollo de las posibilidades de una sociedad capitalista nacional, pequeño horizonte para los tremendistas que lo obstaculizaron, facilitando, con la postergación, el mantenimiento de las condiciones de dependencia. Gran horizonte para el pueblo argentino de hoy y del mañana inmediato que no reclama estructuras teóricas ni perfectibilidad absolutas, sino un ascenso colectivo como el que se destruyó en 1955, retornado a la única alternativa posible: la dependencia tradicional.

Ni más ni menos: la Argentina entraba a su propio desarrollo capitalista pero en las condiciones del siglo XX y con una vanguardia de trabajadores que reclamaba y exigía con esa entrada la creación de condiciones sociales de prosperidad, ligada a la grandeza concreta que resultaba de la etapa.

Como en 1930 frente a la balbuceante política nacional yrigoyenista, en 1955 se derrumba esta mucho más profunda tentativa de política nacional, por una coalición externa e interna similar a la de entonces, pero mucho más aguda e intensa en la medida que era mucho más agudo e intenso el carácter nacional de las realizaciones que motivaban la reacción: se trata de cercar el país dentro de la Patria Chica.

Toca ahora, ya en presencia de la sociedad contemporánea, entrar al tema específico que motiva el título de este libro.

CAPÍTULO VIII

UNA ESCRITORA DE "MEDIO PELO" PARA LECTORES DE "MEDIO PELO"

La burguesía en riesgo de frustración a que me he referido en la última parte del capítulo anterior no constituye por sí sola el "medio pelo"; es sólo uno de los aportes al mismo. Corresponde determinar qué sectores sociales lo componen y cuáles son las pautas que lo rigen. Por concretas que sean las bases donde reposa, el *status* expresa una serie de situaciones en que juegan normas éticas, estéticas, ideológicas creando una serie de relaciones imponderables. Esto con mayor razón cuando se trata de un grupo definido más cultural que económicamente, y que desborda hacia la frontera de *status* superiores e inferiores. Sus límites son imprecisos por cuanto la posesión del *status* no es concreta, de naturaleza material ni materializable, sino un hecho anímico, una actitud más vinculada con la subjetividad del agente, que con la objetiva posesión del mismo.

Hay una expresión vernácula, "piyársela", que expresa esa desvinculación entre el hecho objetivo y la subjetividad: cuando el tipo "se la piya" actúa en función del *status* que se "ha piyado", aun a pesar de las circunstancias que lo contradicen: y el estar "piyado" –creerse lo que no se es– tipifica al "medio pelo", mucho más que la expresión *status*.

Aquí un estudiante de sociología me apunta el concepto técnico: es la disociación entre el "grupo de referencia" y el "grupo de pertenencia". Gracias, y adelante.

Digo *status*, también por aproximación, pues no puedo decir clase, que es concepto más limitado sobre todo en el orden socio-económico, pero debe tenerse presente que con *status* expreso más la actitud del "piyado" que su realidad objetivamente apreciada. Es lo que los marxistas llaman "falsa conciencia", refiriéndose a la clase media. (Peter Heintz, "Curso de Sociología", Ed. Eudeba, 1965, como también me apunta el estudiante).

En esta tarea de aproximación, el libro de Beatriz Guido, "El incendio y las vísperas" me ha proporcionado una excelente cantera para la individualización de los "piyados", que constituyen el "medio pelo", y el origen de muchas de las pautas que los rigen.

Es el único interés del mismo ya que, como lo he dicho en algún artículo periodístico, se trata de una autora marginal a la literatura, de un subproducto

de la alfabetización. El lector debe comprender que el espacio que voy a dedicarle sólo se justifica por el interés del disector frente a la pieza anatómica.

Tampoco interesaría sin su éxito editorial, que es el que nos advierte de la existencia de un vasto sector para esa clase de mercadería.

Corresponde identificarlo. Como se verá en seguida, este libro no pudo suscitar ningún interés, sino todo lo contrario, en la clase alta a la que se pretende cortejar ignorando las pautas de la misma y la falsedad injuriosa de las que le atribuye la autora. Mucho menos en la clase obrera de presencia incidental y aun en la clase media como tal, de la que la autora fuga –una de las actitudes más definitorias del "medio pelo", propias de la simulación de *status*–, que con todo nos evita las reminiscencias denunciadoras.

Sin la existencia de las "gordis", este éxito editorial sería incomprensible. Requiere un público en que se dé en la mismas medidas que en su libro, la ignorancia y la petulancia intelectual, la falsedad en la posición y aplomo para actuar del que la ignora, y que participe de una visión del país completamente sofisticada a través de una lente de convenciones deformantes y tenidas por ciertas. Entiéndase, pues, que el análisis no es más que el pretexto para poner en evidencia la calidad de los lectores, que son los que interesan; ellos son el objeto de la investigación a través de su proveedor intelectual. Por eso digo: una escritora de "medio pelo" para "lectores de medio pelo".[1]

Como el grupo se constituye en relación a los otros grupos sociales, es esencial saber qué idea tiene de esos otros y particularmente los del propuesto como arquetipo: en este caso la clase alta.

LA CLASE ALTA SEGÚN EL "MEDIO PELO"

La novela gira alrededor de la familia Pradere, expresiva, para la autora, de los más altos círculos de la sociedad porteña, y su acción transcurre generalmente en el palacio de la misma en la calle Schiaffino y en su estancia que lleva el indígena nombre de *Bagatelle*. También hay algunos episodios ocurridos en el Uruguay y en el *Jockey Club* y en las diversas *garçonnières*, que son aditamentos imprescindibles en toda familia de alto rango social.

---

[1] Nota a la 10ª Ed. Creo que con esto está suficientemente explicada la inclusión en este libro de las veintitantas páginas de este capítulo, pues alguien –que además ignora lo que es crítica literaria– le ha buscado una explicación individual a lo que no es otra cosa que una demostración de laboratorio.

Hay también la "fiel servidora" de los avisos fúnebres *comme il faut*. Se trata de Antola, cuyo relato hace:

Sofía descubre el rostro olvidado de Antola: su ojo único, el pelo blanco desgreñado, pegado a las sienes (?), y esa sopa de pan y cebolla que es su único alimento desde tiempo inmemorial.

Quiere recordar algún momento fundamental de su vida en que Antola no estuviera presente. En las muertes como en las bodas –esto de "bodas" me resulta un poco "mersa"–, *revive segura de su poder, sedienta por humillarlos, imponente en su fealdad, sin edad, sin formas, con el mismo cabello blanco sobre las sienes que peinaba el día que murió su madre. Sabedora de todos los secretos; delgados los muros para su oído de enferma insolente y justa, fiel e imprescindible en sus vidas, desaparece en las terrazas y bohardillas –junto a los murciélagos y los ratones–, para reaparecer victoriosa en los momentos decisivos de los Pradere.* (Págs. 9 y 10).

Sofía, que es la oligárquica patrona, ha descendido a la cocina, pues se trata de un 17 de octubre y todo el personal de servicio, salvo la fantasmal y fiel servidora, ha abandonado la casa para concurrir a los actos programados por el "tirano sangriento".[2]

Mientras la aristocrática señora busca algún condumio, revolviendo cacerolas y estantes, hay un diálogo con Antola.

Dice la señora: *–¿Te acordás de esos platos de loza inglesa decorados con Josefina, Napoleón, Robespierre y toda la Revolución Francesa? ¡Cierta gente adora comer sobre los vientres de los príncipes y déspotas!* (pág. 11).

Antola no se le achica, y eructando historia francesa y loza inglesa le contesta: *–Te peleabas siempre con tus hermanos; sólo querías comer sobre el pecho de Napoleón.* El diálogo continúa entre olla y

[2] El servicio doméstico de las grandes casas no está agremiado y sólo por una ignorancia total de su psicología y comportamiento habitual puede suponerse el abandono del trabajo el 17 de Octubre: esta gente cree tener un *status* especial con respecto al resto de domésticos y gastronómicos, con los que no quiere ser comparado, empezando por no colocarse sino donde los patrones acrediten una posición social a su altura. En este sentido es más exigente que éstos en el reclamo de certificados. Su mentalidad tiene más analogía con la de los intelectuales disciplinados por la gran prensa que con sus congéneres de actividad económica. En terrenos distintos ambos grupos experimentan el halago de sus tareas domésticas, según se trate de los servicios al cuerpo o al espíritu.

olla y de banquito a banquito, hasta que la patrona exclama: –*Yo comenzaría siempre. Aunque después temblaran los cimientos de Jericó.* Aquí Antola se achica, porque no hay una loza que le haya formado una cultura de Antiguo Testamento, y le dice a su aristocrática interlocutora: –*Alcánzame una olla.* (pág. 11).

Este diálogo de cocina puede dar una idea del lenguaje que el "medio pelo" atribuye a la gente de la alta sociedad: no conversa, platica.[3]

De la misma naturaleza refinada que las pláticas, es su alimentación. En todo el libro no se conoce más que caviar y bizcochos *blackestones* o *crackers* americanos, regados exclusivamente con champagne francés; ¡minga de vino o coca-cola! Hay una sola excepción: un desayuno con medias lunas, pero "chez Pradere", a las medias lunas las llama *croissantes,* como nos lo advierte Antola: *Las trajeron ayer de la París... Croissantes, como las llaman ustedes.* (Pág. 71). Como se ve, también la oligarquía come medias lunas, pero en francés... como los uruguayos.

Sobre las costumbres de la alta sociedad nos anticipa algo la señora de Pradere en seguida que asciende de la cocina a los salones para revolcarse en las alfombras frente a la chimenea con un estudiante de filosofía y letras que ha encontrado en la calle. El pobre estudiante no es un experto como la dama y el lujo de los salones lo tiene un poco "boleado" como a la autora, lo que obliga a doña Sofía a apelar a todos sus recursos para evitar en su palacio otro paro, como el que ocurre en la calle. Para no ser menos la niña de los Pradere, Inés se va a la *garçonnière* de Gramajo, un amigo de su padre que como corresponde es casado (Pág. 22).

---

[3] Algo más sobre la erudición de los Pradere. Inés: *Se sienta en un diván, y deja que su padre le enseñe las páginas de ese incunable, pornográfico tal vez* (pág. 18). Respecto de los "incunables", su padre le informa: "... conseguí un *regenerador de tejidos para pegar la fibra del papiro"* (pág. 18).

Cualquier diccionario enciclopédico le podría haber informado a la autora que se llaman incunables los libros impresos desde 1450, fecha de la invención de la imprenta, hasta 1504. También le hubiera informado que no hay incunables pecaminosos. Los primeros fueron de temas religiosos; leyendo a nuestro Rosarivo habría aprendido que el primer incunable profano fue un Séneca impreso en 1463. La pornografía no alternaba con los Alinios, los Tito Livio, los Herbarios, los Cicerón, las "Vidas Paralelas" de Plutarco, los "Elementos de Geometría" de Euclides. A no ser que crea que el "Romance de la rosa" o "Claris de Mulieribus" contienen zafadurías. Además, una característica del incunable es el papel fuerte, áspero, desigual, según el mismo Rosarivo. Nada de papiro, que es como confundir Gutenberg con Tutankamón o Cleopatra. Y no crea Doña Beatriz que exige mucho trabajo informarse antes de escribir un libro. A mí me ha bastado con consultarlo al "Chacho" Aquilanti, joven agente de una librería y amigo mío.

Para un día nefasto y de los negros no son malas las performances.

Doña Beatriz, entre tanto nos ha descripto los salones del palacio con una *conaiscense* de *habitué* a remates de residencias recargadas de muebles, cristales, marfiles, alfombras por los despiertos martilleros; el ambiente adecuado para tal lenguaje, tal alimentación, tal costumbre, tal moral sexual, según la visión "mediapelense", de la alta clase que revelan la autora y su entusiasta clientela.

Pero lo más extraordinario en la conducta sexual de la alta clase es el privilegio que reserva para sus hijos.

En la página 72, Inés está acostada con Pablo Alcobendas, el estudiante revolucionario que es su último amante y a quien le ha advertido que ha tenido cuatro anteriores. Alcobendas no se resigna a ese cuarto puesto no placé, y practica su examen. Dejemos a la autora que nos ilustre al respecto: *"Ella inmóvil, indefensa, permite que esa mano practique la tarea de reconocimiento y cuando él encuentra lo que buscaba, ante la resistencia dolorosa de ella, susurra en el oído:*

–¡Los cuatro amantes, señorita, pertenecen a su imaginación!

Inés (entre tanto) *piensa: Las mujeres de cierta condición tienen la virtud de parecer siempre vírgenes, después de ser poseídas por varios amantes."* (pág. 72).

¡Como para que las chicas del "medio pelo" no aspiren a ser gente bien! ¡Con ese privilegio que da la alta clase!

LA CLASE ALTA EN SU CLUB (SIEMPRE SEGÚN EL "MEDIO PELO")

Recordemos que es 17 de Octubre. El jefe de la familia, don Alejandro Pradere, nos introduce en el *Jockey Club*, y nos guía por sus salones explicándonos sus preferencias pictóricas: *Para mí, "Las Aves de Corral" de Casteels del salón Bouguereau; o "La Boda" o "El Huracán"*. (pág. 29).[4]

---

[4] No puedo dejar de referir una anécdota, sobre la erudición pictórica que se despertó en la "tilinguería" con motivo del incendio del *Jockey Club*.

Una noche estábamos varios amigos en un café de la calle Santa Fe y Rodríguez Peña, que ya no existe, cuando cayó a la mesa un "tilingo" típico.

Se comentaba el incendio y el "tilingo" se dolía de la pérdida de los cuadros. Pero en su afán enumerativo, no podía pasar de Goya: "El Goya", decía... "el Goya... el Goya..."

César Aranguren lo pescó en el aire, y para ayudarlo le apuntó: "¿Y los tres Pettinatos?"

En el *solarium*, Pradere y su hermano Ramón tienen una sorpresa. Allí está Juan Duarte. ¡Ni más ni menos!

Dice la autora: *Y los Pradere vieron por primera vez a un hombre de facciones regulares, cabello pegado a las sienes; unos pequeños bigotes recortaban su boca; excesivamente blanco,* con esa piel de niño que no conoció el mar, *sino sólo ríos y arroyos. Vestía una salida de baño de color amarillo; sobre el bolsillo izquierdo un escudo con un león español. Llevaba al cuello otra pequeña toalla de color verde y calzaba sandalias romanas que dejaban ver sus dedos largos, casi perfectos* (pág. 32).

El refinado Don Alejandro se pregunta: *¿Cómo no está en la Plaza de Mayo ese hijo de puta?* (pág. 32). También yo me lo pregunto, adjetivos al margen; ¡mucho más se lo hubieran preguntado Perón y Evita!

Esta familia Duarte es incongruente y no tiene idea de los niveles sociales, *con esa piel blanca que sólo conoce ríos y arroyos.* Esto de la coloración de la piel es para el "medio pelo", un inequívoco signo social. Así, más adelante, en la descripción de una orgía en el "cangrejal" –imaginaria playa de Punta del Este– Inesita pasa de los brazos de su amante Gramajo a otros... *más poderosos, con una piel distinta a la de Alberto: un tostado de sol que delata infancias de río...* (pág. 160). Son los brazos de Mattarazzi, un repugnante burgués lleno de oro y de grasa, que anda entreverado con la gente bien y participa de la corrupción general de la clase alta. Pero a Inés no la engaña porque tiene la clave que Doña Beatriz difunde a pesar de su infancia rosarina, tan de río. ¡Ay!

LAS ABERRACIONES SEXUALES DE LA "GENTE BIEN"

En el *Jockey* tenemos la oportunidad de conocer otra de las debilidades sexuales de la alta clase: el "pigmalionismo", un vicio cuyo

---

El "tilingo" agarró el cable con todo entusiasmo: –¡Sí! ¡Los tres Pettinatos!, dijo.

Conviene recordar que el "Gordo" Pettinato era el Director de la Penitenciaría en tiempos de Perón, pero el mocito este sabía tanto de Penitenciaría como de pintura. En obsequio del personaje, digamos que el nombre de Pettinato suena a pintor, aunque sea por una aproximación auditiva a "Los Petites Maitres" o a Pettoruti.

(Además se insistió tanto con los cuadros y la biblioteca, que el "medio pelo" terminó por creer que los socios del *Jockey Club*, entre orgía y orgía, y partida y partida se lo pasaban corriendo de la biblioteca a los cuadros y de los cuadros a la biblioteca).

nombre ignora Doña Beatriz a pesar de las descripciones escabrosas con que intenta matarle el punto a "Damiani" y a "Las memorias de una princesa rusa".[5]

Don Alejandro siente una curiosa debilidad por la "Diana", de Falguiere, que adorna las escalinatas del Jockey Club.

La Falguiere tiene el viento en los cabellos. Su sonrisa es más poderosa que la rigidez del mármol. Los senos pequeños, levemente inclinados, no demasiado erguidos; el vientre, de rítmica redondez, invitaba siempre a sus manos a sostenerlo. No se atrevía a confesarse que había llegado a soñar, soñar despierto, que se acostaba con ella. Sólo para eso: para colocar sus manos rodeando la pelvis; en ese hueco que dan en llamar las ingles. (pág. 30). (Eso que *dan en llamar las ingles*, es gracioso; ¿temerá Doña Beatriz que se molesten los ingleses por llamar ingles al "hueco"?). Esa misma tarde, al bajar la escalera de su casa, Pradere ha acariciado los glúteos de la "Diana" de su escalera (pág. 12) y su hija Inés, que parece conocerlo, le había dicho muy respetuosamente: *Le pondrías una casa como a una querida.* (pág. 30). Y el amor por la Diana no es puramente platónico. Nos dice la autora: *Necesitaba tocarla antes de entrar al Jockey, como quien busca el agua bendita antes de entrar a un templo.* (pág. 30).

---

[5] Don Alejandro Pradere no ha inventado el vicio. Dicen que en la antigüedad fue muy solicitada la "Venus de Cnido" y modernamente la "Venus Borghese", la Paulina Bonaparte, de Cánova. Algún tendero podría haberle informado a Doña Beatriz sobre cosas raras que suelen pasar con los maniquíes de la sección *lingerie.* Esta ignorancia de la autora me induce a suponer que su escabrosidad literaria es de "pega". Lo que me complace por ella, aunque induzca a error a los adolescentes.

Otro ilustre precursor del señor Pradere según veo en "Capricho italiano", de José Luis Muñoz Azpiri, fue Nerón: "El emperador Nerón –escribió Diego Angeli– fue un espíritu refinado cuyo sentido estético debía estar extremadamente desarrollado. Se sabe que se hacía seguir en sus viajes por una estatua a la cual sentía particular afecto. El cuerpo de adolescente encontrado en su villa de Subiaco es admirable; constituye hoy el más apreciado ornamento del Museo Nacional de Roma, etc., etc.". ¡Lástima de ignorancia! ¡Hubiera quedado tan bien Nerón con eso del incendio...!

Sin embargo estoy por creer que entre los extremos beocios y áticos del *Jockey Club*, se dan algunas notas "mediopelenses" que quizá sean los que han desorientado a Doña Beatriz. *La Nación* del 23 de julio de 1966 trae una crónica de la asamblea realizada en esa institución donde se decidió la com-

Y para que no quede ninguna duda, la autora nos explica: *Había traído de Bagatelle una bañera de su abuela, labrada en mármol de Carrara. La hizo depositar en uno de los vestuarios "de los viejos", en el sótano. Y allí la tenía para "bañarla".* (A la "Diana" de Falguiere, se entiende). *"Hace seis meses que no baña a su niña"*, le decía Arizmendi, un mozo del bar. *"Después que vuelva de Europa. Me lleva una mañana entera..." contesta Pradere* (pág. 30).

¡Como para no llevar una mañana! La autora nos ha informado que la "Diana" era de mármol rosa (pág. 183). No tiene la menor idea de lo que pesa el mármol y su tamaño, pues Pradere y el mozo del bar parece que juegan a las esquinitas con el mismo, de la escalera al sótano, con su bañera de Carrara, y del sótano a la escalera. Tampoco se le ha ocurrido imaginar la escena, el día del baño, con la *jeneuse dorée*, rural y deportiva, concentrada en el *hall* y festejando el espectáculo con relinchos, rebuznos y demás gritos de su rijosidad primitiva, en presencia de los refinamientos sexuales del consocio exquisito. ¡Qué socio se iba a perder ese plato!

En materia sexual Don Alejandro es muy amplio; en las páginas 85 y 86 se dice: *Penetra ahora entre las sábanas de la cama de su mujer. Conoce sus adulterios. ¿Desde cuándo sabía que su mujer lo engañaba? Rechaza la palabra "engaño": él también lo había hecho inmediatamente de nacer su hijo, en esa etapa en que las mujeres se ven obligadas a comentar los procesos biológicos del recién nacido, aunque la frase esté construida de esta manera: "Dice la nurse: el médico diagnosticó que José Luis tiene gastritis".*

---

pra para sede social, de la residencia ubicada en la avenida Alvear 1345, una de las construcciones de la *belle époque* a que nos referiremos en otro lugar. No tienen desperdicio las palabras pronunciadas por un señor Vega Olmos, muy conocido por ser argentino, y que el citado periódico reproduce, supongo que con exquisita fruición del cronista.

Son éstas: "El *Jockey Club* se va a ubicar frente a algo tan sublime como la estatua de Pellegrini, fundador de la institución. *En el lugar de las pocas virtudes argentinas que quedan"*. Conviene señalar que en el lugar, Arroyo de Libertad a Cerrito, lo que hay más son embajadas extranjeras. (Ver 1ª ed.).

El presidente, Sr. Anasagasti no quiso ser menos y cerró el acto diciendo: "Hoy han tenido ustedes la calidad que se supone en los socios del *Jockey Club*. Quieran Dios y la Virgen que así sea siempre".

La Nación no refiere los entretelones que han determinado la aprobación de una compra de muestras de una calidad excepcional, al parecer inhabitual, ya que el presidente de la institución considera necesario destacarla, complicando a Dios y a la Virgen. Si no estuvieran identificados los oradores, quedaría el recurso de atribuir las frases al "mediopelismo" del cronista. Pero se trata de socios.

(De paso nos enteramos aquí que las madres de la alta sociedad no descienden hasta el médico pues de eso se encarga la nurse). La palabra gastritis ha traumatizado sexualmente al delicado señor Pradere: *"Recuerda ahora que de niño le enseñaron que en las cortes de Inglaterra no se pueden nombrar los órganos digestivos. "Digestión" es la palabra más despreciable del diccionario. Se puede hacer referencia al acto del amor de la manera más ruda y onomatopéyica: "atornillar" es menos ofensivo para una dama que decirle: "Y, ¿cómo se siente del estómago?"* (La verdad que lo de *screw* no me suena muy onomatopéyicamente, ¿será que el amor inglés tiene ruidos distintos al criollo?)

Doña Beatriz nos dice que Don Alejandro *no le perdonó a Sofía que pronunciara la palabra gastritis. No le importó, ni trató de averiguar nunca por qué lo engañaba* (pág. 86). Pero si la gastritis lo alejó de ella, los cuernos lo reconciliaron, y es gracias a este estimulante que aparece en la cama de su mujer, después de sus canas al aire con los mármoles.

Sólo faltaba en la familia el incesto, pero Antola, la fiel servidora y fiscal de la sangre, dice: *–Mirá que en tu familia ha habido incesto. Preguntale a Mujica Láinez que lo escribió y todo* (pág. 71). Y le encaja a Manucho la indiscreción de haber lavado en público la ropa sucia de los Pradere.[6]

LA SOCIEDAD DE LA GENTE "QUE NO ES COMO UNO"

Hasta ahora hemos visto la imagen de la alta clase que tiene la autora y que lógicamente comparten sus lectores afanosos de ambientarse.

---

[6] "Manucho" Mujica Láinez no sólo es responsable de haber divulgado el secreto incesto de los Pradere; este remedo de castillo que es Bagatelle está denunciando el "pastiche" de "Bomarzo". Pero Mujica Láinez conoce un medio al que tiene acceso y además, aunque sea de reojo, el país en que vive y sabe de la moral renacentista, que "Manucho" comprende muy bien, no se puede generalizar a su clase.

Pero si los Orsini, duques de "Bomarzo" acusan un linaje que procede de los Longobardos o de Cónsules de la República Romana, el de los Pradere es más joven que la constitución del 53. Estos Pradere son unos recién llegados, como dice el Orsini de "Manucho", de los Farnesio, pues tenían una "puntillosa prevención de parvenus", "se fijaban en cosas que los Colonas y nosotros –los Orsini– hubiéramos pasado por alto, pues hacía siglos que no nos incomodaban". Los Farnesio eran "medio pelo" respecto de aquellos, y "los atemorizaba el peligro de las *gaffes* que los ceñía con su aro de púas", pues no

Veremos incidentalmente la de los campesinos; sólo incidentalmente aparecerán también los obreros, pero vistos a través del lente "mediopelense", pues los "negros" no son obreros. Peyorativamente la autora pone en la boca de sus personajes una clara distinción entre el "aluvión zoológico", que constituye la multitud "achinada" del trabajo y unos individuos selectos, generalmente con apellido italiano y de preferencia ferroviarios que, esos sí, son obreros: en la imagen fubista del trabajador afiliado a los sindicatos científicos, es decir socialistas, comunistas o anarquistas.

La clase media aparece representada por algunos policías degenerados y torturadores, y por el héroe, Alcobendas, un joven estudiante que tiene un extraordinario merengue fubista en la cabeza, de lo que le dan idea los retratos que adornan su habitación: *Ingenieros, Aníbal Ponce, Gramsci, Proudhon; alternan esa mortuoria galería.* El pobre

---

tenían más que cuatro o cinco siglos de "familia bien".

No es lo mismo ser "cornudo", pigmalionista, y aceptar las diversiones de la "nena", llamándose Orsini o Colonna, y en la Italia del Renacimiento, que en la muy agropecuaria República Argentina, llamándose Pradere. Por la misma razón de tiempo la adquisición del estilo de nuestra clase alta no es muy difícil, pero se está siempre en el riesgo de la "puntillosidad", como sucede al "medio pelo" que lo único que adquiere es la imitación del lenguaje sincopado –un oxfordismo de ex empleado de confianza del Ferrocarril Sud.

La autora ha tenido algunos dolores de cabeza por la identificación que el "medio pelo" hizo en seguida del apellido Pradere con otros. A fuerza de ignorar, ignoró que ese era el apellido de una de las familias terratenientes del sur de Buenos Aires. Por el tema de la expropiación, después cargaron a los Pereyra Iraola, que se alzaron como "leche hervida". Y con razón. (Cuando yo era muchacho existía en la esquina de Bartolomé Mitre y Paraná una tienda especializada en ajuares, cuyo nombre era "La casa ideal de los novios". Humorísticamente también se la llamaba a la familia Pereyra Iraola con el nombre de la tienda, porque sus miembros varones se casaban, uniendo a su fortuna una castidad que era leyenda propia y que ratificaban como padres prolíficos. Cierta o no, esta leyenda excluye todo parecido con los Pradere de la novela). Después le "cargaron la mano" a los Victorica Roca por el hecho de haber sido Julio embajador de Perón. Pero en este caso la embajada no fue la alternativa de la expropiación del "Ojo de Agua", pues Julio Victorica Roca fue peronista de los primeros, desde 1943. Es que el "medio pelo" se tomó en serio esta novela como histórica y estos Pradere como efectivos representantes de una clase que admira, pero que naturalmente repugna la falsa imagen que se da de ella. Una *gaffe* más del "puntilloso" medio pelo de la autora.

muchacho es el último amante de Inesita. Por poco tiempo, pues en la comisaría diecisiete lo castran y después lo entregan al capricho sexual de un sujeto que responde al insinuante apodo de "El Banano".

Pablo Alcobendas es hijo de una hermana del anarquista Di Giovanni y vive de las rentas de una casa de varios pisos que el tío anarquista dejó en herencia, dividida en propiedad horizontal entre los familiares, anticipándose en 1931 –más de 20 años– a la ley respectiva. En esa disposición de última voluntad a Pablo Alcobendas le tocó la parte del león: *Yo soy el más afortunado porque mi departamento es el de la planta baja y me lo alquilan médicos y prostitutas*. No aclara si conjunta o alternativamente (pág. 144).[7]

LA PAMPA Y LA ESTANCIA

Pasemos ahora a *Bagatelle*, porque *Bagatelle* es el nudo del drama. Se trata de una estancia, que siendo, según Doña Beatriz, la más grande de la Provincia de Buenos Aires, no tiene tanta importancia, para Alejandro Pradere, por su valor económico –don Alejandro es un exquisito que nunca habla de vacas ni de novillos, tarea que incumbe a su hermano, Ramón– como por su casco principal y las obras de arte que contiene.

---

[7] Con mentalidad de fubista, como su personaje el estudiante Alcobendas, la autora ha idealizado el supuesto tío de éste, el anarquista Di Giovanni. Si hubiera descendido por Callao hacia donde ésta se aplebeya llamándose Entre Ríos y doblando por Moreno, pudo tener algunos datos sobre Di Giovanni, que después pudo corroborar o rectificar con algún viejo sobreviviente de la "idea".

Di Giovanni era un anarquista que practicaba la acción directa, indiscriminada, que por su fanatismo y decisión podría ser emparentado con el grupo de Milán "Pensiero e Dinamita". Autor de un atentado en el Consulado de Italia que causó muchas víctimas, chocó de inmediato con el grupo idealista de "La Protesta", que era el de mayor ascendiente en el movimiento gremial anarquista, y de este choque resultó asesinado el periodista español Francisco López Arango, director del periódico. Pronto Di Giovanni fue un delincuente común que nadie puede idealizar, como por ejemplo podría ocurrir con Buenaventura Durruti y Francisco Ascaso, especialistas en asaltos de Bancos, que nunca cometieron atentados sangrientos y entregaron siempre la totalidad de los fondos "expropiados" al Comité Pro Presos de España, donde murieron combatiendo en la Guerra Civil.

Desde luego que Di Giovanni no dejó ninguna herencia en propiedad horizontal a una inexistente hermana suya, primero porque no tenía "ni medio" al morir y segundo porque dejó mujer y dos hijas en la mayor miseria.

Oigamos algunas descripciones: *El casco es un castillo normando, que se ve desde el camino a Mar del Plata; tiene un parque de ciervos, tiene cancha de polo, ¿qué es lo que no tiene Bagatelle?* (pág. 41). *Fue construida a fines de siglo, por Alejandro Pradere, arquitecto, coleccionista de porcelanas y ornamentos, enamorado de Francia. Todo el encanto de un castillo del Loire, su armonía, su gracia y su misterio, todo fue importado desde Francia. No había visitante ilustre, desde entonces, que no admirara sus haras, sus puertas de alabastro, su lago artificial, cantado por Darío; el bosque de los ciervos, etc....* (pág. 59). *Los techos de Bagatelle, fueron decorados por diecisiete yeseros franceses. Cuatro figuras mitológicas: el invierno, el verano, la primavera y el otoño, defendían la entrada del castillo; reproducción en mármol de Carrara de las clásicas figuras atribuidas a Praxíteles* (pág. 60). Hay una *terraza del amanecer* (pág. 61), y *una terraza del atardecer*. Hay también una fuente con cascadas, *la fuente de los renacuajos*, que eran silenciadas por un "concerto" de Cimarosa (pág. 61). Hay también una playa en el Sur. Hay un reloj de jade y piedras preciosas, vajilla de Meissen, cristales de Bohemia, cubiertos de plata y vermeil, cuartos Imperio y Luis XV, salas victorianas, la sala Pueyrredón (pág. 91 y otras) y así una heterogénea mezcla de catálogo de remate.

Y este príncipe de la pampa, Don Alejandro, se encuentra enfrentado al más espantoso de los dramas: la amenaza de expropiación, por el "tirano sangriento". Y transa, aceptando la deshonra de la embajada en el Uruguay. Es cierto que Pradere ha sido embajador en Londres hasta 1944, en la Década Infame. Pero esto dignifica para el "medio pelo". No lo hace por el vil interés de vacas y hectáreas (¡qué son 30.000 Has.!) sino por el conjunto artístico, por la armoniosa conjunción de los Luises, Pompier y Barroco, que tres generaciones de Pradere, han acumulado en *Bagatelle*.

¿Qué son 30.000 hectáreas?, se ha dicho al pasar.

¿Ud. creerá, lector, que no hay un argentino que no tenga idea de lo que es una hectárea de campo? Al fin, este es un país que está saliendo de los pañales agropecuarios. Un argentino, haya o no cursado la enseñanza primaria, siente en la piel, la noción de espacio. Y sobre todo un hijo de la pampa, aunque sea de la pampa "gringa",

---

Además, es absurda la escena del fusilamiento en la Penitenciaría con la presencia de la hermana del fusilado, la madre de Alcobendas, con éste en brazos; y también imposible porque de la cuenta de la edad que resulta en la novela, a la fecha del fusilamiento, el joven Alcobendas podía ser, cuando más, un "bacaray". Aclaro que el fusilamiento ocurrió en 1931, y para Doña Beatriz, tan mal informada en esto como sobre el campo, que el "bacaray" es el ternero por nacer: eso que le llaman nonato en las peleterías. Y ahora sí que esto lo va a entender.

como Beatriz, la rosarina, y aunque tenga la piel blanca de quien *"sólo ha conocido el agua de ríos y arroyos"*.

Veamos la idea de 30.000 hectáreas que tiene Doña Beatriz.

Después de habernos ubicado el casco sobre el camino a Mar del Plata (pág. 59), más abajo y en la misma página, nos informa que *"el bosque de los ciervos" de Bagatelle, se halla sobre todo en la región que lindaba con Tandil.* Además *"encontraba el mar hacia el sur de la provincia, y sus playas de médanos agrestes, contenidos por pinos y abedules, insinuaban bosques futuros"* (pág. 59). En la pág. 60, amplía la información, y también la estancia: *Las treinta mil hectáreas se hinchaban al Norte en forma de vientre magnífico. Cerca de la provincia de La Pampa, el bosque de eucaliptus prometía atravesar la frontera. Hacia la provincia de Santa Fe, la pampa se afirmaba sin árboles ni cuchillas, ni siquiera un ombú.*

Aquí Beatriz Guido parece exceder la ignorancia de su clientela de "medio pelo". Las falsas imágenes sobre la sociedad a que pretende pertenecer que se revelan en el lenguaje, la afectada cultura y alimentación y la vida sexual son *gaffes* inimportantes con respecto a la de la estancia, que escritora y lectores parecen compartir. Porque la estancia no sólo es el esqueleto económico de la alta clase porteña, sino que constituye la atmósfera imprescindible de su existencia. En el total ausentismo o en la despreocupación más absoluta por ella como fuente de recursos, el individuo de la alta clase porteña es esencialmente un estanciero; del nacimiento a la muerte, cualquiera sea el género de vida que adopte, cualquiera sea su ilustración y donde quiera que esté es estanciero; hasta cuando ya no se tiene estancia; ignorar la estancia es tanto como ignorarse a sí mismo.

¿Para qué maravillarnos de la ignorancia geográfica, si la histórica le corre a la paleta? Porque no debemos olvidar que las 30.000 *hectáreas* (pág. 59), tenían su origen en una concesión hecha por el general Urquiza, al oficial primero (sic) Gastón Pradere, después de Caseros. Perdonemos esto de confundir un militar con un funcionario administrativo, como ocurre con la asignación del grado, pero lo que es inadmisible es esta imagen de Urquiza repartiendo tierras en la provincia de Buenos Aires. Además esto constituye una deslealtad de Doña Beatriz con la línea Mayo-Caseros, que pasa precisamente por el meridiano histórico del "medio pelo", y para la que el único que distribuyó latifundios en la provincia de Buenos Aires fue el primer "tirano prófugo y sangriento".

Este es el momento de señalar la aparición de los campesinos. parece que los arrendatarios del Sr. Pradere, no quieren saber nada con leyes de arrendamiento y otras zarandajas, y basta mencionarles cualquier clase de reforma agraria para que corran al osado agitador que la proponga.

No lo dice expresamente Doña Beatriz, pero nos informa que, cuando en 1944, lo cesantearon de la embajada en Londres, cargo que desempeñaba Alejandro Pradere, para gloria de los argentinos, lo fueron a esperar al puerto, *delegaciones de todos los partidos políticos de la oposición: radicales, demócratas y hasta socialistas* (pág. 82).

También los chacareros, todos: sí, todos (se explica el énfasis, pues parece que Doña Beatriz tuviera cierta sospecha de la inverosimilitud), y agrega entrando en detalle: *un representante de cada parcela, con un letrero al frente que decía: "Unidos, los de Tandil, Guerrero".*

SÍNTESIS: EL LIBRO COMO REPERTORIO DEL "MEDIO PELO". SU SÍMBOLO POLÍTICO

He llegado a un punto que creo le permitirá al lector tener en este libro todos los elementos de juicio para explicarse por qué lo considero una cantera para investigar al "medio pelo" como advertí al principio del capítulo.

Tal vez el equívoco de su apellido ha inducido al lector de "medio pelo" para creer que se trataba de un testigo de la alta clase. Don Marcelo de Alvear cuando se sentía molesto con el Dr. Mario Güido, hacía lugar a una diéresis sobre la "u" del apellido: Güido y no Guido. Cuando el Dr. José María Guido no había llegado a presidente, oí a algún miembro de la familia Guido –la auténtica, que dirían ellos– hacer el mismo juego. No después, porque la gente cambia. Pero debo decir en obsequio de estos dos Guido, que en su modestia nunca jugaron al equívoco. La autora es hija del arquitecto Angel Guido, rosarino, no sé si con diéresis o sin ella, que de paso conviene recordar fue funcionario peronista,[8] además de autor del Monumento a la Bandera, dos culpas o dos aciertos, según se mire. Pero la herencia paterna no se debe recibir con beneficio de inventario, quedándose con el monumento y no con el empleo.

Inducidos o no por el equívoco del apellido, los lectores han aceptado como buena la descripción de la clase alta, lo que los excluye de la misma –y los va situando–, pues de pertenecer a ella hubieran reaccionado adversa-

[8] Rector de la Universidad del Litoral.

mente al libro. La naturaleza antipopular de la novela excluye de sus lectores a la clase media baja y al proletariado que además no lee este género de literatura.

Tal vez la atracción ha sido política. Se trata de una novela histórica que pretende ser la "Amalia" de la "Segunda Tiranía", pues como tal la han aceptado sus lectores.

Pero la novela histórica supone cierto mínimo de ajuste a la realidad en la construcción de la trama, en la descripción del medio sobre el que se borda la acción y en los personajes, que deben ser congruentes con la época.

Además de su estilo, "El incendio y las vísperas" sólo puede ser ubicado en cuanto al tratamiento, en la escuela realista. Sabido es que su maestro, Emilio Zola, se vestía de fogonero y viajaba en *tender* de la locomotora para lograr el tono realista en la vida del ferroviario. La Sra. Guido pudo asesorarse con algunos ex socios del *Jockey Club* para que le explicaran cómo era la "Diana" de Falguiere, entre tantas cosas; y tal vez pudo conseguir que algún miembro de la clase alta la invitara a tomar té –por ejemplo Doña Victoria Ocampo, que es tan propicia a este género de atenciones–, para tener una idea del arreglo de las casas. Pudo también averiguar las pautas morales vigentes en la misma –cuáles son sus verdaderos defectos y sus virtudes– y no atenerse a los "chimentos" de antecocina que pueden facilitar las Antola y las costureritas baratas, llamadas para aprovechar los restos de la *haute couture*, que encuentran por los desvanes como rastros de un "Fin de fiesta", algunas botellas vacías de champagne.

Hubo un tiempo en que cualquier bodrio antiperonista era de éxito, pero pasado el fervor del cincuenta y cinco, nada de eso camina sino que al contrario, el éxito corre a favor de lo peronista aunque sea también bodrio. El único sector que se mantiene firme en aquella histeria es el "medio pelo" y no por razones políticas, sino porque forma uno de los símbolos del mismo. El símbolo es el único valor que se ha tenido en cuenta, e identifica a los lectores explicando el origen del éxito, a lo que se suma el paralelo desconocimiento del alto medio propuesto como arquetipo, y de todos los sectores sociales del país, sumado al de su historia y geografía.

El libro expresa los símbolos del "medio pelo", sus ideas, su desconexión con el país real y muy particularmente la arbitraria composición de las clases que supone, propio de un sector que creyendo imitar a la clase alta se imita a sí mismo, confundiendo los signos de aquella con los que él mismo se crea en su ambigua situación de "quiero y no puedo", "de soy y no soy". Es una visión del mundo a media luz de *boite* de lujo en que los concurrentes se dan "coba" recíprocamente, y se pasan moneda falsa como si se tratara de monedas de oro. Constituye así un muestrario de situaciones, juicios y pautas que reflejan la actitud espiritual que motiva la existencia de un *status* tan particular y que lo separa de las clases intermedias, en sí. Particularmente del punto de vista ético, porque el grupo ha perdido la noción de las normas morales de las mismas conducido sólo por la preocupación de lo que es "bien". Ser "bien", como ideal estético ha sustituido a ser "bien" como ideal ético, preocupación casi obsesiva dela vieja clase media.

LA EVASIÓN DE LA CLASE

La falsa situación del "medio pelo" principia por la evasión de la realidad; la autora nos permite ubicar su verdadera situación de clase por sus reminiscencias que resultan de una calidad literaria muy superior a su imaginación.

Describe la casa de Pablo, el sobrino del anarquista Di Giovanni, último amante de la "Niña de la Pradere", en Adrogué: *Un haz de luz penetra en ese hall sombrío, iluminado por la luz que atraviesa la claraboya de vidrios de colores: azul, amarillo y rojo. A ese hall abren la sala, el comedor, un escritorio y una mampara de vidrio que da a un primer patio, donde los helechos y la enramada del muro crecen desde tiempo inmemorial, anterior a su nacimiento.*

No espera encontrar a nadie en su cuarto: "nadie" son su madre y su tía; idénticamente magras, siempre vestidas de negro; siempre en el último cuarto de la casa, incorporadas a los baúles, a su ropa de niño, a la naftalina de los armarios y a la fotofrafía póstuma de su madre, junto a la mascarilla de Di Giovanni, hermano de su madre, fusilado... Ingenieros, Aníbal Ponce, Gramsci, Proudhon, alternaban en esa mortuoria galería. Allí están las dos mujeres, con los ojos siempre desorbitados, como si aguardaran irreparables noticias (pág. 42).

Más adelante: *Atraviesan el pequeño hall, perfumado con los primeros jazmines. Trata de encontrar la luz de la sala; se equivoca y enciende la araña principal que ilumina por sobre todas las cosas el piano de cola, cubierto por un mantón de manila.*

Pablo se apresura a apagarla, y la reemplaza por una lámpara. Pocas veces habita ese cuarto de la casa, le pertenece solamente a su madre y a su tía. Ellas lo mantienen con las celosías cerradas, como si el tiempo de esa sala hubiera terminado (pág. 46).

Esta sí es la descripción de un conocedor que ha vivido ese

ambiente, y la única incongruencia es el piano, porque es de cola (pero tal vez se trata de un recurso anarquista –no olvidemos que es la casa de la familia de Di Giovanni– para guardar bombas y ametralladoras. El finadito era así). Sigue la descripción: *Tropieza con los almohadones y con un gato de porcelana. La naftalina, el heliotropo y el narciso negro, el álbum de Chopin sobre el piano, marcan un tiempo de balcones abiertos, atardeceres nostálgicos y prolongadas siestas* (pág. 46). ¡Esos son perfumes y no el *Fracas* que usaba Doña Sofía Pradere, o el *Golden Medal*, o el *Tabac de Floris*, de Alberto Gramajo! (pág. 24). (¡Pavada de fijador, el de los perfumes que usan los anarquistas y sus familias!)

(Aquí, junto a la descripción de la vivienda va la de la lealtad con el difunto, que resulta de la actitud funeraria de esas mujeres "idénticas, magras, siempre vestidas de negro" en contraste con la de la alta sociedad que ya hemos visto: la familia Alcobendas-Di Giovanni no se "menefrega" en los antepasados como los Pradere de tan alta prosapia).

Como se ve, hay alguna aptitud literaria cuando la descripción se refiere al medio propio, del cual la autora se evade. No se trata de la ceniciento-manía, de la muchachita humilde, que fuga, en una transferencia de la realidad hacia un sueño de príncipes, por el milagro del zapato de cristal. No. Hay aquí un trabajo meticuloso, destinado a desorientar sobre la personalidad del escritor; de una sofisticación persistente en la transferencia de la personalidad por superposición a un medio extraño. Y hay la misma actitud en el lector que no percibe la falsedad y el ridículo, porque pertenece al mismo "medio pelo", inserto en esa falsedad y ridículo, viviendo una mistificación a base de ingentes sacrificios, que corresponde a su ausencia de realismo social y económico.

Y así hemos llegado al final de este capítulo, en que usted, lector, se ha aliviado de mi prosa con las transcripciones de una novelista de éxito.

Sólo me resta recordar la curiosa dedicatoria de "El incendio y las vísperas":

A mi padre, que murió por delicadeza.

Se comprende.[9]

---

[9] También por la dedicatoria, "murió por delicadeza", puede ser una reminiscencia de Rimbaud. De todos modos, es una forma de exculpar el peronismo paterno y justificarlo ante el "medio pelo". El Sr. Pradere aceptando la

embajada en el Uruguay para salvar su obra de arte, *Bagatelle*, sería el sustitutivo del arquitecto Guido haciéndose peronista en el cargo de rector de la Universidad del Litoral, para terminar el monumento a la bandera. ¡Las cosas que hay que hacer por amor al arte!

CAPÍTULO IX

LAS CLASES MEDIAS, LA NUEVA BURGUESÍA Y LA APARICIÓN DEL "MEDIO PELO"

EL PAPEL DE LAS CLASES MEDIAS EN LA REVOLUCIÓN NACIONAL

Las clases intermedias fueron las precursoras del movimiento político-social que correspondió a la tentativa del país para marchar por la industrialización hacia la integración de su economía. En "Los profetas del odio" señalo que *esas clases intermedias fueron las que primero tuvieron conciencia del hecho nacional; las que nutrieron en los años preparatorios del año 1945, desde el nacionalismo, desde F.O.R.J.A. y desde los sectores más capaces y tradicionales de la intransigencia radical la siembra de la conciencia emancipadora.* En las instituciones armadas, en el clero, entre los profesionales, los estudiantes, los pequeños comerciantes e industriales, se formaron los primeros cuadros de la lucha. Mucho después llegó el proletariado a la misma para nutrirla con el elemento básico que le faltaba. Recuerdo que en 1941, celebrando el 6º aniversario de F.O.R.J.A., dije a mis camaradas: *Día por día hemos visto crecer el público alrededor de nuestras tribunas callejeras; sin prensa, porque nos está cerrada la información que no se le niega al más insignificante comité de barrio; sin radiotelefonía, porque a ningún precio se nos ha permitido el acceso a ella. El idioma que hablamos, que era sólo el de una pequeña minoría y hasta parecía exótico, hoy es el lenguaje del hombre de la calle. Puedo decirles en este aniversario, que estamos celebrando el triunfo de nuestras ideas. Pero estamos constatando al mismo tiempo nuestro fracaso como fuerza política: no hemos llegado a lo social, la gente nos comprende y nos apoya, pero no nos sigue. Hemos sembrado para quienes sepan inspirar la fe y la confianza que nosotros no logramos. No importa con tal que la labor se cumpla.*

Pero a pesar de haber correspondido a las clases intermedias la primera toma de conciencia de los problemas nacionales y ser las beneficiarias más directas, especialmente la burguesía naciente, del cambio de condiciones, no hubo una correlación en la marcha con la toma de conciencia de su papel histórico en la oportunidad que el destino les brindaba.

Cierto es que el peronismo cometió indiscutibles torpezas en sus relaciones con ellas. Por un lado lesionó, más allá de lo que era inevitable, conceptos éticos y estéticos incorporados a las modalidades adquiridas por las clases medias en su lenta decantación. Por otro, las agobió con una propaganda masiva que si podía ser eficaz respecto de los trabajadores, era negativa respecto de ellas porque no supo destacar en qué medida eran beneficiarias del proceso que se estaba cumpliendo, como compensación de las lesiones que suponía. No supo tampoco comprender el individualismo de esas clases constituidas por sujetos celosos de su ego, proponiéndoles una estructura política burocrática, organizada verticalmente de arriba a abajo y en la que la personalidad de los militantes no contaba; así se convirtió la doctrina nacional, cuya amplitud permitía la colaboración, o por lo menos el asentimiento desde el margen del hecho político, en una doctrina de partido que exigía la sumisión ortodoxa y la disciplina de la obediencia más allá del pensamiento, a la consigna y hasta el *slogan*.

Esto mucho antes que esos errores culminaran con la pérdida de la cohesión en las Fuerzas Armadas que a través de episodios adjetivos se distanciaban de los objetivos nacionales que las habían hecho factores básicos del proceso, y se permeabilizaban a la penetración de las propagandas adversarias y extranjeras. Todo esto culminó en el inexplicable conflicto con la Iglesia que terminó por aislar al movimiento de los trabajadores, de los importantes sectores de clase media y burguesía que lo habían acompañado.

Es necesario hablar de errores de conducción. Otra cosa, sería si el propósito deliberado hubiera sido establecer una estructura fundada en un gobierno clasista. Pero esto no estaba ni estuvo aún después de la caída, en el ánimo de la conducción que tenía clara conciencia de las necesidades policlasistas del movimiento nacional que expresaba, y ni siquiera estaba en los mismos sectores del trabajo que lo acompañaron. El movimiento era, y no pretendió nunca ser otra cosa, un frente nacional para la formación de una Argentina moderna retomando el camino de la Patria Grande y abierto a la coincidencia de todos los grupos sociales no ligados a la situación de dependencia de la Patria Chica y sus intereses.

También existía la perturbación ideológica que desde el principio del movimiento, y conforme a la tradición de la "intelligentzia" colonialista había desorientado a gran parte de la clase media con la transferencia de la temática y los esquemas agitados por los partidos políticos y la gran prensa, destinados a confundir nuestros propios problemas con los de los bandos imperiales en lucha durante la guerra; ella gravitó sobre todo en los medios estudiantiles donde se produjo la paradoja de que un cacareado anti-imperialismo teórico se convirtió en el momento crítico en un instrumento exclusivamente dedicado a obstaculizar el desarrollo del movimiento nacional, sirviendo las políticas contra las que siempre adoctrinó.

Pero todo esto puede explicar una toma de posición accidental más dirigida contra los modos de ejecución de una polítcia que contra la política en sí, ya que los intereses sociales y económicos de la clase como tal, coincidían con los del proceso que se estaba realizando, salvo en el caso del sector relativamente reducido de la gente de entradas fijas; pequeños rentistas, jubilados, etc., que recibían el impacto del cambio de situación sin las amplias compensaciones que permitían al resto de las clases intermedias la multiplicación de sus actividades, el aumento de sus recursos y la ampliación de sus consumos hasta niveles inconcebibles pocos años antes.

MODIFICACIÓN EN LA CONDICIÓN ECONÓMICA DE LA CLASE MEDIA

En "Los profetas del odio" señalo este mejoramiento en la situación de la clase media:

Ahora el joven de la clase media desprecia el empleo público y lo llaman las actividades del comercio y de la industria, donde no tiene que hacer las largas colas de las madrugadas, esperando la aparición de "La Prensa" para estar en primera fila de los que se ofertan; el universitario tiene trabajo abundante y hasta se da el lujo de instalarse en la ciudad de sus padres; para el padre prolífico la muchas hijas no son problemas cuando hay salario y ocupación, y termina por ser un buen negocio, mientras casarlas es malo y esto va a darle a la mujer un lugar digno en el marco social. Los muchachos cuyas lecturas ya pasaban de "filas y batacazos", en materia financiera, están ahora al tanto de las cotizaciones de la bolsa; en las mesas de los cafés se habla de divisas y de cambios; todo el mundo tiene algo para ofertar en venta; todo el mundo es comprador de algo; la gente renuncia a los empleos públicos y bancarios para dedicarse a actividades privadas, ante el asombro de los viejos que dicen sentenciosos: "Esta locura no puede durar", recordando el drama de su juventud.

Nos han amolado diciendo que la pasión por el empleo público es producto de nuestra filiación hispánica y que eso no sucede en los países anglosajones, pero ocurre que en cuanto nos asomamos a condiciones económicas parecidas a las anglosajonas, nuestros muchachos proceden como yanquis o londinenses... El comercio internacional ya no es un misterio reservado a unos cuantos alemanes, ingleses o franceses. Resulta que cualquiera puede ser exportador o importador, y la clase media aprende más de todas esas cosas en unos pocos años, que en medio siglo de enseñanzas financieras y económicas a cargo de la Universidad.

Aparece una nueva burguesía, con la oportunidad de la industria y la expansión del comercio en el mercado interno. Sus elementos constitutivos salen de esas clases intermedias y de la inmigración ya consolidada, aunque es importante el nuevo aporte inmigratorio. (La inmigración que en el decenio 1931-1940 bajó a 73.000 de los 878.000 correspondientes al decenio anterior –y este es un índice claro de la situación del país durante la Década Infame– sube en la década 1941-1950 a 386.000. Está constituida preferentemente por técnicos, ciertos o pretendidos, comerciantes y en general especializados. No se dirige a la ocupación rural y poco al asalariado, salvo los obreros muy especializados que pronto se convierten en patrones a favor de las circunstancias que facilita la improvisación de una clase industrial que con un mercado en crecimiento de demanda insatisfecha, y con el decidido apoyo de la política bancaria y oficial, ofrece abundantes oportunidades.

LAS CONTRADICCIONES EN EL SENO DE LA CLASE MEDIA

Pero ocurría que, a nivel de las clases intermedias, la transición era muy violenta y las ventajas económicas de la prosperidad que experimentaba el mayor número no eran suficientemente perceptibles para los componentes de una clase individualista en general y, por lo tanto, incapaz para apreciar los avances de cada uno en relación al grupo social al que pertenecía. (Cada uno cree que su mejora es particular y producto de sus aptitudes y no de las condiciones generales como el soldado que cree que en su pequeño rincón operativo ha ganado la guerra porque venció al del rincón de enfrente. La modificación en el *status* de todos los grupos en ascenso sólo le parecía legítimo en lo que a él se refería).

Creo que sobre este particular debo remitirme a lo que ya he dicho en "Los profetas del odio", publicado hace diez años.

Principiemos porque durante el anterior decenio la depresión, la situación de las clases medias había retrocedido, como se ha dicho en el capítulo anterior, ya perdido el empuje ascensional que las movilizó verticalmente en la etapa expansiva de la sociedad agropecuaria.

Pintando ese momento digo:

Allá, muy arriba, la clase propietaria del suelo, en un plano donde se mueven los personajes de las grandes firmas exportadoras e importadoras, las altas figuras de la política tradicional y los gerentes de los grandes intereses extranjeros. Su riqueza y prosperidad nunca llegarán a la que puede lograr una burguesía nacional, fundada en la industria y los negocios, pero parece constituir una nobleza y casi puede atribuírsele un origen divino: "fue siempre así" *forma parte del orden constituido y heredado, y su derecho, aunque reciente, no molesta a los segundones, aun de origen más cercano.*

Después vienen los pequeños propietarios y rentistas, los funcionarios, los profesionales, los educadores, los intelectuales, los políticos de segundo y de tercer orden, elementos activos o parasitarios de esa sociedad. Esta clase es pobre, pero lo disimula en la pobreza general; está constituida por los estratos superiores de la inmigración y los desclasados de la clase gobernante –primos pobres de la oligarquía–. En ella se reclutan desde los maestros de escuela hasta los sacerdotes y los oficiales de las instituciones armadas, los estudiantes y algunas camadas de obreros calificados.

Esta clase no tiene horizontes. Asiste desde lejos a la fiesta donde conquistadores y cipayos lucen los esplendores de su poder. Está resignada; no aspira a superarse. La esperanza de sus hijos es heredar la modesta posición del padre; no tiene otro horizonte que el empleo público o entrar en una gran casa de comercio, y el título universitario es su máxima aspiración. A su vez, el doctor recién egresado no tiene cabida en su ciudad de origen y debe dirigirse a la campaña; si se queda vegeta en un mísero consultorio o anda por los juzgados de paz pichuleando asuntos; si por casualidad siguió alguna carrera técnica, descubre que la producción colonial no tiene cabida para su ciencia. El padre con muchas hijas no sabe qué hacer con las "chancletas", porque su única colocación decorosa posible es el matrimonio con otro pobrecito vergonzante de su misma clase.

Una parte de las clases medias está inmersa todavía en esa situación psicológica y subsisten sus escalas de valores, mientras se alteran las bases económicas y sociales. Fatalmente son influidas por la ambigüedad de las circunstancias. Sigo con "Los profeta del odio":

Esta gente está habituada a reverenciar la prosperidad de los cipayos, de las castas del lujo, los negociados entre las altas figuras nativas y los rubios representantes de los imperios, y cada uno siente celos de la prosperidad del otro, sin fijarse en la propia. Es un viejo fenómeno que ya lo vimos también en tiempos del radicalismo, aunque en menor escala; nadie le lleva la cuenta a los automóviles ni a los trajes de un Anchorena o de un Alzaga, ni al "mister" de la sociedad anónima extranjera, porque se parte del supuesto de que nació para tenerlos. ¡Pero todos se alborotan por el nuevo pantalón del inquilino de la pieza 31!

También ofende esa brusca promoción de industriales y hombres de negocios, salidos de su propia fila, con la chabacanería del enriquecido; es la burguesía, que no existía anteriormente, generada por las condiciones propicias y a la que llaman la "nueva oligarquía" cuando es precisamente su negación: clase en constante formación, de altibajos frecuentes, y que suscita la admiración de sus adversarios cuando la ve actuar en los países anglosajones. Pero, a su vez, este nuevo rico, tan improvisado como el obrero que molesta a Martínez Estrada, es más ignorante que aquél: no sabe que su prosperidad es hija de las nuevas condiciones históricas y cree que todo es producto de su talento. Aspira al estilo de vida de las viejas clases admiradas a las que trata de imitar; tal vez en su escritorio, frente a la realidad de los negocios, comprende algo, pero le irritan los problemas con el sindicato. No ha adquirido todavía esa suficiencia y esa seguridad burguesa que permite mirar de frente a la aristocracia; suscita la envidia general, esclavo de sus utilidades de mercado negro que se ve obligado a gastar en automóviles coludos, y, cuando regresa a su casa, la "gorda" en trance de señora bien y la hija casadera, que ya se ha vinculado algo en la escuela paga, ahora quieren apellido y asegurarse un sitio social aunque más no sea en la sociedad de San Isidro, que es ahora lo que fue el Club de Flores en mi mocedad.

... Un gran sector, extraviado y deprimido ante el hecho nuevo, se siente desplazado por sus prejuicios que le hacen ver una derrota donde hay una victoria... Su media cultura de formación anterior, de la etapa semicolonial, tiene los valores éticos y estéticos de la época que perime, pero de sus filas salen los elementos constituyentes de la nueva burguesía, pues la ampliación del mercado interno, con la infinita gama de nuevas posibilidades –que va desde el desarrollo del comercio y de la pequeña industria hasta la abundante clientela del profesional– le ofrecen amplias ocasiones dignas y bien remuneradas; igual cosa sucede a los funcionarios y técnicos, y a los miem-

bros de las fuerzas armadas, instituciones éstas cuyo verdadero vigor sólo se puede lograr por el desarrollo de la potencia que está implícita en la grandeza nacional; nunca por una política sin destino propio, en cuyo caso les está reservada la función de represión y vigilancia que interesa a los administradores externos de las condiciones del país.

"PLACEROS Y ROTARIANOS"

Un aspecto del hecho que estoy señalando ha sido destacado por el doctor Mario Amadeo en su libro "Ayer-Hoy-Mañana", de donde tomo lo que sigue: *En las comunidades pequeñas, en las ciudades de provincia o en los pueblos de campo, es donde ese corte horizontal se advierte con más nitidez. En ellos se ve claramente cómo el médico, el abogado, el escribano, el comerciante acomodado, el "placero", forman una reducida corte a la que rodea la desconfianza del "popolo minuto". Ninguna cordialidad existe entre esos dos grupos, salvo la que accidentalmente puede surgir de vinculaciones personales. Políticamente se llaman "peronistas" y "contras". Pero estas son las designaciones políticas, y por ende superficiales, del hecho más serio y profundo que intentamos destacar: la separación de clase que ha puesto frente a frente a dos Argentinas y que amenaza malograr nuestro destino. Sí: que ha puesto frente a frente a dos Argentinas. Porque no olvidemos el hecho que la Revolución de septiembre de 1955 no fue solamente un movimiento en que un partido derrotó a su rival, o en que una fracción de las fuerzas armadas venció a la contraria, sino que fue una revolución en que una clase social impuso su criterio sobre otra.*

Digamos ahora –prosigo– que esta separación de las clases, cuando se refiere a esa clase del médico, del abogado, del comerciante, del rotariano en una palabra, no se ha producido por obra del proletariado. No creo que en la historia del mundo se haya producido un movimiento social de tanta profundidad con menos quebrantamientos en la superficie, con menos dramas, con menos desgarramientos. Por el contrario, esos rotarianos se han beneficiado con el ascenso de las clases colocadas en rango inferior; los profesionales han visto atestados sus consultorios y estudios, y los comerciantes, con un mercado comprador superior a la oferta, han redondeado sus mejores negocios. Tal vez los de ramos generales han sido privados de su poder, al sustituir la banca, la función de crédito agrario que cumplían ellos cuando no había banca para los productores argentinos; pero mejoraron sus ventas al contado.

Sencillamente los rotarianos –casi todos los *"placeros"* lo son– han considerado la decisión popular como un alzamiento contra el orden establecido.

"... Mientras los trabajadores tomaron rápidamente conciencia del momento histórico y del papel que les correspondía, este sector intermedio se quedó en *gran parte* atrás; no comprendió su papel histórico ni la oportunidad que el destino le brindaba. El proletariado comprendió que su ascenso era simultáneo con la clase media y con la aparición de la burguesía eludiendo la disyuntiva ofrecida por los socialistas y los comunistas. Supo que su enemigo inmediato era la condición semicolonial del país y que la evolución industrializada representaba una etapa de avances con buen salario y buenas condiciones de vida; no se prestó al juego de los antiguos sindicalistas ideólogos que, conscientes o no, obstaculizaban la formación del capital nacional en beneficio del acopiador extranjero de la producción primaria y barata. El proletariado comprendió la unidad vertical de todas las clases argentinas para realizar la Nación y sólo demandó que en el prorrateo de las utilidades le tocara su parte correspondiente. Las clases a las que era accesible el conocimiento de un hecho tan elemental, se quedaron atrás en su comprensión, con respecto a los más humildes. Pero, gran parte de la responsabilidad incumbe a esa falsa cultura, a esa traición a la *intelligentzia* que propone señalar este libro. Eso fue el producto de un periodismo, de un libro y de una enseñanza destinados a desvirtuar los hechos nacionales".

"Es lógico que sólo obtengan resultados favorables en aquellos trabajados por este periodismo, esos libros y esos maestros. ¡Así fue como las alpargatas sirvieron al destino nacional mejor que los libros!"

HETEROGENEIDAD DE LA CLASE MEDIA

No caigamos en el error frecuente, cultivado con esmero por los teóricos de la lucha de clases, de hacer una sencilla dicotomía de aquel momento histórico dando por enfrentada la clase media con la clase trabajadora. Me remito a mi discurso del 6º aniversario de F.O.R.J.A. en 1941, que va un poco más arriba, donde advertía que ya en nuestras ideas la posición nacional estaba triunfante, al mismo tiempo que señalo que no habíamos logrado penetrar en el campo obrero, misión que anticipo estaba reservada para otros. Cuando digo que el lenguaje que hablábamos, pocos años antes exótico, era ya el del hombre de la calle, me estoy refiriendo al hombre de la clase media. Que esa presencia revolucionaria de la clase media no se expresara en la mayoría estudiantil y no se reflejara en la información periodística, no obsta el hecho cierto de que este sector fuera tan vigoroso que había hecho posible, con su apoyo, la neutralidad de Castillo –a pesar de las reservas que suscitaban su origen y sus colaboradores– contra la coalición de todos los partidos políticos, oficialistas y de oposición, de la unanimidad de la gran prensa y de todas las capillas consagradas de la riqueza y del prestigio. La nueva Argentina estaba presente y lo estaba en esa parte considerable de la clase media, antes y después de la Revolución de 1943, y antes de que el Coronel Perón lograra el vigoroso apoyo de los trabajadores. La *intelligentzia* tuvo entonces una visión deformada de la clase media, como la tenía del país, y la sigue teniendo aún en los sectores que están corrigiendo sus errores del pasado, pero que no pueden apartarse todavía de los esquemas extraños que transfieren a la realidad argentina. Cierto es que también el peronismo fue influido a la larga por esa falsa apreciación y de ahí derivan los errores de conducción que se han señalado en su comportamiento para con la clase media.

La falsedad de apreciación también resulta de considerar las clases medias como un todo homogéneo, cuando son por naturaleza heterogéneas en su comportamiento, en sus esquemas ideológicos y en los múltiples matices de su composición. No podemos referirnos a ella en conjunto porque de su seno salen los profesores de Educación Democrática y los revisionistas, la casi totalidad de los comunistas, y tal vez más de éstos que de aquéllos, como salían los neutralistas y belicistas, y de la misma salen los teóricos de la liberación nacional y los Cueto Rúa y los Krieger Vasena, los Alemann, Verrier, etc., etc. que instrumentan la dependencia. Del mismo modo no puede igualarse la situación de los sectores pauperizados en la depresión de la década infame con los que habían podido mantener ciertos niveles de jerarquía por una situación privilegiada dentro de la misma. Ignorar la existencia de gruesos contingentes de clase media adelantándose a la posición que habían de tomar los trabajadores, es reincidir en el error de creer que el movimiento peronista fue sólo el fruto de las prebendas y las ventajas, y no el fruto de un proceso de formación que encontró en el apoyo de la nueva masa obrera –con sus conquistas– la base popular que rompió el equilibrio a su favor.

Desde luego que la clase media en conjunto vio alteradas muchas de las valoraciones en que se había formado y constituían parte de su ética y su estética, pero no reaccionó homogéneamente. Gran parte de ella comprendió la necesidad del cambio y participó del mismo como consecuencia aceptada de su pensamiento nacional ya definido, y porque también estuvo capacitada para percibir las ventajas compensatorias que le traía el ascenso general de la sociedad. Eso sí: este sector careció de medios de expresión políticos y culturales dentro del peronismo, pero al mismo tiempo no se dejó seducir por los prejuicios y las mistificaciones que intentaban perturbarla. A lo sumo se retrajo ante la imposibilidad de actuar para reaparecer de nuevo junto a los trabajadores después de septiembre de 1955. Allí está y la clase media lo amplía constantemente con su cada vez más acelerada incorporación en la variada gama en que se expresa el pensamiento nacional. Porque esa es la cuestión y no el peronismo.

Estas salvedades nos van colocando dentro del tema específico de este libro, porque la posición que se atribuye a la clase media en conjunto pertenece, exclusivamente, a los sectores de la misma que ya señalé hace diez años y que de nuevo individualizo con las transcripciones que hago de "Los profetas del odio".

APARECE EL "MEDIO PELO"

Se trata del sector de la misma más calificado intelectualmente, según las viejas medidas de nuestra cultura, y ubicado en los niveles más altos de la clase. Es, como lo señalo, el que más provecho sacaba de la nueva situación, pero el más incapacitado para comprender su papel histórico por su falsa situación que lo coloca en el filo de la clase media y la burguesía, y al mismo tiempo fuera de ellas por su atribución de un *status* que cree superior a las mismas. Íntimamente no se siente parte de ellas.

Esta gente, por su procedencia, es de clase media, pero psicológicamente ya está disociada de la misma. Económicamente también; podría hablarse respecto de ella de clase media alta, pero su comportamiento difiere de lo que se ha tenido por tal, ya que sus recursos y su manejo se salen del tradicional conservadorismo ahorrista que tipifica ese nivel de la clase media, y de la discreción en la exteriorización de su prosperidad. Es ostentosa como corresponde a la burguesía. En realidad, es la burguesía incipiente de un país que comienza a construir su propio capitalismo. Pero la cuestión es que no quiere ser burguesía y rehuyendo el *status* adecuado entra en la simulación de otro que no le pertenece. No es ni "fu ni fa", "ni chicha ni limonada".

Se articula una situación equívoca y en esa equívoca situación viene a constituir gran parte del "medio pelo", y la cuestión, inimportante del punto de vista de los individuos –que sólo interesarían como elementos pintorescos– adquiere relevancia desde el punto de vista social, en cuanto al adquirir la dimensión de un grupo social importa la frustración de una burguesía que tiene finalidades a cumplir en el camino hacia la potencialización del país.

Se trata de los "placeros' de que habla Mario Amadeo refiriéndose a los pueblos rurales. Traslademos esos mismos pesonajes a la gran ciudad; gente de altas entradas que olvidan que éstas han nacido en la nueva época, profesionales de éxito, escritores consagrados y, sobre todo, burgueses, triunfadores del comercio y de la industria que disponen de amplios recursos. Todo un conjunto de expresiones sociales que antes constituían el primer plano de la clase media de los barrios.

Pero a esta nueva promoción, dotada de mayores recursos, el barrio le va chico; además, la importancia de barrio ha perdido significado al romperse las fronteras que los separaban y diluirse en la ciudad de los domicilios identificados por piso y departamento; en la intercomunicación constante que, integrando los barrios en la totalidad urbana, ha confundido en el anónimo multitudinario las preeminencias locales que permitían la jerarquía.

Ahora, a nivel de esta promoción de triunfadores, el barrio es disminuyente; un médico o un abogado de barrio no es más que eso, un médico o un abogado de barrio, lo que resulta peyorativo. Vivir en la fabrica o cerca de la fábrica desmonetiza al burgués entre los burgueses. (Miranda, tal un símbolo, tuvo su domicilio porteño, hasta su muerte en Montevideo, en su fábrica de la calle Directorio. Pero Miranda era un burgués cabal y se jactaba de serlo. No tenía complejos).

El jefe de Relaciones Públicas o el ejecutivo de empresas no puede ofrecer su casa si vive en Villa Urquiza o en Flores. Cuánto menos, si en Barracas o la Boca.

Este es un hecho cierto y no se puede pretender que el burgués reme contra la corriente de sus intereses, que le exige una radicación. Sería antiburgués. Pero aquí ya comienza el juego de los engaños recíprocos que iremos viendo. Porque hay que salir del barrio para parecer "bien" ante los otros burgueses, que a su vez tienen que hacer lo mismo para aparecer bien ante éstos.

Excusado es decirlo, salir del barrio significa domiciliarse en el Norte, de la plaza San Martín a San Fernando y de Santa Fe al río. Esto también puede obedecer a razones de comodidad y confort. De todos modos es comprensible burguesamente, porque hasta ahora es una cuestión de intereses y lo lógico es que el burgués, imagen clásica de la sensatez y sentido práctico, haga lo que le conviene.

Lo grave es que las razones burguesas no son las decisivas. Lo son precisamente aquellas que deben pesar en el burgués, las que lo disminuyen como tal y le quitan capacidad funcional.

Y aquí estamos ya en la ficción del *status* cuando no obedece a las exigencias prácticas de la burguesía, sino a la necesidad inversa: la ocultación o la disminución de la condición burguesa. Porque si en el primer caso la actitud importa la afirmación en el propio *status*, en el segundo importa la evasión del mismo, es decir la frustración de la clase como burguesía.

Es el caso que he referido en una nota periodística.

La transcribo: *Sé que un fulano se ha gastado quince millones de pesos en un departamento en la Avenida del Libertador. Nos encontramos y le adivino la intención de informarme de su compra, como corresponde al guarango. Pero yo quiero saber si está frustrado como tal y lo madrugo diciéndole antes de que me dé la noticia:*

–Estoy muy afligido por un amigo que se ha gastado más de diez millones en un departamento en la Avenida Libertador...

–¿Y por qué se aflige? –me pregunta inquieto.

–Y... porque la Avenida del Libertador no es "bien"...

–Pero entonces... ¿Quién es "bien"? –pregunta desesperado.

–"Bien" es de la Plaza San Martín hasta la Recoleta, de Santa Fe al bajo. Y dentro de ese radio, "bien", el "codo aristocrático de Arroyo", como dice Mallea: Juncal, Guido, Parera...

Le veo en la cara al hombre que está desesperado. Y entonces lo remato.

–La Avenida del Libertador es como tener un leopardo de tapicería sobre el respaldo del asiento trasero del coche...

El leopardo lo tiró a la vuelta. Del departamento no sé...

Pienso que lo hecho es una crueldad, pero la investigación "científica" es así... cruel como la vivisección.

Yo quería saber si el hombre era un burgués con toda la barba o un tímido burguesito en camino de terminar en tilingo. El que es verdaderamente burgués sigue adelante, cumple su gusto, se realiza con la arrogancia del vencedor y compra en la Avenida del Libertador, precisamente porque es caro, porque acredita su victoria y lo prestigia ante los burgueses.

Si quiere barrio, compra; y si quiere apellido y mujer distinguida, com-

pra también. Podría citar casos que todos conocen. El que es burgués de veras no se achica; no se acomoda a los esquemas y limitaciones de los tilingos.

LA BURGUESÍA Y EL PRESTIGIO DE LA ESTANCIA

Si las pautas que adopta imponen el barrio, también imponen actividades prestigiosas.

La fábrica y el comercio no lo son. El profesorado universitario, la magistratura, los altos grados de las fuerzas armadas, el prestigio intelectual lo son en mayor medida, pero no las máximas; son a lo sumo complementarias, decorativas, para integrar con otras apariencias el núcleo cuyos títulos surgen de la propiedad de la tierra, cuanto más continuada mejor; pero esos prestigios no se transmiten hereditariamente: el *status* es casi personal y no consolida la situación de familia. Dan un acceso relativo a la alta clase, pero no pertenencia; constituyen una situación provisoria que permite la admisión, pero nada más. Salvo cuando se llega a estas jerarquías como consecuencia de una decadencia patrimonial, pero en este caso descendiendo. Un general, un profesor, un magistrado proveniente de la alta clase está indicando con esa posición, sobre todo el primero, no el ascenso, que significa su cargo respecto de la sociedad en general, sino el descenso que implica el tener que haber recurrido a esa actividad. Pero el burgués proveniente de la industria o del comercio, no tiene esas posibilidades intermedias, cuyo ejercicio y aptitudes reclaman una situación anterior, superior a aquella de donde proviene.

El camino que se le abre como única perspectiva para obtener la consagración social, que busca al negarse como burgués, es también hacerse propietario de la tierra. Entonces, con paciencia y saliva, como el elefante, hará mérito. Con plata abrirá las puertas de la Sociedad Rural y, anualmente, irá anotando puntos, exposición por exposición, toro por toro. Las páginas de los remates de hacienda de los grandes diarios crearán el hábito de su nombre; cuando ya no erice la piel de nadie, habrá comenzado a madurar; pero dejará de erizar esas delicadas pieles más que por un acostumbramiento, por un olvido: cuando se olvide que fabrica palas, clavos, televisores, tornillos; que opera en la bolsa, que trabaja con listas de pagarés, etcétera.

El anónimo de las acciones facilitará ese olvido. También le permitirá disponer puestos en los directorios para los tronados de la vieja clase, en inteligente prorrata con los influyentes de la nueva era, que pueden ser políticos, generales, almirantes o hábiles gestores que ahora disimulan haciendo *publics relations* las actividades que antes groseramente se llamaban variablemente comisiones, coimas y sobornos. Esta composición de los directores en cierto modo expresa la ambigua situación del burgués: por un lado los padrinos sociales de su ascenso, por el otro los instrumentos útiles a su actividad capitalista.

Esa necesidad de entrar por la Sociedad Rural explica que mientras en Europa y en Estados Unidos un banquero o un industrial miran a un ganadero como a un "junta-bosta", aquí el empresario se siente disminuido ante el ganadero. Para salvar esa disminución es necesario comprar una estancia y tener cabaña –así sea de perros– porque sólo por la Rural y tal vez por el Kennel Club, puede lograr el ascenso social apetecido.

También es cierto que hay algo de cálculo burgués; éste sabe que todavía el desarrollo integral del país sufre golpes como en 1930 y en 1955, y que su estabilidad corre riesgo en una sociedad en que lo único intangible es la riqueza inmovilizada en la gran propiedad, a cubierto además de las variaciones en el valor de la moneda porque su precio sigue el precio de ésta, y aun va adelante de ella; además de ser tradición inconmovible su carácter sagrado, capitaliza todas las valoraciones que el conjunto de la sociedad introduce en la economía de la República. Allí no importa que los negocios sean malos o buenos ni las aptitudes personales, porque funciona como una caja de ahorro capitalizante.

LA BURGUESÍA REVERENCIA A LA ANTIGUA

Este es el elemento de cálculo financiero que puede justificar la ambigua posición de la burguesía, pero no es el decisivo.

Tal vez cuando el burgués ha llegado a los niveles del gran capitalismo estas pautas de ascenso no le sean imprescindibles. No creo que las necesite Fortabat ni tampoco Hirsch, por ejemplo. Pero de todos modos no deja de ser una concesión amable poder exhibir los productos de "San Jacinto" o "Las Lilas". Llevar un toro del ronzal se aviene mejor con el estilo de los altos niveles sociales que aparecerse con una bolsa de cemento o de harina sobre los hombros. O suscitar la imagen. "San Jacinto" y "Las Lilas" decoran Loma Negra y Molinos, e identifican mejor la jerarquía del personaje según el consenso de la alta clase.

Estoy entrando al tema del "medio pelo", y el Barrio Norte y la estancia son pautas que anticipo por la necesidad de ubicar de entrada el problema que me lleva al tema y que ya he dicho es el de la frustración de la burguesía como tal, y que es lo que interesa.

No puedo imaginarme a Rockefeller o a Ford haciéndose perdonar el petróleo y los automóviles, por los *farmers* norteamericanos. Nuestros teorizantes de la sociedad capitalista, desde las columnas de los grandes diarios, como se ha hecho desde la escuela y desde la universidad, nos proponen constantemente como ejemplo, el desarrollo de la sociedad norteamericana, en el editorial, y seguidamente, en todo el resto del periódico afirman, difunden y sostienen la vigencia de las pautas correspondientes a la sociedad precapitalista, disociando la tesis abstracta de su pensamiento con la *praxis* que se opone. Allá hasta un ganadero tejano que encuentra petróleo en su campo, no dejará las botas ni el sombrero aludo –por el contrario, las lustrará para que brillen más y le ensanchará el àla–, pero se comportará como hombre de negocios, como un burgués con toda la barba y si imita, imitará a la gente de Wall Street. Aquí los mismos predicadores de la eficiencia norteamericana promoverán el disimulo,y hasta el olvido de esa eficiencia, en obsequio de la conservación de las pautas de la sociedad agropecuaria.

Se repite, respecto de la nueva burguesía, lo que ya se señaló en el capítulo II de aquella "ausentista" de los primeros momentos de la expansión agropecuaria. Aquella frustración parece ser seguida por otra nueva. Los descendientes de la burguesía hipnotizada por los príncipes rusos, los nababs, la nobleza francesa, los lores ingleses, hipnotizan a estos burgueses de ahora que no necesitan viajar más lejos que al Barrio Norte para caer en el servilismo ridículo y simiesco en que aquéllos cayeron en París, Londres y la Costa Azul.[1]

---

[1] Se ha citado anteriormente a Aldo Ferrer cuando dice que *la concentración de la propiedad territorial en pocas manos aglutinó la fuerza representativa en un grupo social que ejerció, consecuentemente, una poderosa influencia en la vida nacional. Este grupo se orientó, en respuesta a sus intereses inmediatos y los de los círculos extranjeros (particularmente los británicos)... una política de libre comercio opuesta a la integración de la estructura económica del país, etc., etc.*

La Sociedad Rural Argentina, fundada en 1866, es la expresión concreta de ese grupo.

José Luis de Imaz ("Los que mandan", Ed. Eudeba, 1955), en el análisis que hace de su composición y especialmente de su elenco directivo, comprue-

LA BÚSQUEDA DEL PRESTIGIO Y EL MEDIO PELO

El motor que dinamiza a la gente del "medio pelo" es la búsqueda del prestigio.

Desde que Vance Packard popularizó la terminología en su análisis de la sociedad norteamericana, éste se suele emplear un poco peyorativamente, de lo que resulta que la búsqueda de prestigio acarrea desprestigio.

En mi análisis del "medio pelo" quiero dejar aclarado que no es el hecho de la búsqueda de prestigio lo que motiva el ridículo de su equívoca situación.

---

ba que la *Sociedad* representa geográficamente a la provincia de Buenos Aires y, dentro de ésta, a los grandes propietarios. Habitualmente la *Sociedad Rural* pretende representar a los productores rurales por más que en ella no graviten los agricultores ni los pequeños ganaderos, que representan el grueso de la producción rural y cuyos intereses están frecuentemente en conflicto con la misma. Este hecho no hace más que repetir en grande una de las características frecuentes en la incomprensión de su papel de los sectores económicos. (Recuerdo que por 1947 ó 1948 la Cámara de la Bicicleta –no el neumático sino la entidad representativa– incluía importadores e industriales, cuyos intereses, como es lógico, eran contrapuestos, y eran gobernados por los importadores. Tardaron bastante los fabricantes en comprender que tenían que formar un organismo aparte. Cosa parecida ocurre todavía con los productores de lana, generalmente gobernados por los exportadores, que suelen desdoblarse agregando a su función comercial el renglón producción. De tal manera, son productores al ser elegidos y exportadores al dirigir los organismos representativos o gravitar en las decisiones del gobierno).

La *Sociedad Rural* expresa, sustancialmente, a los invernadores y cabañeros.

El invernador no es un productor; es un comerciante que compra terneros de destete y los transforma en novillos. Es productor en cuanto a los kilos que el vacuno incorpora en el inverne, pero comerciante en cuanto adquiere el ternero. En este terreno su interés es encontrado con el del criador y tiene por consecuencia una doble personalidad: le interesa el buen precio para el novillo, pero le interesa el mal precio para el ternero. En cuanto comerciante no es el más alto escalón de la producción ganadera, sino el más bajo de su comercialización; más que la prolongación del campo hacia el frigorífico, es la prolongación del frigorífico hacia el campo, porque, en definitiva, los malos negocios los traslada al criador. Hay más afinidad de intereses entre el frigorífico y el invernador que entre éste y el criador. Aquéllos generalmente coinciden; éstos son siempre encontrados.

El tema exige un largo desarrollo que se reserva para el futuro libro: "Política y Economía", que ya se mencionó.

Este surge en el caso de que la búsqueda no tiende a la afirmación de la personalidad de sus componentes que aspiran a un positivo *status* de ascenso; nace de la simulación de situaciones falsas que obligan a ocultar la propia realidad de los componentes (en unos, la deficiente situación económica; en otros, la carencia de los elementos culturales que caracterizan el *status* imitado) y de la consiguiente adopción de pautas pertenecientes a otro grupo en que pretenden integrarse.

No es ni más ni menos que la situación pintada por Lucio López en "La gran aldea" (Ed. La Nación, 1909) al describir un baile de negros: "esos snobs de medio pelo son codiciados por el prestigio social que rodea sus nombres". Se trata de los "morenos" que prestan

---

Hubo una época en que los criadores tuvieron un grupo gremial representativo, las Confederaciones de Asociaciones Rurales y particularmente la de Buenos Aires y la de La Pampa, pero hace tiempo que han dejado de cumplir esa función, más que nada porque sus dirigentes han sido absorbidos también por las pautas de prestigio que emanan de la *Sociedad Rural*. Es interesante sobre este particular el libro de Julio Notta ("Crisis y solución del comercio exterior argentino", Ed. Problemas Nacionales, 1962) y las publicaciones periodísticas que allí se reproducen en cartas de ganaderos, especialmente las de Nemesio de Olariaga y Jorge y Horacio Pereda. Ya anteriormente me he referido al drama de don Lisandro De la Torre cuando su intención de defender la ganadería argentina se encontró en presencia de este hecho en que el grupo que más respetaba lo enfrentó hasta el crimen.

La mayoría de los cabañeros tienen una situación análoga. Están organizados en función de las razas que se crearon para satisfacer el mercado británico y cualquier modificación en el tipo de hacienda que surja de la sustitución de los mercados, amenaza el funcionamiento de su estructura. De tal modo, la *Sociedad Rural*, expresión de esos intereses, representa la conveniencia de reservar la producción argentina para lo que llama "mercado tradicional" y es opuesta a la formación de nuevas corrientes que no obliguen al criador a pasar por las horcas caudinas del invernador. De aquí que estén ligados a los intereses extranjeros, que se oponen a la diversificación productora, aun dentro de la economía exclusivamente agropecuaria. De tal manera, la *Sociedad Rural* expresa cuatro políticas de atraso: primero, en cuanto se opone a la industrialización del país; segundo, en cuanto, dentro de la economía primaria que postula, representa un sistema de escasa diversificación en cuanto a la economía ganadera; tercero, en cuanto lucha por la estabilización de las actuales condiciones de producción y de mercado, porque se opone a una estructura socialmente más conveniente de la *Sociedad* y su economía, para mantener la situación privilegiada de un sector correspondiente a una situación económica perimida; cuarto, en cuanto subordina a los grandes propietarios de la provincia de Buenos Aires, la expansión ganadera del resto del país, que para ella sólo debe hacerse como proveedora de crías a

servicio como ordenanzas en las grandes reparticiones públicas,y que repiten en su propio medio y ceremoniosamente, los modales que han aprendido *mientras están con las bandejas* delante de sus jefes. Hay aquí esa puntillosidad, esa preocupación por evitar las *gaffes,* ya referida citando a Mujica Láinez en su "Bomarzo", y que para los Orsini subsistiría aún en esos *recién llegados* que son los Farnesios. Entre esos dos extremos, Farnesios y "morenos" ordenanzas, lo que caracteriza la falsedad de la situación es que no afirma el *status* propio, sino la falta de uno auténtico y con sus propias pautas.

La búsqueda del prestigio está consustanciada con el hombre en cuanto animal social.

Existe en las sociedades primitivas aun antes de que éstas estén organi-

---

su propio mercado de engorde, y no automáticamente, con lo que reduce las posibilidades de ampliación del hinterland ganadero. Esto es lo que se calla cuando se enfatizan sus méritos indiscutibles en la promoción de una forma de ganadería.

Aparentemente más difícil de explicar resulta la frecuente coalición entre la *Unión Industrial y la Sociedad Rural*, como en el caso de A.C.I.E.L.

Lo vamos a comprender fácilmente si recordamos la actuación de la *Unión Industrial* en la "Década Infame", donde esta entidad apoyó la política de restricciones al progreso interno, impuestas en el Tratado Roca-Runciman.

Aparte de la curiosa doble personalidad del presidente de la *Unión Industrial*, señor Luis Colombo, que reunía en sí su condición de industrial con la de representante de Lengs Roberts, agente de la banca Baring, la explicación es obvia, y se sigue dando: hay grupos industriales consolidados que aceptan como conveniene el estacionamiento del mercado interno al que sirven, a cambio de una política que disminuya la producción, es decir, la posible competencia interna prefiriendo un mercado pobre en monopolio a un mercado rico en competencia, que es lo que significó la política de las Juntas Reguladoras. Concretando un ejemplo: Luis Colombo, expresión de la bodega "El Globo", puede preferir el achicamiento del mercado de vinos si se le da, como en el caso, la ventaja de una restricción en la oferta de los mismos: menos venta a mejor precio, y cuota asegurada. Es lo mismo que ocurre cuando persisten industrias obsoletas por un alto costo de producción. A estas últimas puede convenirles frenar su producción potencial, permitiendo vivir a las otras porque, restringiendo su producción, obtienen mayores utilidades de la menor venta ajustando el precio del mercado, al costo de las más caras.

Ya he advertido reiteradamente la inclusión indispensable de estas referencias económicas en el tema que se está tratando, y ésta es una de ellas.

Ya se ha hablado de la permeabilidad de la alta clase porteña que mantiene el control de la *Sociedad Rural*, José Luis Imaz (Op. cit.) nos revela cómo, a través de esta entidad, se cumple esa permeabilidad, en el análisis de la constitución por socio y por comisiones directivas.

Hemos visto cómo el roquismo enterró su política nacional en las

zadas en distintos estratos. Entonces la búsqueda es exclusivamente individual. Paul Radin ("El hombre primitivo como filósofo", Ed. Eudeba, 1960), dice: "La búsqueda de prestigio representa simplemente la derivación de un realismo inexorable. Es, posiblemente, el hecho fundamental de la vida primitiva en todas partes, aunque, por supuesto, el tipo de prestigio buscado difiere según la tribu. Muchos se sacrifican para lograrlo. Desde que tal papel desempeña en la vida primitiva no nos extrañará que se lo encuentre asociado en la religión y la magia".

(Muchos marxistas, literalmente aferrados a la tesis de la lucha de clases, y desde que según el "Manifiesto comunista", "La historia de toda sociedad a nuestros días no ha sido sino la historia de la lucha de clases", podrán considerar esa sociedad primitiva y sin clases, como inexistente en la historia y por consecuencia imposible la búsqueda del prestigio al margen de las mismas.

---

estancias de la provincia de Buenos Aires, que adquirieron sus prohombres, y cómo la Generación del 80 frustró sus posibilidades de burguesía expansiva en la constitución de una sociedad de ricos dependientes. Pero se trata de los hechos visibles correspondientes a momentos críticos de la economía.

Más profundo y permanente es el proceso realizado a través de la imposición de pautas de prestigio social que van incorporando las nuevas promociones enriquecidas a la alta clase, discriminándolas como consecuencia a la política de los propietarios de la tierra, tal vez sustituyendo, simplemente a los tronados con los nuevos. También se ha visto cómo la *Sociedad Rural* es el instrumento de esta captación desde que la calidad social se obtiene, como se ha dicho, llevando el toro del ronzal. El método es además paulatino y evita bruscas transiciones en el ascenso. La condición de estanciero, cabañero, no se adquiere en un día; requiere un lento aprendizaje en que se va haciendo también el aprendizaje del estilo y de las pautas de la sociedad a que los nuevos aspiran a acceder.

Imaz, estudiando la composición de los dirigentes de la *Sociedad Rural*, clasifica seis grupos que marcan el proceso histórico de incorporación a la *Sociedad Rural* y que termina por ser el de la incorporación a la alta clase.

a) El elenco estable tradicional, constituido por los propietarios de más antigua data; b) los que ascienden desde la inmigración radicada en la provincia de Buenos Aires (Galli, Campion, Duggan, Harriet, Genoud, etc.); c) estancieros regionales de la provincia de Buenos Aires, pero de menor resonancia; d) los provenientes de la actividad comercial, originariamente barraqueros, acopiadores, consignatarios (Etchesortu, Lalor, Elordi, Jorba, Zuberbühler, etc.); e) provenientes de la industria, el transporte y servicios (Fano, Mihanovich); f) profesionales, especialmente abogados (Busso, Satanowsky).

Imaz señala la particularidad para los dos grupos últimos, en los que la actividad rural es nueva. En los otros casos, las actividades iniciales de los fundadores de las familias, en su totalidad inmigrantes, han estado directa o indirectamente vinculados al campo. Los dos últimos casos ya señalan concretamente la desviación de la burguesía hacia actividades rurales y marcan los

Para su comodidad conviene recordarles la nota de Engels, con posterioridad a la fecha del "Manifiesto" y a la aparición de "La Sociedad primitiva", de Morgan –cuyo conocimiento constituye uno de los fundamentos de la nota– limitando el alcance de la lucha de clases a la *historia escrita*, que no comprende la sociedad primitiva).

Al referirme a la situación de la "gente inferior" en la sociedad tradicional he mostrado cómo la búsqueda del prestigio, imposibilitada más abajo en una sociedad verticalmente inmóvil, es individual. El individuo actúa como en la sociedad primitiva y el prestigio, como en ésta, consiste en una jerarquía personal, a falta de un ascenso a otro grupo. Es lo que se ha dicho sobre la importancia que adquieren las dotes personales que colocan en primera línea, pero dentro de la clase, por las aptitudes en el trabajo, en el juego, en la guerra, en la política, en el canto, etc., atribuyendo a esa búsqueda del prestigio

---

puntos de partida más lejanos de la peligrosa desviación para el desarrollo capitalista del país, que entraña el hecho de que a medida que el capitalismo nacional se consolida, abandone su camino de promoción de la potencia para enquistarse y ponerse al servicio de su condición dependiente.

Respecto de todos estos grupos que ya han adquirido *status*, Imaz dice que ya están identificados como miembros de la clase alta, a pesar del origen diferente; en el primero la situación está dada por la antigüedad en la propiedad de la tierra; en los demás, el reconocimiento proviene de otras constantes, y las señala:

Habiendo sus padres adquirido campo, tras haber recibido en Buenos Aires una educación primaria y secundaria "que se debe", si han sido profesionales –abogados mejor– y mantenido y acrecentado sus relaciones, si han aceptado y compartido las pautas del grupo más prestigioso tras frecuentar determinados círculos, pueden obtener un reconocimiento en paridad.

Una vez ocurrido, todas las diferencias están borradas. E inconscientemente la propiedad de sus tierras se retrotrae a épocas anteriores a las reales. De ahí la confusión; "buscadores de prestigio", terminan por ser identificados con la aristocracia tradicional.

Al ser asimilados y reconocidos, se les crea una nueva mentalidad de "status" y siendo su empeño mayor, poseyendo como todas las burguesías en ascenso fortuna para dedicarla al lujo ostensible, culminan su ascenso como cabañeros. Es ahí precisamente donde se produce la identificación en el más alto grado reconocido dentro del grupo, buscan sobre todo ser reconocidos por los que están fuera del grupo. Al pasar a compartir ciertas pautas de las familias tradicionales en cuya elaboración no intervienen, creen en ellas con la fe de los conversos, y tanto más desean exteriorizarlas cuanto más ajeno fue su origen.

Me contaba un industrial lo que le ocurrió con un poderoso colega suyo, y novísimo estanciero. En una reunión de empresarios, este personaje insistía constantemente en hablar de los "negros", terminología completamente extraña a su nivel industrial; parecía obsesionado con un tema que ya está normalizado en la actividad empresaria, desde que no hay cuestiones con los

personal el culto del coraje, por ser la condición de valiente la que da la más alta jerarquía.

Pero desde que la sociedad se conforma en niveles distintos y es factible ascender dentro de ellos, los móviles de la búsqueda del prestigio dejan de ser puramente individuales. Ahora se trata de la adquisición de un *status* que comprende al grupo familiar, persiste más allá del individuo y deja de ser inseparable de la conservación de las aptitudes individuales para el éxito: la jerarquía del nuevo *status* es social y no individual, permanente y no transitoria.

La búsqueda del prestigio no es, pues, un elemento exclusivo del "medio pelo". La practicaron la burguesía y las clases medias surgi-

---

trabajaes aislados y todos los problemas se resuelven a nivel sindicato-empresa-Secretaría de Trabajo. El industrial del cuento tiene más de mil obreros y sus oyentes creían que se refería a ellos, cuando descubrieron que estaba hablando de los seis o siete peones que tiene en el campo; entonces, todos sus oyentes soltaron la carcajada, tan visible era que se inventaba el mínimo problema para ponerse a tono con las pautas nuevas a que creía obligarlo su condición de ganadero.

Del mismo calibre es otro que cree repetir las pautas, haciendo que cuando llega a la estancia, lo reciba todo el personal, como ha visto en alguna película inglesa. Conozco otro que, al serme presentado, me dio tres tarjetas, correspondiente cada una a la dirección de sus respectivas estancias. Este es un ex empleado de banco y las estancias son de la mujer. Para datos más precisos vive en Pergamino, pero descuento que dentro de poco se enterrará en la Avenida del Libertador, si no me lee a tiempo.

Esto no quiere decir que a la larga no resulten buenos estancieros. Recuerdo que, hace años, viajando a Lincoln, me senté en el comedor con dos ganaderos amigos del pago. En seguida ocupó el asiento vacante un joven minuciosamente vestido de ganadero: botas de polo, breeches impecables, etc., etc.; lo que en el fútbol se llama un Gath y Chaves, como ya se sabe, siempre resulta un "pata dura".

Mis compañeros lo "calaron" en seguida y empezaron a tirarle de la lengua. Entró a hablar de la estancia, no dejando ostentación ni disparate por decir. Era el hijo de un comerciante poderoso y bajó, muy ufano, en una estación del trayecto.

No había terminado de descender, cuando mis amigos "le bajaron la caña" con un jocoso comentario de vieja clase y de "entendidos". Tres o cuatro años después, me encontré con los dos estancieros, en otro tren, ahora se les llenaba la boca hablando de la eficacia de aquel Gath y Chaves como productor, que ahora era un maestro. Se quedaron azorados cuando les recordé el episodio anterior.

Es que el burgués incorpora a la producción rural su capacidad de innovación y su mentalidad mucho más moderna que la de los viejos. Lo recuerdo

das de la inmigración, y está indisolublemente unida a los móviles de ascenso que las caracterizaron. Lo que es nuevo, y además reciente, es la naturaleza artificial y además desnaturalizante, de la búsqueda de prestigio por este neoplasma social.

BURGUESÍA ANTERIOR AL MEDIO PELO

Ya se ha visto lo que ocurrió con la burguesía surgida a principios de siglo, que afirmó su propio *status* prescindiendo del reconocimiento de la alta clase.

Es cierto que por su procedencia extranjera buscó prestigio en las distinciones otorgadas por los gobiernos de sus patrias de origen, pero no renunció a su posición burguesa ni se sintió acomplejada por la necesidad de una consagración aristocrática. Si Guassone se

---

para que se vea que tengo presente las dos caras de la misma moneda. Sólo que al país le hacen más falta como burgueses que como señores, porque la dosis que tenemos de éstos, es excesiva para nuestra salud económica.

Siendo yo presidente del Banco de la Provincia de Buenos Aires y Maroglio presidente del Banco Central, me señaló la conveniencia de no facilitarles recursos a los industriales para la compra de campo; mi criterio era coincidente, pero le señalé entonces que este nuevo aporte al medio rural, concretándonos exclusivamente a él, significaba un empuje hacia la modernización.

Los recuerdos son como la hilacha del poncho; se tira de una y el poncho se viene detrás en hebras. Uno último para terminar.

A un poderoso industrial metalúrgico se le había negado un crédito; el hombre era peronista y quiso hacer valer la condición, cosa que no le sirvió; entonces se movió a través del sindicato porque se trataba, según él, de ampliar la producción y con ella la ocupación; del sindicato la vieron a Evita y por Evita llegaron, obreros y patrón, a verlo a Miranda.

Yo presencié la escena: obreros y empresario estaban unidos en la demanda del crédito, hasta que Miranda, con aquella agilidad mental y sentido de la oportunidad que tenía, le dijo al empresario: *Usted, don Fulano, es un industrial de raza; ya lo era su padre y su empresa tiene una larga tradición en la metalurgia. Usted no es un mercachifle o un comerciante apresurado metido a industrial, como tantos otros a que el país tiene que recurrir para acelerar su transformación. Y usted necesita ese crédito porque ha distraído fondos en su empresa para hacerse estanciero, presionado por su mujer y sus hijos... A usted no se lo puede perdonar, precisamente porque es un industrial de veras.*

Ahí mismo se acabó la confraternidad obrero-patronal; aquéllos se le echaron encima...

Creo que esta anécdota no está de más, aunque sólo sea para comprobar que el asunto lo silbamos de memoria.

envaneció con el título de Conde de Pasalaqua, no lo hizo renunciando a su más alto título de Rey del Trigo ni escondió su vergüenza de serlo bajo la imitación del viejo estilo de la clase terrateniente argentina. Lo mismo el Conde Devoto, que edificó su palacio en el barrio que había fraccionado con su nombre. Si ambos devinieron propietarios de la tierra lo fueron en razón de su potencialidad burguesa y no para ocultamiento de la misma. Si los herederos de uno y otro han realizado la incorporación a la alta clase, esto lo prueba más bien la actitud conservadora de la misma, que el falseamiento de las situaciones por aquéllos. El orgullo de hacer su palacio en su propio barrio, del uno, y el título preferido a la consagración nobiliaria del otro, están acreditando una seguridad en su propio status burgués, una certidumbre del valor positivo de su situación que adquiere todo su realce por comparación con la actitud imitativa y de disimulo de la propia condición que caracteriza a la burguesía de las últimas promociones.

(No incluyo en ésta a burgueses como Fortabat e Hirsch, ya mencionados en otro ejemplo, porque se trata de situaciones excepcionales. La suma de poder que cada uno representa y la arrogancia con que penetran en la alta clase no tiene nada de común con la falsa situación de los imitadores. En este caso la impresión que dan es más bien de una concesión amable al *status* donde los ubica su poder económico, con estancia y sin estancia, con cabaña y sin cabaña, sin disminución alguna de la condición burguesa que es la que priva en ellos y a la que no renuncian. Son capitanes de industria y de negocios, y sólo subsidiariamente propietarios de la tierra, como Sir Walter Raleigh o Drake eran corsarios y subsidiariamente nobles, y esto lo digo sin ningún ánimo peyorativo porque estoy estableciendo la diferencia entre los conductores de una época y los usufructuarios de situaciones anteriores que no aceptan la modificación de la estructura).

Con las pautas estéticas, el "medio pelo" asimila pautas éticas en las que la moral no se remite al resultado de las acciones sino a su forma; todo lo que es tradicional en relación con la adquisición o conservación de los bienes es moral, e inmoral el enriquecimiento por cualquier otro camino; así una especulación en tierras es correcta, pero una especulación en valores de bolsa es una maniobra; como degrada unir el nombre de familia al lanzamiento de un nuevo producto industrial y lo prestigia vender reproductores en una exposición, que agrega handicap social. Se presume un negociado en toda ventaja obtenida de los poderes públicos para el desarrollo de una actividad burguesa, y es una operación de fomento cuando la ventaja de cambio o fiscal es acordada a las formas de producción tradicionales.

Agregaré que las referencias que aquí se hacen no importan un juicio subjetivo sino objetivo porque se aplica al cartabón del interés nacional y no de los grupos diversos que constituyen la sociedad, aplicando un criterio ético referido exclusivamente a la potencialización o decadencia del país con exclusión de la ética subjetiva del que analiza la situación, que como se ve corresponde a intereses en todos los casos.

La alta clase demuestra su fuerte espíritu de conservación y una técnica adecuada, haciendo de su prestigio un instrumento de defensa al imponer sus pautas a los otros sectores de la sociedad.

Así, si normalmente ella conserva una actitud despectiva tradicional para los miembros de las fuerzas armadas, en las circunstancias en que éstas se convierten en poder, sabe disimularlo para absorber sus altos niveles y comunicarles con sus pautas la ideología y los prejuicios en que consolidan su vigencia. Lo mismo haría con los dirigentes sindicales si éstos fueron susceptibles de captación, como lo hace sistemáticamente con los políticos de todos los partidos, aun de los más adversos. No de gusto han previsto en los reglamentos de sus clubes el libre acceso a ellos de legisladores, magistrados y altos funcionarios. Claro está que sólo da la apariencia de la situación que como los lirios dura lo que el buen tiempo, porque la condición de estabilidad sólo la da el largo ejercicio de la propiedad de la tierra, es decir, ser de la clase, y no el alternar eventualmente con ella.

El resultado es que los seducidos momentáneamente quedan enervados para su situación real, difícilmente llegan a incorporarse y quedan rezagados en esa equívoca situación del "medio pelo".[2]

Tampoco las clases medias de las primeras promociones se deformaron por la adquisición de un falso *status*. Ya hemos visto cómo la jerarquía entre sus distintos niveles estaba determinada dentro del barrio donde se estructuraba. Su búsqueda de ascenso correspondió al plano político, profesional, de la cátedra, de la milicia o de los negocios, cuando sus más altos representantes quisieron trascender de la

---

[2] La ridiculización sistemática de los radicales, en su época, no fue obstáculo a la captación individual de los mismos, y si esta habilidad no dio resultados efectivos con el peronismo, no hay que olvidar la importante presencia de Evita, que lo *evitó*, respecto de muchos, con el celoso control de los funcionarios y dirigentes. La descabellada hipótesis de Beatriz Guido con Juan Duarte en el solarium del Jockey Club no hubiera sido tan descabellada sin la presencia de Evita.

situación de barrio. No apuntó a la incorporación en la alta clase y mucho menos realzó la tragicomedia en que vive el "medio pelo".

Esto no ocurrió ni siquiera con el sector que había pertenecido a la "gente principal", y trocado su jerarquía en el "todo Buenos Aires" por el papel predominante que ocupó en el barrio.

Tampoco ocurrió con la alta clase media proveniente de la inmigración. Por eso fracasó la sutil política que realizaban entonces los conservadores tratando de crear un complejo disminuyente en los descendientes de inmigrantes que buscaban prestigio.

"La Mañana" y "La Fronda", sucesivamente, bajo la dirección de Pancho Uriburu, hacían una sistemática ridiculización de los apellidos inmigratorios de la clase media, típicos del radicalismo yrigoyenista –y también de los criollos no filtrados por la alta clase–. Era una escalera a dos puntas: complacer a la propia clientela de la clase e intimidar a la del adversario. La crítica humorística se extendía a la cachería y cursilería de toda la gente nueva. Seguramente lo reciente del ascenso, la convivencia con los padres inmigrantes, testigos vivos de la modestia del origen, hasta en sus inflexiones idiomáticas y sus modalidades propias de los humildes estratos europeos de donde procedían, provocaban más bien una reacción adversa y defensiva con el orgullo expresado de ser nuevos y sentirse esperanzas del país.[3]

Esta clase media de barrio no intentó asumir las pautas de la alta sociedad, por el contrario, sentía superior las suyas. Así en lo moral. (Se atribuía a la clase alta una descomposición de costumbres muy parecida a la que hemos visto, le atribuye Beatriz Guido en los tipos representativos que novela. Había toda una literatura popular que difundía esa creencia y el rumor de supuestos escándalos llegaba a los ambientes de clase media que se confortaban con la imagen de su superioridad ética.[4]

---

[3] El recurso más socorrido de ese humorismo eran los equívocos a que se prestaban los apellidos inmigratorios. Por ejemplo: como don Hipólito padecía de una dolencia en la vejiga se acomodó el apellido tradicional del Dr. Oscar Meabe convirtiéndolo en el "Doctor Meabene", cuya habilidad profesional obtenía resultados satisfactorios para el enfermo que se expresaban con el nombre de un correligionario de la tercera: Don Plácido Meo. Para dar una imagen anal de los políticos radicales contribuían tres apellidos inmigratorios de Rosario: Coulon, Coulin y Culaciatti que lo reforzaba con la imagen nativista el diputado riojano don Julio Del C. Moreno...

[4] Sebreli (Op. cit.) dice que ciertos sectores de la burguesía industrial miran con desdén e indiferencia a la vieja burguesía ociosa, en general la con-

Por otra parte, la ciudad era más chica y eso hacía más fácil la diferenciación de los niveles y que recayese el ridículo sobre el que intentaba franquearlo a través de la simulación de un *status*. La clase media tenía sus propias pautas y no deseaba cambiarlas por las de una sociedad que consideraba en descomposición. Sus gustos y la cultura de barrio conformaban sus aspiraciones estéticas, sin que la deslumbrase la atracción de la vida mundana que veía reflejada en los periódicos, ni el esteticismo afrancesado que creía propio de un mundo distinto al suyo y del que se sentía completamente extraño. No existía en la clase media ni el snobismo ni la tilinguería que resultan siempre del afán de imitación. Existía sí el guarango por inadaptación a las pautas de la clase, en los que no habían logrado cumplir todos los extremos del *status*, o en los triunfadores de la fortuna en rápido ascenso y cuyas aceleradas variaciones de posición les impedían el "afiatamiento". Porque el guarango es un personaje inevitable de una sociedad en ascenso; casi el precio que se paga por el éxito personal.[5]

Existía lo *cache*. (Segovia en su "Diccionario de argentinismos": dícese de la persona o casa mal arreglada *y sin gracia y gusto en el adorno*. Igualmente Granada Garzón, en su "Diccionario argentino" trae la misma acepción particularizándose con las prendas femeninas).

---

sideran compuesta por juerguistas, arruinados, corrompidos, viciosos, etc. La observación es cierta y válida para las antiguas burguesías, pero hay que ubicarla en el tiempo; es uno de los anacronismos en que incurre Sebreli atribuyendo vigencia contemporánea, y viceversa, a situaciones de distinta época como las anteriores a 1930 y las de estos últimos veinte años, en que han variado la composición de las clases, las ideas morales y políticas, y la estructura económica en que todo esto reposa. Ahora, salvo Beatriz Guido y el "medio pelo", nadie tiene esa imagen de la alta sociedad, la que se explica por el comportamiento de la misma que ha disminuido su boato y reservado para la intimidad fiestas y expansiones. A su vez la prensa ha reducido su "Vida Social", la atracción que representaba ha sido ganada por los héroes del deporte, la cinematografía, la radio y la televisión que interesan mucho más al gran público. La única clientela que resta es el "medio pelo", pero ya no con curiosidad de "Cenicienta"; más bien como medio de estar "a la page"'sobre lo que es *bien*.

---

[5] En "Filo, Contrafilo y Punta" (Ed. Pampa y Cielo, 1965 me refiero al guarango y su contrafigura el tilingo.

"No sabemos si guarango y tilingo son términos nuestros. No hemos consultado a la Academia. Pero indiscutiblemente son tipos nuestros y recíprocos.

"El tilingo es al guarango lo que el polvo de la talla al diamante. O la viruta a la madera. Producto de un exceso de pulido, o de la garlopa que se

Pero la cachería como expresión de mal gusto era generalmente individual. Más frecuente era lo cursi si se entiende por tal lo que con apariencia de elegancia o riqueza es ridículo y de mal gusto. Pero esta cachería o cursilería no estaba tan referida al vestido como a una actitud espiritual, y lo cursi es en definitiva una tentativa hacia la belleza, que yerra el camino.

ESTÉTICA DE LA CLASE MEDIA

Si la clase media no poseía la estética que la clase alta había aprendido y traído de Europa, tampoco tenía bases propias para elaborar en el breve término de su formación, proveniendo, como provenía, de una inmigración que sólo podía aportar los elementos estéticos de las clases bajas europeas. Los que dentro de ella representaban el sec-

---

pasa. Es la diferencia que hay entre tomar el caso "a la que te criaste" y tomarlo con las puntas del índice y el pulgar y con el meñique apuntando a la distancia.

"Pero digamos que en el guarango está contenido el brillante y también la madera para el mueble. En el tilingo nada. En el guarango hay potencialmente lo que puede ser. El tilingo es una frustración. Una decadencia sin haber pasado por la plenitud.

"Si el guarango es un consentido, satisfecho de sí mismo y exultante de esa satisfacción, el tilingo es un acomplejado. El guarango es la cantidad sin calidad. El tilingo es la calidad sin el ser. La pura forma que no pudo ser forma. El guarango pisa fuerte porque tiene dónde pisar. El tilingo ni siquiera pisa: pasa, se desliza. Por eso tilingo es un producto típico de lo colonial. Los imperios dan guarangos, sobre todo, cuando se hacen demasiado pronto. El caso de los EE.UU., por ejemplo.

"Cuando el guarango tiene plata no habla más que de Nueva York. Antes hablaba de Londres, como el tilingo de París. Habla también de técnica y aspira a ser socio del Club Americano. Compra palos de golf, pero sufre terriblemente porque no puede ir al fútbol. Al tilingo ya se le pasó la época del golf desde que los guarangos andan con los palos. El tilingo sigue en París, y más bien se dirige hacia Oriente. Pasa por Rabindranath Tagore y Lanza del Vasto con unos granos de pimienta de Mao-Tse-Tung. Se acicala con descuido para que no esté del todo ausente Sartre. Como la cocina francesa, es un puntito 'fessandé'. Carga con el guarango como una desgracia nacional, de esa nación que es su 'oficina'. A veces tiene preocupacione sociales, y se agobia, como si llevara 'la pesada carga del hombre blanco'. Pero el 'cabecita negra' no es bastante oscuro. Prefiere ocuparse de otros colores más remotos. Y que no tienen demandas concretas.

"El guarango lo irrita. También irrita el guarango a los guarangos que ya

tor desclasado de la gente principal sólo podían influirlo en cuanto a los modos más o menos señoriales que conservaban de la gran aldea, pues estaban desconectados de la estética de importación profesada en la clase alta.

No existían tampoco en la época los elementos masivos de difusión que permiten hoy universalizar con rapidez los gustos. Así la declamadora, el infatigable piano de las niñas casaderas, los juegos florales, los paisajes pintados por la alumna de la academia, y hasta los retratos de familia alternaban con los almohadones bordados, los encajes y las puntillas de confección caseras, los festivales artísticos, los bailes de sociedad, las retretas dominicales, la salida de la iglesia y el paseo de la tarde por las cuadras tradicionales, satisfacían las exigencias estéticas y sociales del medio. (Le ahorro al lector la descripción de los interiores remitiéndome a la tan exacta de la casa de la familia Di Giovanni hecha por la autora de "El incendio y las vísperas").

Cachería y cursilería, sí. De ninguna manera esnobismo o tilinguería.

La estética de la clase media expresaba una tentativa de creación con los escasos elementos de que disponía, casi todos provenientes de la decadencia del romanticismo, y difundidos por la literatura barata de las editoriales españolas y la poesía y la prosa de los escritores argentinos que llegaban al gran público, todos fuertemente influidos por las mismas fuentes literarias. (Los poetas de la época, de más alta jerarquía, eran todavía para escasos iniciados como se comprueba en lo mínimo de sus ediciones, y la buena literatura de la generación del 80 no había tenido la difusión que comenzó mucho después. En realidad la escuela normal era la que daba la medida de los valores estéticos y su difusión, y decir esto significa decirlo todo).

Esta clase media, cursi si se quiere, era auténtica. De la cursilería, como tentativa hacia la belleza, podía salir un gusto de más calidad por maduración en el tiempo, a diferencia de la tilinguería y el esnobismo del "medio pelo" donde inexorablemente no se puede crear nada porque falta el elemento esencial para la creación: la autenticidad.

---

son importantes. Entonces se juntan los guarangos importantes con los tilingos. No hay que olvidar que el tilingo sale del guarango por exceso de garlopa. Tilingos y guarangos unidos contra los otros guarangos terminan por mezclarse y se vuelven contra el país que no es ni guarango ni tilingo. Y esa es la explicación psicológica de algunas revoluciones cuyas raíces son económicas y sociales, pero utilizan estos instrumentos, porque los que manejan el país afuera saben cuáles son nuestros puntos débiles."

El teatro de época refleja ya las posibilidades de una creación propia.

Los mínimos patrones de cultura europea de la clase media estaban dados por la lírica para los italianos, y por la zarzuela y el sainete hispánico para los españoles; apuntaba lo propio en el éxito en el teatro de las creaciones de los hermanos Podestá en el circo, continuando después por la aparición de un teatro nacional, de carácter vernáculo, en cuyo escenario no figuraba la alta sociedad. Esto de Florencio Sánchez a Vaccarezza, y lo mismo de los precursores, como Soria o Martiniano Leguizamón. Más aún, las mismas comedias, escritas por gente de primer nivel social, reflejaban los modos y las costumbres de una sociedad modesta, como el caso de Laferrère.

Las ficciones que podrían a la ligera equipararse con las del "medio pelo" no estaban dirigidas a atribuirse el *status* de la clase alta, sino a disimular las dificultades económicas que hacían difícil el mantenimiento en el propio: una cosa es simular la pertenencia a un *status* ajeno y otra evitar la pérdida del que ya se tiene o intentar ascender dentro del mismo. Esto último es lo que refleja Laferrère en "Las de Barranco", donde la familia venida a menos, una familia de militares, lucha contra el desclasamiento inevitable. Se trata de la pobreza vergonzante que es otra cosa que la pobreza desvergonzada, donde se abandona el decoro de la posición tirando la chancleta, o la prosperidad mentida del "medio pelo", en que la representación no atiende al decoro que se sacrifica a la pompa artificial.[6]

---

[6] Es lo que los españoles, y también los cubanos, llaman dar la cara. Se trata, como se ha dicho, más que de una búsqueda de prestigio de una conservación del decoro; no de atribuirse un alto *status* sino de no desmerecer en el que se tiene. Esto más que porteño es castizo. Es ilustrativo de lo que pasaba con el veraneo.

La universalización en los últimos años nos ha hecho olvidar lo impracticable que era para todos los no ricos treinta o cincuenta años atrás. Me bastaría decir que, en mi época de estudiante, de cuarenta compañeros de curso, veranearían 5 ó 6, que ahora es el número justo de los que no veranean. Gran parte de los veraneos, entre la gente acomodada, no se hacía en las playas o sierras, sino en ls estancias o quintas de los amigos. En la clase media modesta el veraneo consistía en la visita a amigos o parientes pueblerinos, y los que no tenían este recurso, apelaban a una muy graciosa ficción, sobre todo en las familias con numerosas hijas casaderas; consistía en el veraneo de azotea, clásico entonces.

La familia cerraba la puerta de la casa, que sólo se abría subrepticiamente

En el más alto nivel de la clase media había un grupo característico de la época. Eran los habitantes del llamado "Palacio de los 'Patos'", sito en la esquina de Ugarteche y Cabello. En general, la gente que allí vivía provenía del desclasamiento de la clase principal, pero no hacía el juego de simular su pertenencia a la alta sociedad porteña; sacando fuerza de flaqueza ese grupo social marcaba la distinción de su origen, pero aceptando su situación de venido a menos económicamente. De ahí el nombre que humorísticamente se atribuyó al lugar de su residencia, marcando la existencia de un *status* particular que le permitía diferenciarse de otros niveles de la clase media, pero no intentando vivir una vida de simulación; era aquello de "pobre pero honrado", que se glosaba en "pobre pero bien nacido". Lo que se exhibía era cierto.

Se trata de no parecer menos, pero no de parecer más. Se desea ser más, pero la búsqueda del prestigio está unida a la búsqueda de una ascenso real que resultará del ejercicio de las actividades que proporcionan recursos para ascender efectivamente con los mismos. No hay simulación; a lo sumo el disimulo exigido por el decoro.

ANALOGÍAS Y DIFERENCIAS CON EL "MEDIO PELO"

En lo que va del presente capítulo se ha redundado insistiendo en las particularidades de la clase media y de la burguesía de principios

---

en las primeras horas de la mañana, para que la "chinita protegida", que se tenía para educarla, vestirla y alimentarla, y de paso, para tareas domésticas, que iban desde cebar mate hasta lavar el patio, cocinar, etc., saliera a hacer las compras de mercado y despensa.

Después usted podía echar la puerta abajo, que nadie le abría: la familia estaba veraneando, y quedaba a cargo del visitante, averiguar dónde. El Diablo cojuelo de Vélez de Guevara podía comprobar entonces, que las niñas estaban concentradas en la azotea, mojándose, con la manguera de regar, y dándose el baño de sol que habría de acreditar el veraneo, después del supuesto retorno.

Esto es muy madrileño y de ahí viene, pues el clima de Madrid, en julio y agosto, es de un calor intolerable, pero aun más intolerable es la disminución social, que frente a su propio medio, experimenta una familia que no veranea.

Los más pobres apelan al recurso de pasar dos o tres semanas hacinados en una habitación alquilada en una de las aldeas próximas a Madrid, término durante el cual, un familiar hace una excursión a un lugar de prestigio de donde despacha las consabidas tarjetas a sus relaciones, destinadas a amargarles el respectivo supuesto veraneo. Don Emilio Herrero decía de estos:

–"Esos que veranean en Naval-Carnero y fechan las tarjetas en Naval-Mouton" (Naval-Carnero es una aldea cercana a Madrid que fue escenario de muchos combates en la Guerra Civil).

de siglo, tema tratado con anterioridad. Pero al referirnos en particular al "medio pelo" que se origina casi contemporáneamente, en los últimos 20 ó 25 años, se hace necesaria la confrontación porque éste procede de los mismos niveles económicos: de la alta clase media y de la burguesía. Esta confrontación permite comprobar al mismo nivel social un distinto comportamiento: mientras la alta clase media y la burguesía de principios de siglo se comportaron como tales y fueron factores activos de la democratización del país a través de la transformación económica y política con la cual identificaron su destino, un numeroso grupo perteneciente a los equivalentes sectores contemporáneos, toma el rumbo inverso para constituir este *status,* históricamente anómalo, caracterizado por la adopción de pautas de imitación que marginan a sus componentes del proceso de avance de la sociedad argentina.

No hay que confundir esta adopción de pautas imitativas con esa cierta seguridad social que la burguesía y la clase media descendiente de la inmigración adquieren por el simple transcurso del tiempo, en una decantación que por breve no deja de ser de la misma naturaleza que la que llevó a los descendientes de la primera burguesía porteña a constituirse en clase señorial, aun antes de la adopción de los patrones aristocráticos europeos.

A este propósito, recuerdo que a principios del gobierno peronista asistí a una sesión de la Legislatura de La Plata y me llamó la atención la actitud adoptada por los legisladores radicales con respecto a la bancada peronista. Era la reproducción exacta de la postura de los legisladores conservadores, en otra sesión presenciada en 1920, con respecto a la bancada radical: los radicales adoptaban ahora, como los conservadores antes, un aire de viejo estilo, una suficiencia sobradora de gente acostumbrada y que se mueve en su propio medio frente a las *gaffes* y las torpezas parlamentarias de los recién llegados.

Pero esto es bastante natural y no significa la atribución de otro *status.* Al fin y al cabo aquellos conservadores de la Legislatura de La Plata tampoco simulaban un *status superior* a los radicales. No formaban parte de la alta clase aunque fueran sus instrumentos de gobierno: eran gente de la clase media también, cuando no de más bajo origen, como expresión del caudillismo pueblerino en los que había caído la dirección de los partidos conservadores, hasta en rango de alta dirección –caso de Barceló– desde el momento en que, como se ha dicho antes, la alta clase se desvinculó del manejo político directo del país. Podría decirse que como extracción social era de origen más alto el radicalismo, cuyos representantes legislativos eran en general ganaderos o profesionales, es decir, gente de la alta clase media.

En el mismo sentido debe interpretarse ciertas reacciones políticas, peyorativas para el movimiento social que irrumpe en la escena con la presencia de los "cabecitas negras". Tal es el caso de la expresión "aluvión zoológico" del doctor Ernesto Sanmartino, o aquello de "libros o alpargatas", del profesor Américo Ghioldi. Para éstos el hecho nuevo no significa la lesión de un supuesto *status* que se atribuye el medio pelo, sino el real a que pertenecían por la configuración que la superestructura cultural del país sostiene en el plano de la inteligencia. (Este tema será tratado más adelante, pero conviene adelantar la existencia de un *status* propio de la *intelligentzia* en la cual rigen pautas de aceptación y de consagración que coinciden con la estructura dependiente del país y al que la incorporación se hace paulatinamente según se acredita una conformación cultural correspondiente a la conformación colonial de la cultura).

La presencia del país real era una piedra en el tejado de vidrio de la *intelligentzia*. Una multitud que marginaba los mentores aceptados –de derecha a izquierda– era para éstos un hecho anticultural, como para los unitarios la presencia de la multitudes federales. El esquema de "civilización y barbarie" sigue vigente para ella con todas sus implicancias racistas y ese es el sentido de "aluvión" y "alpargatas". La inteligencia ha configurado su esquema dentro del cual se puede ser desde Maurrasiano a Leninista, pero que excluye una presencia social vernácula que ya está decretada "anticultural". Y mucho menos la posibilidad de que se constituyan elencos directivos que no hayan obtenido su legitimación como políticos o como intelectuales dentro de las pautas consagratorias establecidas por las capillas vigentes en la inteligencia de conformación foránea.

El fenómeno ya había ocurrido antes con el radicalismo yrigoyenista en su brusca irrupción de 1916; no era el origen social el que determinaba la reacción de los "cultos" sino la alteración que suponía en sus escalas.

Una vez que el político, el escritor, o el artista han sido convenientemente pesados y medidos, pasa el filtro y se incorpora, porque en el plano de la inteligencia sigue vigente la división de la sociedad en dos capas culturales como ocurría con las clases de la sociedad tradicional, pero por causas distintas. No es el origen social el que determina la aceptación, ni siquiera el ideario: es conformarse en los esquemas culturales pre-establecidos. Una vez incorporado al *status* de la inteligencia, el sujeto, hasta subconscientemente es parte de ella, y todas las discordancias ideológicas dentro de la misma pueden existir, pero sobre el supuesto de que se ajusten a la idea de la cultura que intente expresarse con otros módulos de cultura distintos por nacionales: eso es la barbarie.[7]

Así Gerchunoff se sentía cómodo entre los redactores de "La Fronda" y no con los italianitos y judíos que ascendían con el radicalismo, como Sanmartino y Ghioldi, gringuitos ayer, podían sentirse ahora cómodos con quienes les habían puesto el mote, en la medida en que el radicalismo o el socialismo, no amenazaban, sino que ya estaban incorporados "en el plano de la cultura". Lo mismo Codovilla o los otros Ghioldi que, como los anteriores ya eran políticos cultos a la manera de los rivadavianos. Se trata en realidad de un común *status* cuyos miembros se suponen élite intelectual, dividida entre sí por las ideologías, pero conforme en conjunto en ser élite frente a la multitud innominada y sus mentores que tenían la insolencia de considerarse inteligencia al margen del cartabón establecido. Podría, pues, hablarse de un medio pelo intelectual, dándole mucha latitud a los términos, pero no se trata del medio pelo social, cuyo origen es otro, y otras sus pautas, aunque tenga en común con éste el rechazo a la presencia política de las masas en el Estado.

---

[7] El 15 de setiembre de 1966, "La Nación" informa ampliamente sobre la incorporación de Américo Ghioldi a la "Academia de Ciencias Morales y Políticas". Trae una fotografía de los que le acompañan en el estrado: Carlos Sánchez Viamonte, Manuel Río, Isaac F. Rojas, Horacio C. Rivarola, Adolfo Lanús, Guillermo Garbarini Islas. En todas esas "academias" se buscará inútilmente un "peludista" antes o un peronista ahora, es decir, un hombre al que se lo suponga identificado con el pensamiento popular. Culturalmente esto sería heterogéneo. En cambio es homogéneo mezclar Ghioldi, Sánchez Viamonte, Lanús y hasta el pensador y experto en ciencias morales Isaac F. Rojas. Se agita la mezcla y después se sirve y usted obtiene un cocktail "1930" o "1955", pero nunca una bebida de consumo popular: estas son anticulturales.

Hay allí ex justistas, ex socialistas, ex conservadores, ex antipersonalistas y un rojista (el más feo contando a la izquierda de la fotografía que no es un "cabecita negra" como pudiera suponerse por su contraste en esa reunión de hombres blancos).

Las "academias" constituyen una síntesis de lo que se viene diciendo. Son el coronamiento del *status* de la "intelligentzia". Para acceder a ellas no hay que dar examen de aptitud, como se ve por la lista de los constituyentes de la plana mayor que comento; se trate de Ciencias Morales, Letras, como Medicina, Derecho o Astronomía. Más bien el examen es al revés. Hay que acreditar una continua vida marginada de los fines y aspiraciones nacionales sin que importen las ideologías ni los antecedentes sociales de procedencia.

LOS ORÍGENES DEL MEDIO PELO Y LOS PRIMOS POBRES

El medio pelo procede de dos vertientes. Los primos pobres de la alta clase, y los enriquecidos recientes.

Al hablar de la composición de las clases medias y la incorporación a las mismas del sector de gente principal que no participando de la prosperidad de la clase alta, en el momento de la expansión agropecuaria y el vertiginoso enriquecimiento de los terratenientes argentinos, se señaló que algunos grupos de los económicamente desclasados no renunciaron a sentirse parte de la alta sociedad y mantuvieron, casi heroicamente, la ficción de su pertenencia.

Son los *primos pobres de la oligarquía.* Así los calificaba un miembro de la clase alta que me decía:

> Son esos parientes remotos que te van a esperar al puerto cuando llegás de Europa. Uno ni los recuerda, pero tiene que ser cortés y comprenderlos... Ellos te comentan todas las pruebitas que has hecho en Saint Moritz, lo que perdiste o ganaste en Montecarlo, los yates en que estuviste embarcado en el Mediterráneo y las villas de que fuiste huésped en la Riviera. Conocen al dedillo los modelos que estrenó tu mujer y todos los chismes y cotorreos que han circulado por la "Colonia" en París.
>
> Lo desagradable es que uno por corresponder a tanta preocupación quiere ensayar la reciprocidad y les equivoca los apellidos, y con mayor razón los sobrenombres. Fíjate que a uno bigotudo a quien le llaman "Macho" le dije "Cototo", confundiéndole con otro recontraprimo que es medio "para qué me han dado esta escopeta"... Uno les confunde hasta los padres y les pregunta por la tía Aurelia, creyendo que es la madre, cuando le advierten horrorizados que la tía Aurelia murió hace veinte años y soltera...
>
> Son difíciles, muy difíciles. Además, uno resulta hasta vulgar, pues sus modos de hablar y tocar los temas son tan cuidadosos, que se tiene la sensación de ser poco bien...
>
> En el fondo son los parientes pobres que pinta Silvina Bullrich en "Los Burgueses", a los que ya me he referido en una cita.

Muchas de esas familias vivían antes de la aparición del "medio pelo" como exiliados en el tiempo, recordando el landó de la abuelita cuando la "familia figuraba", y "esos de la otra cuadra" se bajaban de la vereda para darles paso.

"Esos de la otra cuadra" eran motivo de un tema frecuente, pues lo mismo podía tratarse de unos "mulatitos" que llevan el mismo apellido porque fueron esclavos de los tatarabuelos, que de los nietos de un "galleguito" al que el abuelo Gervasio hizo nombrar portero de la escuela, y "parece que lo ha olvidado desde que progresaron". Tenían en esto memoria de elefante y minuciosidades de hormiga.

Vivían nostálgicos del ayer y como "todo tiempo pasado fue mejor", atribuían su situación actual a una especie de falta de respeto de los tiempos modernos que los había marginado de la primera línea, a la que en realidad nunca pertenecieron.

(En la estructura de la sociedad tradicional, en razón de la distancia que los separaba de los de abajo, el criollaje de la clase inferior y los "gringos" que empezaban a llegar, pero que todavía no hacían sombra con sus pretensiones de importancia, su papel fue, por comparación, de más alto rango).

Algunos reaccionaban con un nacionalismo cerril que los enfrentaba con la ideología "liberal" de la clase a que creían pertenecer. Mentalmente se ubicaban cumpliendo su función de élite conductora, pero no ya desde el landó de la abuela; les era agradable imaginarse en un Cadillac pasando rápido ante los gauchos a caballo, con plata en los aperos, y saludando respetuosamente: –¡Adiós, patroncito! –¡Qué te vaya bien, m'hijo!... Una especie de Arcadia pastoril y tecnificada a la vez, pero donde cada uno está "donde debe estar". La mayoría y especialmente las mujeres seguían cultivando los mitos culturales de Europa civilizadora prefiriendo trasladar la culpa de los tiempos modernos a la incapacidad de los miembros masculinos de la familia, "inútiles como todos los criollos".

Ese galimatías era el tema obligado de toda reunión entre la gente del mismo grupo y sus contradicciones eran imperceptibles para los contertulios porque la esencia del tema era la nostalgia.

Pero mejor ilustrará sobre esa mentalidad, la transcripción de unas líneas de una escritora contemporánea que por su gusto y cultura está más cerca de la alta clase ausentista, pero cuya extracción social y actitud psíquica corresponde a lo que estoy señalando. Se trata de Alicia Jurado en su biografía de Jorge Luis Borges. (Ed. Eudeba, 1964). Es la versión femenina del grupo.

Dice de su biografiado: "Intelectualmente es demasiado argentino para ser nacionalista y no ha hecho sino heredar la vieja tradición criolla de mirar hacia Europa; reprocharle esa preferencia es ignorar el pensamiento de las viejas generaciones ilustradas que nos precedieron". Y aquí se tira con todo contra los nacionalistas: "La admiración por la mazorca, las tacuaras, el gaucho, la cultura diaguita y la bota de potro, es una invento relativamente reciente de los extranjeros que inmigraron al país, fatigados sin duda de los excesos de la civilización y deslumbrados por lo que suponen los encantos del salvajismo. Las antiguas familias argentinas están ahítas de barbarie desde hace tiempo para entusiasmarse con ninguno de sus símbolos; prefieren imitar a sus bisabuelos y buscar ejemplo en los países que la dejaron atrás. Borges, en este aspecto, no difiere de los hombres que construyeron, en el último siglo, la estructura precaria y amada que hoy preferimos no llamar patria porque las palabras país o nación son más vagas y nos duelen menos y nos sugieren menos comparaciones amargas". Para salvarnos de esa amargura, Borges "está realizando la tarea patriótica de mostrar al extranjero que en la Argentina hay algo más que un puñado de indígenas en vía de extinción y una creciente turba de indios vocacionales".

Lo que no impide que más adelante diga:

"Borges escribe sobre tapias rosadas, aljibes y patios, gauchos y compadritos, próceres y montoneros; escribe, en una palabra, sobre la Argentina de su añoranza". Pero la Argentina de los aljibes en lugar del agua corriente, y los montoneros en lugar del ejército moderno no se concilia muy bien con los ejemplos buscados por los bisabuelos y así la añoranza se compone de elementos tan contradictorios como el Cadillac y los gauchos con chapeado de plata, gratos a la imaginación nacionalista que biógrafa y biografiado repudian. Es cierto que le endosa la contradicción a Borges: "Si yo tuviera que reprocharle algo a Borges, sería más bien esa nostalgia por tipos tan repugnantes como el compadrito y el matón, más dignos del olvido que de la inmortalidad literaria".

Le reprocha a Borges esa nostalgia pero a renglón seguido le sale una propia que termina por identificarla con el del grupo social al que me estoy refiriendo: "Si lo hiciera –es decir, reflejara el país como reclaman algunos críticos a Borges– sobre la realidad nacional que hoy vivimos, tendría que limitarse a temas, casas, hablares y psicología de italianos, que constituyen la esencia de la argentinidad del siglo XX. Es natural que a los nacionalistas, casi todos recién llegados al país, les ofenda la nostalgia de Borges por una patria que no les perteneció y que ellos han contribuido a borrar".

En definitiva: a Doña Alicia no hay p...atria que le venga bien; la de ayer por bárbara, la de hoy por gringa, y gringos son los nacionalistas que la quieren acriollar, y criollos los abuelos que la quisieron agringar. Es un europeísmo que consiste en mirar el aljibe desde la ventanita del cuarto de baño: el agua corriente para uno y el balde para los otros.

Pero mejor es no tratar de explicar este galimatías que no es el resultado de un proceso consciente, como en el grupo que caracteriza, sino la subconsciente evasión hacia un mundo imaginario que traduce en resentimiento contra el país real, la nostalgia de una supuesta situación perdida.

LOS BARRIOS RESIDENCIALES DEL EXTREMO NORTE

Poco después que comenzó la radicación de la alta clase en el Barrio Norte, comenzó la jerarquización de ciertas zonas también del norte, como residenciales, porque fueron elegidas por los gerentes y altos funcionarios de las empresas extranjeras, generalmente ingleses o alemanes que prefirieron domiciliarse cerca de las estaciones del ferrocarril Central Argentino, constituyendo grupos diferenciados de la población nativa.

No había respecto de estos las prevenciones que originaban los inmigrantes de los países del Mediterráneo, pues se atribuía a los anglo-sajones y germánicos un nivel cultural superior al de los inmigrantes provenientes del mediodía de Europa. Esto era conforme a los prejuicios racistas comunes a la ilustración de la época que a su vez germánicos y británicos cuidaban de evidenciar diferenciándose meticulosamente de los nativos.

A diferencia de los españoles, italianos, turcos y judíos, se trataba de gente "bien" y a ésta le resulta fácil manifestarse como tal con los recursos que le proporcionaban sus empleos en las grandes empresas, de que estaban excluidos los nativos. Por otra parte, como ya se ha visto cuando se habló de la inmigración británica, inmediatamente posterior a la Independencia, se les exigían formas de vida diferenciadas del común indígena y con un comportamiento en el que intentaban reproducir el estilo de las clases altas europeas.

Especialmente en Belgrano Alto se constituyeron estos núcleos que se fueron extendiendo a las estaciones suburbanas del ferrocarril Central Argentino a medida que comenzaba el fraccionamiento de la viejas quintas. Los primos pobres ahí radicados sintieron sus barrios ennoblecidos con la presencia de los nuevos vecinos y comenzaron a adoptar sus pautas con preferencia a las de la alta clase que les eran económicamente inaccesibles. También les eran inaccesibles los barrios del Socorro y el Pilar, en la parte distinguida de ésta. Durante bastante tiempo el modelo propuesto estuvo constituido por los residentes extranjeros y la aspiración máxima del sector fue asimilarse a ellos, tener acceso a sus clubes, practicar sus mismos deportes y vestirse de manera parecida. No se abandonó de la vieja sociedad, la indumentaria solemne del traje oscuro y la camisa de cuello, pechera y puños almidonados para ir al "centro", pero en el ambiente residencial fue elegante exhibir las indumentarias deportivas que esos extranjeros utilizaban allí. La práctica del tenis, el rugby y más adelante del golf, permitió el acercamiento y la adopción de hábitos comunes, distintos a los de la clase alta, que nunca fue muy deportiva como no lo habían sido sus modelos europeos de la aristocracia, salvo en dos deportes reales que además se avenían con la condición de grandes propietarios rurales: la cría de caballos de carrera y su prolongación en los hipódromos, y más tarde el polo, dos modalidades deportivas a que eran ajenos gerentes y funcionarios, cuyos sueldos cuantiosos en cuanto al nivel de los mejores sueldos argentinos, no permitían esa clase de deporte demasiado costoso.

Pronto aparecieron los chicos típicos de esos barrios disfrazados de inglesitos con la gorrita de colores en la punta de la cabeza y los sacos listados, que además advertían con su indumentaria que eran alumnos de las escuelas extranjeras en un principio destinadas exclusivamente a los empleados coloniales.

En este momento bastante anterior a la aparición del "medio pelo", Belgrano, Vicente López y Olivos comienzan a constituir una especie de Barrio Norte con gente que adquiere un *status* propio de nivel superior al de la clase media de los otros barrios y que es el resultado de la simbiosis de pautas tradicionales con las aportadas por los residentes extranjeros de origen germánico y anglo-sajón. Se constituye una especie de sociedad distinta a la de la Alta Sociedad porteña, a la que no se tiene acceso, pero tampoco se busca. Extranjeros y nativos se encuentran satisfechos en el *status* así creado y van identificando grupos que, ya consolidados, serán el punto de referencia para el momento que la alta clase media y la burguesía que surgirá después de la modernización de la economía argentina intenten atribuirse un *status* calificado. Entonces los recién llegados encontrarán en este grupo una imagen de la Alta Sociedad, accesible, y ésta a su vez se empeñará en jugar el papel que se le atribuye desnaturalizándose con la adopción de pautas que le eran extrañas.

Sobre esa base empezó la comedia de equívocos que constituye el "medio pelo".

LA SOCIEDAD DE SAN ISIDRO

Entre esos barrios o pueblos residenciales, el más caracterizado e importante es San Isidro. Si en la simbiosis de primos pobres y gerentes extranjeros Belgrano acusa el predominio de estos últimos, y son las familias tradicionales las que tienen que adaptarse a ellos para consolidar el grupo social, en San Isidro las cosas ocurren a la inversa. Allí es mucho más denso el conjunto proveniente de la vieja clase y muchos de sus miembros mantienen un nivel económico que si no permite alternar con la alta clase, tolera una situación destacada y un contacto relativamente frecuente a través de las viejas quintas de aquélla. Muchos de los residentes conservan las propias, cuyo paulatino fraccionamiento proveerá al mantenimiento del nivel social, que en ninguna parte, como allí, será obsesivo. Compensan la falta de la propiedad territorial como fuente de recursos, logrando una ubicación intermedia facilitada por las viejas vinculaciones a que provee la magistratura, los altos empleos del Estado y las cátedras de la Universidad y la enseñanza secundaria, para cuya obtención se hallan mejor colocados que los competidores que ascienden con la clase media. Conservan todavía la posición despectiva de la alta clase, respecto del oficio de las armas, y dirigen pocos de sus hijos a las escuelas navales y militares. Su preferencia es hacia las carreras universitarias que abren camino a las posiciones burocráticas ya señaladas, y no desaprovechan el contacto creado con los residentes de las colonias extranjeras, de tal manera que hay numerosos apellidos del lugar en que ya es una tradición el desempeño de altas funciones en las empresas que, por razones políticas, se reservan a los nativos, como los bufetes de abogados que las representan y dan a la vez que cuantiosos emolumentos, el prestigio profesional que la mentalidad liberal atribuye a esa clase de funciones.

San Isidro constituye el más denso núcleo de primos pobres; hay un respaldo recíproco en una sociedad bastante cerrada con apellidos tradicionales que reproduce en escala pueblerina el modelo de la gente principal, anterior a la ruptura de la sociedad tradicional, y al desplazamiento hacia arriba de la alta clase. Constituirá en el momento del "medio pelo" una imagen apetecible de la alta sociedad y su mismo carácter cerrado con las dificultades del ingreso, hará más deseable para los nuevos la incorporación por la brecha que han abierto los gerentes de las empresas extranjeras.

La sociedad de San Isidro no se engaña como pueden engañarse los nuevos sobre su verdadera ubicación y para esta época sus miembros antiguos no juegan la comedia de ficciones a que después los arrastrará el entrevero del "medio pelo"; por ahora atienden más a conservar su propia jerarquía tradicional que a aparentar el nivel de la alta clase, con respecto a la cual se saben en situación económica inferior, pero a la que no ceden en la seguridad de la posición heredada.

Un poco marginados del país real que va creciendo, el grupo

social característico de San Isidro se conforma con su *status* y lo mantiene dificultosamente, pero con tenacidad, constituyendo como un oasis en el tiempo, aislado de la mediocridad de las clases intermedias que surgen y diferenciado de la burguesía proveniente de la inmigración. (Conviene no olvidar que los británicos o germánicos burgueses de las empresas, constituyen para la mentalidad de la vieja gente principal un estrato distinguido que los coloniales con sus pautas no consideran burguesía).

Me tocó presidir el Banco de la Provincia de Buenos Aires precisamente en el proceso de transición a la sociedad moderna, y recuerdo dos casos particulares en que era muy difícil la provisión del gerente local: La Plata y San Isidro.

En la primera, ciudad casi exclusivamente burocrática y universitaria, que recién empezaba a transformarse, los grupos sociales más altamente calificados estaban constituidos por los altos empleados radicales y conservadores, y los profesionales vinculados a los gobiernos, según el turno. Su situación económica variaba con las contingencias de la política, pero no la convicción íntima de sus miembros sobre sus respectivas importancias. El gerente que debía atender fundamentalmente a las necesidades financieras de las fuerzas nuevas que surgían con la transformación de la economía, tenía que contemplar la situación crediticia mucho menos sólida que la importancia social de los grupos acostumbrados a una consideración especial. Para no hacerse de enemigos debían unir a sus condiciones bancarias la ductilidad política que le permitiese regular el crédito, según la responsabilidad económica, sin disminuir la consideración social.[8] No más fácil tarea era la del gerente de San Isidro, que tenía que hacer una dicotomía entre los dos lados de la Avenida Maipú. A un lado estaba la industria que surgía en las innumerables villas que iban apareciendo, y en el comercio correspondiente; allí el trato debía ajustarse exclusivamente a las reglas del capitalismo y los fines promocionales que cumplía la banca. Del lado del río, había que dar poca

---

[8] La Plata era una ciudad difícil como ocurre en toda estructura burocrática, con la variedad turnante de posiciones y los pequeños juegos de rivalidad y amistad interesados que son propios de esa situación. Es la imagen que dejó un poeta local, Pablo Navajas Jáuregui, fallecido en 1962, en un soneto que ha quedado clásico:

plata y mucha diplomacia porque, en realidad, más que el dinero era estimada la consideración, que el gerente supiera conducirse en el trato como se debe cuando se trata con alguien que es "alguien".

Era una sociedad atrincherada en el pasado, en una anacrónica repetición de sí misma. No puedo menos de asociarlo a algo que refiere Ortega y Gasset en "Goethe desde adentro" (Ed. Revista de Occidente):

"Hay una villa andaluza, tendida en la costa mediterránea y que lleva un nombre encantador –Marbella–. Allí vivían, hasta hace un cuarto de siglo, unas cuantas familias de vieja hidalguía, que, no obstante arrastrar una existencia miserable, se obstinaban en darse aires de grandes señores antiguos, y celebraban espectrales fiestas de anacrónica pompa. Con motivo de una de estas fiestas, los pueblos del contorno le dedicaron esta copla:

En una CASI ciudad,
Unos CASI caballeros,
Sobre unos CASI caballos,
Hicieron CASI un torneo..."

Necesito apelar a la habitual aclaración de que cualquier similitud con personajes reales, etc., es una simple coincidencia, pues se da la curiosa circunstancia de que el club más representativo de este grupo social sea el C.A.S.I. (Club Atlético San Isidro).

Noche, La Plata, en el centro...
Cuatro gatos y algún cuzco;
nunca encuentro a los que busco,
nunca busco a los que encuentro...

El poeta quiere evadirse de ese mundillo de encuentros y desencuentros no buscados, y termina...

¡Cómo sueño en las metrópolis!
Roma, Atenas y su Acrópolis,
Madrid, París, vida, mitos
La Plata y sus pobres mozos:
ciudad de amigos gravosos
y de enemigos gratuitos.

CAPÍTULO X

LA PARTIDA DE NACIMIENTO DEL “MEDIO PELO”

En el capítulo anterior se han mencionado las dos vertientes que concurren a la formación del "medio pelo". Antes habíamos visto que también dos corrientes confluyeron en el origen de la clase media paralelas a aquéllas.

La primera –los primos pobres de la oligarquía– constituye el elemento básico que hace viable la constitución del grupo: apellidos relativamente antiguos y entre los cuales, usando varios es posible enganchar alguno de la alta clase; un estilo, en cierto modo más tradicional que el de aquella, en cuanto menos influido por la europeización de su época ausentista; una religiosidad formal, de buen tono y poco ecuménica, pues se condiciona a la calidad del lugar y feligresía de la parroquia. En resumen, un ritualismo social que tiene marcados con minuciosidad los límites de lo que es "bien" y lo que no es "bien", y da con eso la apariencia de un grupo cerrado. Cerrado, pero no tanto que no se pueda abrir con una llave de oro; lo suficiente para hacer apetecible la incorporación, pero no tanto para que sea difícil.

Los nuevos constituyen la segunda vertiente y concurren desde variadas procedencias que iremos viendo, pero que fundamentalmente está constituida por elementos de la clase media alta, la "intelligentzia" y la burguesía de los últimos ascensos.

En esta segunda vertiente del "medio pelo", particularmente en la incorporación de los burgueses, el factor tiempo tuvo mucha importancia, pues ya se ha visto que su equivalente anterior realizó su ascensión con un ritmo menos acelerado que el de la industrialización brusca, porque correspondía a la primera modernización de la sociedad, nacida de la expansión agropecuaria, en una ciudad más reducida y con sus sectores sociales menos confundidos, porque la alta clase, más distante del resto del país, se perfilaba más neta e individualizada. Además, los apellidos extranjeros conservaban todavía una resonancia exótica que se perdió con el acostumbramiento. En cuanto a la alta clase media, empezaba a confundirse con los primos pobres de la oligarquía, a través de una larga convivencia en las mismas funciones de nivel secundario: profesores, altos funcionarios, jueces y secretarios, profesionales, altos grados de las fuerzas armadas.

En una sociedad en que la dignidades primeras estaban dadas por la propiedad de la tierra, todas esas jerarquías de segunda se igualaban en poco tiempo; daba tono también cualquier antecedente anterior al 900, hasta el punto de que llegó a ser importante descender de un conscripto de Curumalal.

En este sentido, y hasta que el "medio pelo" se caracterizó por sus propias pautas, en el nivel básico de los primos pobres los criterios de aceptación fueron más amplios y modernos que los de la clase alta, y estuvieron más en relación con la sociedad real: estaban referidos al género de actividades desempeñadas que eran las de esa segunda línea de la sociedad tradicional.

A ese nivel, las actividades científicas, el ejercicio de la magistratura, la política, las letras, la espada, el sacerdocio, etc. representaban jerarquías sin cotización en la alta sociedad, donde eran más bien signos de pérdida de posición, pues a medida que se refinaban las razas ganaderas se producía un refinamiento social paralelo y la marca de la estancia y el nombre de la cabaña constituían escudos heráldicos que daban más lustre que los antepasados, que en ocasiones hasta se disimulaban. La única actividad no ganadera bien considerada era la de abogado de las grandes empresas extranjeras.

LA COLA DEL BARRIO NORTE

Para esta época había cambiado la geografía de Buenos Aires (para emplear el título del ameno libro de Escardó). Se habían llenado las soluciones de continuidad que separaban los barrios y los medios de transportes se habían fundido unos con otros. Ya vimos que el restricto barrio norte de los palacios de la alta sociedad prorrogaba su caudal en amplios faldones bajo cuya protección se vestían de etiqueta el Pilar, parte de Palermo y de Belgrano, y, los aledaños Vicente López y San Isidro, en una larga franja recostada sobre la costa. La calle Santa Fe y sus continuaciones, Cabildo –con un pequeño deslizamiento hacia el alto Belgrano– y Maipú, marcaba algo así como un límite de clases. La naturaleza lo había querido dando allí río y barrancas y las preocupaciones municipales habían ayudado a la naturaleza. Con mayor razón cuando el norte definió su carácter e intendentes y nuevos vecinos rivalizaron en marcarlo con reglas urbanísticas y de edificación. Ya el prestigio no se determinaba dentro de los viejos barrios, porque las pautas estaban dadas por la ciudad en conjunto: más importante que ser importante en el barrio, era pertenecer a un barrio importante. Ahora vivir en el Sur descalifica y el Oeste, si no es disminuyente, no ayuda. (En las crónicas periodísticas, un tumulto de adolescentes se refiere como cosa de "jóvenes", si ocurre de Santa Fe al Norte; si ocurre al Sur, se trata de "muchachones". Es aquello de "cuando un pobre se divierte...").

El mismo centro hace rato que está en baja, es un lujo que sólo se pueden permitir quienes están fuera de toda discusión posible. (Los Atucha y Urquiza Anchorena pueden vivir en la primera cuadra de Suipacha; pero éstos también pueden dejarse enterrar en la Chacarita sin desmedro. Hay alguna vieja familia que entierra en el Cementerio de Flores, pero esto es casi una compadrada de porteño viejo. Lo correcto es la Recoleta, pero ya Olivos se insinúa como una agradable variante. Agradable para la familia, y para la empresa que carga flete).

Los que tienen apellido, o para alcanzar uno los cargan en tres o cuatro andanas, no están en fondos como para una casa baja en el centro, y los que no tienen apellidos, y sí fondos, no van a comprar una casa con frente de rejas y zaguán que no dice nada a los que pasan, y pueden creer que se trata de un inquilinato, como los que hay al otro lado de la Avenida de Mayo.

Algunos pueblos suburbanos del sur han tenido su prestigio como se ha dicho y conservan algunas de las antiguas quintas con sus palmeras, magnolias y coníferas, y las enredaderas que suben por las paredes o caen sobre pérgolas derrengadas; Témperley, Lomas, Adrogué y hasta Bánfield, se han quedado en un melancólico ayer; ya no atraen, pues hay que pasar por Avellaneda, Lanús, Gerli, Talleres, y ellos mismos están invadidos por el cinturón obrero de Buenos Aires que crece. Igual le ocurre a Ramos Mejía y a Morón; hasta Hurlingham, el Hurlingham de los ingleses, ha sido desbordado como la Villa Ballester de los alemanes, como San Miguel que reforzaba su alta clase media con las de familias de los militares, por su proximidad a Campo de Mayo, al igual que San Martín, con su viejo Colegio Militar. Ahora todos esos pueblos expresan el país que quiere ser moderno, actual, la potencia posible, que se frustró cuando la alta clase no quiso ser burguesía y eligió un destino de ricos dependientes que le duró, en el nivel internacional, lo que la divisa fuerte, mientras lo permitió la renta diferencial. Burguesía y clase media alta emigran dentro del ámbito urbano repitiendo el proceso simiesco que cumplieron sus modelos de sesenta o setenta años antes pero hacia Europa. (Casi podría decirse que la clase media alta y la burguesía que han persistido en esos avecinamientos, revelan por este mismo hecho estar inmunizados a la influencia del "medio pelo").

Esto no significa que la tilinguería haya sido el único motivo de esa emigración; hay comprensibles razones estéticas, de comodidad y hasta climáticas; también de prestigio, pues ya hemos visto que su búsqueda se identifica con la naturaleza humana, pero precisamente lo que se propone es distinguir la búsqueda del prestigio en sí, que se opera naturalmente, de la actitud forzada que no intenta destacar el ascenso sino atribuirse una falsa pertenencia, que es la del "medio pelo", normándose por pautas que contradictoriamente tienden a disimular el ascenso bajo la apariencia de una situación proveniente de un origen más prestigioso que el propio; es decir, la aceptación de la naturaleza disminuyente del propio implícita en la aceptación de las pautas que se adoptan y que lo califican peyorativamente. (Ejemplificativamente recordaré lo dicho respecto de los matrimonios con titulares de la nobleza europea, de las princesas del dólar, y las del peso moneda nacional, entonces "poderoso caballero". En el primer caso las norteamericanas adquirían títulos como una afirmación de su potencia burguesa, con el mismo criterio que compraban un castillo y lo trasladaban piedra por piedra a su país. Era una transacción en que si había algún disminuido era el aristócrata que decoraba al burgués; en el segundo, la disminución era del que se incorporaba al título para adquirir un nuevo *status* que lo diferenciara de su condición anterior).

El elemento subjetivo en la búsqueda del prestigio es esencial, porque puede representar una afirmación de las motivaciones de ascenso, o inversamente, su negación. Esto es lo que hace que el problema del "medio pelo" tenga que tratarse más que como una sátira de costumbres –por sus aspectos ridículos–, como problema social en cuanto representa el enervamiento de las aptitudes de los grupos de ascenso necesarios para la potencialización del país.

Ahora, hay que señalar un acontecimiento que es liminar en la formación del "medio pelo", porque la conmoción que produjo en la sociedad porteña polarizó la mayoría de la clase media alta, parte de la burguesía y la casi totalidad de la "intelligentzia" situada económica y socialmente en la clase media. De esa conmoción salió también gran número de las pautas que uniforman su comportamiento actual.

Este hecho, fue la revolución de 1943 en lo político y su secuela económica y social. Porque allí se quebraron las tablas de valores culturales que aquellos sectores consideraban inamovibles e identificadas con la naturaleza del país.

A diferencia de la clase alta, y aun de sus primos pobres, la alta clase media, la "intelligentzia" y la nueva burguesía, eran hostiles al régimen de la "Década Infame" y a sus fraudes y atropellos. Pero sus preocupaciones democráticas locales habían pasado a segundo término ante las internacionales, y en el común denominador de la guerra las diferencias internas perdían importancia. (Ya antes, la guerra civil española había puesto en el primer plano lo extranjero postergando lo nacional, hábilmente movilizado por la gran prensa y conforme a la mentalidad colonialista que atribuía al país una posición apendicular).

Ya no se objetaba al gobierno de Castillo su origen fraudulento. Lo que se le objetaba era su política de la neutralidad, en lo que coincidían la unanimidad de las direcciones políticas e intelectuales consagradas –oficialistas y opositoras indistintamente– que, por otra parte, creían ser todo el país. En consecuencia ignoraban que para una gran parte de la opinión, ése era el único título de prestigio de Castillo. El grueso de la clase media ya había revisado, por la obra de los nacionalismos, de FORJA y de muchos sectores intransigentes del radicalismo, todos los supuestos culturales de aquellos grupos y puesto en primer término el interés nacional. Carente de prensa y de medios masivos de expresión, el hecho era subestimado porque el fuego en el bosque no alcanzaba a las altas copas de los árboles, pero corría por la base del mismo y había penetrado todos sus intersticios. Cuando lo comprendieron tuvieron una primera explicación para su incapacidad de concebir nada propio: era "nazismo", o, como decían en su pintoresco trabalenguas que "nipo-nazi-falanjo-peronismo". Cuando lo político apareció acompañado por lo social, se les terminó por derrumbar la estantería de las bibliotecas, pero Sarmiento apareció arriba de la librería amontonada con su "Civilización y Barbarie" y les dio la otra explicación: las multitudes de la campaña –la "barbarie"– que marchaban contra la ciudad –"civilización"–.

Incapaz de pensar fuera de la fórmula libresca importada no podía comprender un hecho simple. La guerra mundial, en medida mucho más amplia que la primera en la época de Yrigoyen, interrumpía el esquema que las leyes de la "Década Infame" habían intentado inmovilizar en la dependencia agro-importadora. Las necesidades del mercado interno insatisfecho creaban la demanda y la demanda promovía el desarrollo en la única oportunidad en que el sistema hasta entonces vigente no podía frenarlo. Esto significaba, a su vez, la plena ocupación que abría horizontes nuevos al grueso de la clase media, cosa que ya se ha visto y provocaba una acelerada migración del interior hacia los centros industriales.

LA PRESENCIA DEL "CABECITA NEGRA"

La presencia del "cabecita negra" impactó fuertemente la fisonomía urbana, y la lesión ideológica al colonialismo mental se agravó con una irrupción que alteraba la fisonomía de la ciudad inundando los centros de consumo y diversión, los medios de transporte, y se extendía hasta lugares de veraneo.

Hasta los descendientes inmediatos de la inmigración se sintieron lesionados. De ellos salió lo de "aluvión zoológico" y lo de "libros y alpargatas", y no de la gente tradicional en la que pudo ser comprensible. La ciudad parecía invadida, pero no hacía más que repetir lo ocurrido algunos decenios antes cuando llegaron sus padres en las terceras de los barcos de ultramar. A la multiparla de los extranjeros que golpeaba los oídos del transeúnte, sucedió el multiacento de las tonadas provincianas.

Era una multitud alegre y esperanzada que ascendía de golpe a niveles de progreso que ni siquiera había imaginado. Esa multitud era alegre porque llegaba al trabajo estable y al salario regular como a una fiesta en donde se sentía desacomodada, como ese cabello hirsuto del "peloduro" que identificaba al "cabecita" con el peine y el espejito. De la carencia de recursos para las cosas elementales, pasaba éste a una abundancia que no estaba en relación con sus hábitos de consumo –o mejor, de no consumo–: fue el apogeo de la venta de discos, pañuelos de seda, perfumes baratos, diversiones, del gasto superfluo, en una palabra, y del ausentismo frecuente en el trabajo que desapareció cuando los hábitos de consumo y las necesidades del nuevo nivel de vida se aprendieron en la única forma que se aprenden: por su ejercicio. Entonces se inventó el resentimiento, palabreja que ya se había usado antes para los padres de esos mismos "gringuitos" que la usaban ahora. En ambos casos, hubo una transferencia de la propia subjetividad lesionada, a quienes la lastimaban por el simple hecho de ascender y dar una imagen de la Argentina que no estaba en sus papeles.

Porque lo que ocurría era que el país real se hacía presente por fin gracias a las circunstancias favorables.

EL PENSAMIENTO DE LOS CULTOS

Hubo un sector de la clase media que se sintió el más agredido. La "intelligentzia", desde el profesor universitario al maestro de escuela, pasando por el grueso de los profesionales, periodistas, artistas, se resintió en su subjetividad de depositario de la "cultura" y fabricó una interpretación a la medida de sus aptitudes, de izquierda a derecha, y sin que sus diferencias doctrinarias impidieran la unanimidad del pensamiento.

Los militares, los curas, toda esa clase media de la cual salieron el Presidente, el Vice, todos los gobernadores de provincias, la mayoría de los diputados, la totalidad de los funcionarios, los profesores "flor de ceibo" de la Universidad, constituían la indispensable clase media del "nazismo". Pero como había que explicar la presencia de los trabajadores, decretó que éstos eran el *lumpen proletariat*, en un cóctel intelectual en que los marxistas aportaban la "terminología científica" y los liberales los supuestos básicos de la cultura tradicional. Así Perón era indistintamente Franco, Hitler, Mussolini, Rosas o Facundo con los cuadros nazi-fasci-falanjo-peronistas de la clase media y los depravados residuos de la digestión social, las multitudes obreras que lo apoyaban; alternativamente los degradados del proletariado, o los indígenas anteriores a la civilización. Lo que no se les ocurrió, ni se les podrá ocurrir nunca, era que se trataba de un hecho original y propio del país y de una transformación inevitable que estaba en la naturaleza de las modificaciones en las formas de la producción y el consumo.

Esta interpretación del hecho por la "intelligentzia" común a la izquierda y a la derecha, revela la existencia de una plataforma mental que no está dada por las ideologías particulares, sino por presupuestos generales que las unifican en un *status* de compenetración recíproca y convivencia que se repite cada vez que se encuentra frente al país real. Fue la repetición, a escala más grande porque era más profundo el proceso, de la actitud que adoptó la "intelligentzia" frente al yrigoyenismo en su oportunidad.

POLÍTICOS Y DIRECTORES FUERA DE LA CANCHA

Los dirigentes de los partidos políticos opositores a los gobiernos de la "Década Infame" participaban de la actitud porque sus supuestos eran los mismos de la "intelligentzia", aunque sus lecturas fueran mucho más prudentes. Es que además, la presencia de ese país que habían olvidado –si es que alguna vez lo conocieron– alteraba el polígono de fuerzas, dentro de las cuales su acceso al poder era previsible, una vez que hubieran aceptado la restauración colonialista de la "Década Infame". En la presidencia de Ortiz, eso ya estaba prácticamente resuelto y las presidencias Rawson y Ramírez parecían encaminarse hacia sus soluciones "democráticas", con el visto bueno de las embajadas. Pero el hecho traía resultados imprevisibles. (Como en la cancha de fútbol, el problema ya no era el "referee" arbitrario que cambiaba el resultado de los partidos, sino el riesgo de quedarse fuera de la cancha. Las diferencias que habían tenido con los autores del fraude y las vejaciones aparecían como inimportantes, eran infracciones a las leyes del juego, pero el juego era el mismo).

Toda esa gente, con la clase media alta, se sintió agraviada porque estaba agraviado el orden dentro del cual estaba programado el país, con sus jerarquías establecidas y el modo y el estilo con qué manejarse.

En "Los Profetas del Odio", digo:

El doctor se amarga porque ya no es tan importante; añora el tiempo en que fue el pequeño Dios casero del barrio o del pueblo. Lo mismo le ocurría al intelectual. Y agrego: *La gente lo veía pasar a Martínez Estrada, y las comadres del conventillo decían: "Es escritor, sale en los diarios". Y todos se quedaban mirándolo con los ojos abiertos. Ahora la gente se ha ensoberbecido, y esto molesta al Sr. Martínez Estrada. Ni lo miran, del mismo modo que no permite al doctor que lo proteja con su tuteo, y si más no viene, hasta "le paran el carro". Existen por lo demás muchos sectores materiales lesionados; esto pasó ya con las reformas de Licurgo y de Solón... Ahí están los pequeños rentistas, la gente de entradas fijas...".*

El ascenso masivo –que el físico y la modalidad del "cabecita negra" hace más evidente– es de una multitud, de gran movilidad urbana; está presente en todas partes pues la plena ocupación –que alcanza a todas las clases– provoca la aglomeración callejera, y con la ocupación se multiplican los desplazamientos, da recursos de acceso a medios de consumo antes restringidos por la necesidad y estrecha la ciudad dando sensación de apretujamiento. Disminuye la importancia de los individuos que hasta ese momento se han creído importantes: se pierden en el anónimo de las colas, tienen que esperar mesa en los restaurantes, viajar incómodos presionados por el número y ni siquiera en la hora del descanso, en las playas o en las sierras, pueden evitar este hecho terrible de ser uno de la multitud y nada más.

Es como pasar del pueblo –donde se es alguien– a la gran Ciudad donde no se es nadie.

Oscar Correa me contó una vez que la impresión más fuerte que le causó Buenos Aires de adolescente la recibió en el tranvía. En su Catamarca natal, donde se nace "niño" o "chango", siempre había sido el "niño" Correa. Y he aquí que en Buenos Aires, en el tranvía, el guarda lo señalaba diciéndole que se corriese más adelante sin decirle niño Correa, con la misma desaprensión que si se tratara de un "chango". Oscar Correa contaba el episodio como una enseñanza que le había dado el "gallego" de los boletos. Pero la mayoría de la gente a que me estoy refiriendo está muy lejos de tener el buen sentido de Oscar Correa. (A mí mismo "me revienta" bastante cuando hablo por teléfono y no me entienden el apellido, o cuando le digo a alguien quién soy y descubro que no le significo nada, y eso que estoy acostumbrado a ser "punto").

La reacción de los sectores mencionados es comprensible a la luz de sus prejuicios y mentalidad. El hecho nuevo afectaba un elemento básico del prestigio y le disminuía la significación.

UNA BURGUESÍA PARADÓJICA

Otro es el caso de la nueva burguesía.

En mi libro citado, aclaro:

"También ofende esta brusca promoción de industriales y hombres de negocios, salidos de sus propias filas con la chabacanería del enriquecido; es la burguesía, que no existía anteriormente, generada por las condiciones económicas propicias y a la que llaman "la nueva oligarquía", cuando es precisamente su negación, clase en constante formación, de altibajos frecuentes, y que suscita la admiración de sus adversarios cuando la ve actuar en los países anglosajones... No ha adquirido todavía esa suficiencia y esa seguridad burguesa que permite mirar de frente a la aristocracia; suscita la envidia general esclava de sus utilidades de mercado negro que se ve obligada a gastar en automóviles coludos...".

Esta burguesía tiene por delante un camino bien claro: definirse como tal. La división de la Unión Industrial le da su oportunidad, pero en gran parte no la aprovecha. La misma improvisación, la misma rapidez de su ascenso le impiden tomar conciencia de su papel histórico. La rapidez del proceso ha hecho que la mayoría de los nuevos industriales sólo sean comerciantes que están en la actividad productora más como traficantes que como industriales.

Tenía que ser así inevitablemente, porque las circunstancias obligaban a improvisar. A esta clase le correspondía sedimentarse y para hacerlo tenía que luchar por el mantenimiento de las condiciones que la habían favorecido; pero su dinero, en lugar de convertirse en un instrumento de poder, se tradujo en un instrumento de goce. En lugar de mirar por encima del hombro a los que la ridiculizaban, cayó pronto en el ridículo de imitarlos.

En el mismo libro, agrego: *"Pero este nuevo rico, tan improvisa-*

do como el obrero que molesta a Martínez Estrada, es más ignorante que aquél (el obrero, se entiende)*; no sabe que su prosperidad es hija de las nuevas condiciones históricas y cree que todo es producto de su talento. Aspira al estilo de vida de las viejas clases admiradas a las que trata de imitar. Tal vez en su escritorio, frente a la realidad de los negocios comprende algo, pero lo irritan los problemas con el sindicato. Cuando regresa a su casa, la "gorda" en trance de "señora bien" y la hija casadera, que ya se ha vinculado en la escuela paga, ahora quiere apellido y asegurarse un sitio social aunque más no sea en la sociedad de San Isidro. De visita, "la niña" y su madre asienten cuando oyen comentar que el "servicio" se ha vuelto insoportable, y las viejas señoras recuerdan la época en que se recogían chinitas para "hacerles un favor". "–Tan cómodas, dice alguna, para que los chicos no se anduvieran enfermando por afuera...". Lo pequeño y adjetivo ha sido más fuerte que sus verdaderos intereses sociales y económicos, pues si hay un sector destinado a beneficiarse de la grandeza nacional lograda por la liberación económica, es este intermedio para quien fue escrita la palabra oportunidad".*

La nueva burguesía está madura para entrar al "medio pelo" en razón de esa frustración, en que abandona sus propias pautas de prestigio para asimilar las de sus adversarios.

UN ESTUDIO SOBRE LA EVOLUCIÓN DE LA BURGUESÍA

José Luis de Imaz ("Los que mandan", Eudeba 1965), al estudiar al empresariado argentino trae un subtítulo, *los industriales, factor de poder fallido*, que basta para ratificar lo que vengo diciendo. El estudio sobre lo que determina la vacancia del papel de la industria en la conducción del país, es demasiado extenso para resumirlo en su totalidad. Me limitaré a lo que tiene atingencia con el fracaso psicológico de la burguesía.

Hablando de la Unión Industrial, refiere que en 1933 *se realizó en el Luna Park la gran concentración de los hombres de Industria, que comprendía, no sólo a los empresarios, sino también empleados y obreros, vale decir todos los que en aquella difícil coyuntura del país se encontraban ante un porvenir incierto. Corrían los años de la gran depresión, con gran desocupación y un mercado interno dificilísimo y grandes dificultades financieras. El presidente de la Unión Industrial, Don Luis Colombo exigía al Poder Ejecutivo en su discurso* "que se adoptaran medidas en defensa de la producción fabril". Agrega que cuando partió la misión Roca a Gran Bretaña, que firmó el tratado de carnes, y *"ante la posibilidad de una liberación de las importaciones que significaran la ruina de los empresarios, Colombo dirigió un memorial y realizó un planteo al Presidente Agustín P. Justo"*.

Fue el canto del cisne. Así dice Imaz: *"A partir de entonces, en el treintenio siguiente, los empresarios no volvieron a realizar actos ni a tomar medidas concretas acordes con estos antecedentes de movilización gremial"*.

Imaz intenta explicar este cambio de actitud –son sus palabras–, y se plantea varios interrogantes.

¿Por qué precisamente ahora los industriales parecen incapaces de articular sus intereses con la habilidad y pujanza con que antes lo hicieron? ¿Por qué razón las empresas no inciden en la toma de las grandes decisiones colectivas? ¿Por qué no obstante su peso económico, su rol en la modernización, de haber sido innovadores tecnológicos, los empresarios "no pesan" en la vida del país? ¿Qué impide a los empresarios constituirse en un factor de poder como las fuerzas armadas? ¿Qué frenos inhibitorios les retienen para articular sus intereses con la misma habilidad que los ganaderos de la Sociedad Rural?[1]

---

[1] Anteriormente he explicado este canto del cisne que no excluye el valor de los elementos de la investigación de Imaz. Los *planteos* de la Unión Industrial terminaron porque a los más poderosos intereses directivos, las capitulaciones del tratado Roca-Runciman, en las leyes que constituyen el estatuto legal del coloniaje, se les dieron ventajas particulares anti-industriales como política general, que beneficiaban a sus empresas en particular, a través de la regulación bancaria y la regulación de la producción: estos intereses cambiaron la creación de un mercado en expansión y competencia, por un mercado pobre pero en monopolio. La Unión Industrial cambia de actitud desde ese momento.

Así se explica que la Unión Industrial, que se ha conmovido ante el anuncio del tratado de Roca-Runciman, se silencia después que se firma, como lo demuestra Imaz, y que en 1935, al sancionarse las leyes que regulan la producción y el transporte y organizan la banca central conforme a las directivas de Sir Otto Niemeyer, gerente del Banco de Inglaterra que viene al país a ese efecto, no sólo no se suma a la protesta popular, sino que apoya las sanciones. ¿Por qué de 1933 a 1935, la Unión Industrial ha cambiado de postura frente al tratado Roca-Runciman?

Su intervención en el proceso político de 1946 que Imaz refiere está inspirado en esa política de atraso que se pacta entre Inglaterra y la Sociedad

Para todos los interrogantes Imaz tiene una acertada explicación:

A) Se trata de un sector nuevo y esto explica la carencia de conciencia y normas de grupo. (Pero el autor señala que el sindicalismo que le es contemporáneo la ha logrado).

B) La diversidad de grupos que constituyen ese interés social determinada por dos aspectos referidos al origen nacional o internacional de las empresas, vinculadas las primeras a las reglas del libre juego, y las diferencias de volumen pues "hay dos estratos industriales, casi sin niveles medios" pues en el país el 90% de las empresas está al nivel del "taller que emplea menos de 10 personas como mano de obra permanente". "Como la Argentina es todavía subcapitalista, o mejor dicho, como el desarrollo capitalista no ha sido armónico, hay dos niveles empresariales" (muchas veces gran industria y capitalismo extranjero coinciden como pequeña y nacional, agrego por mi parte).

C) Diferencias de tipo personal, y de grupo y de orígenes que "establecen barreras de incomunicación". Junto a los viejos empresarios nacidos en los hogares fundadores, están los nuevos empresarios cuyas rápidas fortunas, atribuidas por los otros a vinculaciones políticas son miradas con recelo. Junto a las muy grandes empresas estadounidenses, británicas y alemanas, están las empresas de capital nacional constituidas en torno de antiguos grupos connacionales ingleses, alemanes e italianos. Junto a las tradicionales

---

Rural y refrenda el gobierno argentino. El grupo dirigente de la Unión Industrial no está preocupado por el supuesto nazismo ni por la presencia bárbara del cabecita negra, como le ocurre a la clase media alta y a la *intelligentzia*. Se opone sencillamente a la modernización del país porque altera el *statu-quo* convenido entre los dirigentes de la Sociedad Rural y el gobierno inglés. Si la Sociedad Rural es congruente con sus intereses como grupo, y la alta clase media y la *intelligentzia* con su mentalidad, en el caso de la Unión Industrial se trató de una traición consciente al desarrollo de la industria.

Después de 1955, atropellada la CGE (Confederación General Económica) que aglutinó a los industriales con conciencia histórica de su papel, la Unión Industrial resurge y nada documenta mejor la continuidad de su traición que la incorporación a ACIEL y su identificación en ésta con los intereses de la economía pastoril. Hasta Don Luis Colombo entró por el aro. Era efectivamente un "self-made man" como dice Imaz, y no había sido asimilado por las pautas de prestigio de la vieja clase pero era bodeguero y le convino la regulación de la industria vitivinícola porque la disminución del mercado se compensaba ampliamente con el monopolio creado para las bodegas ya consolidadas. A la vez era representante de Lengs Roberts y Cía. y por tanto de Baring Brothers y de los intereses británicos interesados en el pacto Roca-Runciman. Fue un triste epílogo de una vida de luchador. Si un *bel morire tuta una vita onora*, también ocurre a la inversa. Lamuraglia que le sucedió en la presidencia de la Unión Industrial, era un caso clavado de lo que se dice sobre la búsqueda del prestigio...

empresas belgas y francesas de exportación, las novísimas de hasta ayer desconocidos árabes y judíos. A este propósito el autor señala la coincidencia por situaciones parecidas en el Brasil, señalados por Cardozo: *Junto a una inmensa mayoría de industriales producto de la inmigración, actúa una minoría de segmentos de los antiguos estratos señoriles. Pero estos últimos poseen mucho más influencia política que los otros.*

Este hecho *dificulta la necesaria decantación... para construir una ideología industrial*. Esto tiene atingencia con el ángulo desde el cual encaró el problema y se volverá sobre él.

D) Carencia de una *conciencia objetiva política para ejercer el poder ni vocación para hacerlo. La preocupación que ha absorbido a los empresarios ha sido el logro del más alto* status *posible, en beneficio único, exclusivo y personal, para sí, su familia, su grupo, su empresa "pero no para la entidad, cuerpo, institución o sector social"*. Los industriales buscan *beneficios, única y exclusivamente para su empresa y no para la industria como un todo.* Y aquí es concluyente en aquello en que estoy insistiendo: *faltos de solidaridad no tienen otra motivación que la fabricación... de su propio* status. *Buscadores de prestigio su tiempo está absorbido por la empresa y por acumular luego los más posibles indicadores externos del prestigio.*

E) (Se vincula con lo anterior). Incapaces de generar su ideología *aceptaron las escalas de prestigio... de la estructura social anterior... hicieron suyo el marco valorativo de los sectores tradicionalmente rurales. Estos industriales ascendidos... compraron estancias... para cubrirse con las viejas pautas de prestigio. Habían accedido a la riqueza por una vía que no era la pecuaria ni la finanza tradicional, ni el ejercicio de la abogacía.* De estancieros se hicieron cabañeros y *"en vez de la defensa tozuda de sus propios intereses –como habían hecho cuando todavía eran marginales–, buscaron identificarse con los criterios, los puntos de vista y los argumentos del sector rural. Y en el seno de alguna entidad empresaria dejarían de lado sus argumentos específicos para plegarse a los elaborados por quienes en el país mejor articulan sus intereses personales"*.

F) Crisis de liderazgo. *Desde 1925 hasta 1946 Luis Colombo –arquetípico* self-made man, *expresión de su época y del tipo de personalidad que por entonces abundaba entre los empresarios– ejerció un liderazgo indiscutible. Su declinar personal es del grupo. Luego del gran error de 1946 –cuando volcó el aporte económico de la entidad en favor del candidato que habría de perder– la Unión Industrial fue intervenida. Después cuando se reconstituyó ya no hubo el líder tipo patrón a la antigua dentro de un grupo de hombres que eran patrones a la antigua". "Ahora lo ha sucedido una burocracia con gerentes impersonales. Tampoco es posible la existencia de una élite dirigente... por la ausencia de una capa empresarial de élite."*

G) De todo esto resulta que los industriales no son factor de poder.

ASIMILACIÓN POR LA CLASE ALTA DE LA PRIMERA BURGUESÍA

El proceso de asimilación de los industriales a las pautas de la clase terrateniente, empieza mucho antes que el conflicto de ésta con el peronismo. Pero entonces la asimilación era directa y los industriales entraban paulatinamente a la composición de la alta clase. No es el proceso masivo que se opera con la capa industrial mucho más moderna que surge como contragolpe de la gran guerra. La captación era individual, pero directa, y de grupos seleccionados dentro de la industria: los más poderosos. Lo que ocurrió después de 1943 se verá más adelante, pero se puede adelantar que por su carácter masivo y por comprender matices económicos y sociales mucho más variados, no se trató de una incorporación a la misma sino de la creación de una falsa imagen de la clase alta –es la que revela el libro de Beatriz Guido–, que promovió la fácil imitación de sus supuestas pautas a nivel mucho más bajo, el de los "primos pobres", pero surtió los mismos efectos para destruir la capacidad modernizadora de la burguesía recién aparecida: este nivel más bajo es el del "medio pelo".

Al hablar de la burguesía del principio de siglo he citado a Germani en cuanto señala que los inmigrantes que la constituyeron fueron indiferentes al reconocimiento de la alta clase, lo que facilitó su caracterización como burguesía. También Imaz opina lo mismo y explica en seguida lo que sucedió después: *"Tampoco puede decirse que los empresarios hayan rechazado los valores del grupo dominante. Simplemente, no los tenían, o por lo menos no los tenían los empresarios de la generación originaria inmigrante europea. Pero a medida que ascendían económicamente –y sobre todo a medida que eran reemplazados por la generación de sus hijos– cambiaba la mentalidad del grupo familiar, y en el tránsito cambiaban también las pautas y los valores. Y los hijos de los empresarios sobre todo a medida que eran admitidos, a medida que se afirmaban y que empleaban los mismos gestos, usos, vocablos y maneras de los sectores dirigentes, que ingresaban a sus clubes y que confluían en los mismos centros de distracción y veraneo, buscaban imitar a la élite en todos los aspectos y guiarse por las mismas pautas valorativas de quienes constituían su gran modelo"*.

La alta clase los ponía "en capilla", por un tiempo, como al estudiante que está por dar examen; después los aceptaba. Ya hemos destacado su inteligente permeabilidad. Desde ese momento el tipo dejaba de pensar como industrial para pensar como invernador o cabañero, que era la nueva actividad que le daba *status*. (Esta "capilla" no existió para los industriales de origen anglosajón, germánico o escandinavo, y tampoco para los belgas, suizos ni franceses). Esto, como lo señala Imaz, sin decirlo, está vinculado a los supuestos racistas de nuestro liberalismo y que forman parte de las pautas. Así dice este autor: *Cualesquiera que fuese su origen o extracción, mientras no hubiera prueba en contrario, se presumía a estos europeos identificados con los más altos status.* Seguidamente, explica que los industriales de esta procedencia muchas veces se marginaron voluntariamente. Constituyeron una sociedad restringida, ajena a la sociedad global, con sus propias pautas entre las que estaba también su racismo. No tenían complejo de inferioridad diferente a la alta clase porque tenían el de superioridad, que aquella les había aceptado en los supuestos de su cultura.

Hay un hecho aquí que importa destacar, y es el caso de los judíos y los árabes que continuaron marginados –aun por el "medio pelo"– después de 1943. Bloqueados en su ascenso se aferraron al "ascetismo burgués" y se convirtieron en "innovadores y modernistas", lo cual los obligó a constituir sus propios y específicos centros de convergencia, como dice Imaz. Esto produce la situación paradójica de que los efectos del racismo que los aísla del país, facilite la tarea que como burguesía tienen que cumplir al servicio del mismo, cosa que no puede comprender el antisemitismo de muchos nacionalistas, porque el signo negativo se convierte así en positivo. Pero el racismo de la clase alta está condicionado a sus intereses y ya lo empieza a superar. El día que judíos y árabes hayan roto la barrera –que por otra parte está bastante agujereada– la modernización del país habrá perdido una de las pocas piezas útiles que le quedan en la capa burguesa.

LA ALTA SOCIEDAD, A PIE, POR LA CALLE

La alta clase había sido reticente, más bien despectiva, frente al fenómeno yrigoyenista. Éste la desplazaba del poder político e introducía modificaciones económicas y sociales que afectaban en algo su situación privilegiada, pero no amenazaba a fondo la estructura de la dependencia, y así la política extranjera y la alta clase fueron prudentes en su oposición. Aun dentro de ellas, los sectores más capacitados comprendieron la conveniencia de atenuar las formas tradicionales de la sociedad con la misma comprensión que habían tenido Sáenz Peña e Indalecio Gómez.

Pero frente a la revolución de 1943, una vez que en 1945 hubo definido su carácter, su comportamiento fue muy distinto. Ya anteriormente se ha dicho que la alta clase se había desvinculado de la política, que había dejado en manos de representantes de segunda fila, caudillos electorales o jóvenes prometedores de la clase media, prestando ocasionalmente algún nombre en contingencias importantes. Ahora bajó violenta y unánimemente a la arena política e hizo suyas las banderas y los pretextos que la *intelligentzia* le facilitaban. Único grupo dirigente con clara conciencia histórica de su papel, comprendió que estaba en juego la transformación del país, que creía haber impedido definitivamente con el Tratado Roca-Runciman. Bajo los pliegues de la democracia internacional les fue cómodo acompañarse con los representantes imperiales y se encolumnó detrás de un embajador extranjero. Todo el aparato de la superestructura cultural estuvo a su servicio con el monopolio de la prensa y sumó su prestigio al de los intelectuales. (Si no hubiera sido inventada la radio, el país real hubiera sido aplastado; no ocurrió eso porque ésta echó su peso en la balanza y mientras el gran diario entraba por la puerta de calle, "la voz maldita" entraba por la puerta de la cocina. Al margen de lo que se está diciendo, anotemos que aquello fue una enseñanza para los expertos en publicidad y un rudo golpe para el prestigio publicitario periodístico).

Al servicio de la "democracia", la alta sociedad se democratizó: fue la euforia de los "primos pobres" que se vieron recibidos de nuevo, como hijos pródigos, en las residencias de los parientes que los tenían olvidados, y la locura de los profesores, escritores, profesionales, rentistas, que de pronto, se encontraron en un mano a mano con gente de la que tenían una idea "miliunanochesca", esas damas y caballeros con los que confraternizaban en mítines, clubes de barrio, ateneos, centros gremiales.[2] El escritor que hacía años pujaba por ser invitado a un té del barrio Norte, y las viejas señoras guardaron el agresivo impertinente para mirar con ternura a los obreros comunistas y socialistas. (En el seno de las reuniones íntimas después, la alta sociedad se divertía enumerando las "cursilerías" y "cacherías" que se iban descubriendo en este nuevo intercambio social, mientras que en los hogares de barrio y en los departamentos de *living* comedor y uno o dos dormitorios, se lloraba por los seis o siete días de prisión de algún caballero, o por el desaire de que había sido objeto una gran dama).

Sólo Dios sabe los sacrificios que costó a la alta sociedad este *péle méle* tan poco *comme il faut*. Las grandes familias llegaron a tener intelectual y obrero propio que exhibían a las relaciones: un pobre tinterillo que había adocenado hasta el estilo para someterse a las pautas del gran diario, o un jubilado ferroviario, o algún metalúrgico con los dedos deformados que colocados juntos a los *bibelots* humanizaban la decoración. Los dirigentes radicales, que ritualmente habían silbado al *Jockey Club* en todas las manifestaciones, y habían decretado el boicot a "La Prensa", junto con los socialistas y los comunistas se enternecían con los precios económicos del comedor del Club, y encontraban la biblioteca mucho mejor organizada, más científica, que la de sus propios centros y fermentarios, olvidando su austera oposición a los hipódromos, y de dónde salía ese menú excelente y barato y las lujosas encuadernaciones de la librería.[3]

---

[2] La campaña electoral de la Unión Democrática en 1945 no desperdició ninguna de las coyunturas proselitistas que les ofrecía la simbiosis de la clase alta con la clase humilde; una de ellas fue la formación de una "Agrupación Democrática de Empleados de Librerías y Editoriales" cuyas primeras asambleas se hicieron en la Casa Radical. Lo curioso de esta "agrupación" no fue en sí misma ella, sino quiénes la dirigían: como presidente la encabezaba Guillermo Kraft, y su secretario Santiago Rueda, dueños ambos de las editoriales epónimas.

Que el señor Kraft o el señor Rueda pertenezcan o no, a la clase alta según los cánones locales, es un problema a resolver entre los terratenientes y la burguesía; pero que sean empleados de comercio no lo aceptarían ni en broma los propios interesados; mucho menos los empleados de comercio. Pero el recuerdo nos sirve para actualizar la euforia democrática.

[3] Para esa época escribía yo en una revista populachera y humorística que se llamaba "Descamisada". Entre otras cosas, me divertía haciendo una sección social glosada de las de los grandes diarios y me esmeraba en describir la presentación en sociedad de los variados miembros de la familia Ghioldi –el socialista y el comunista–, de Repetto, de Santander, Sanmartino y algunos dirigentes obreros que entonces se entreveraban con la alta clase. En una nota

Claro está que cuando todo este democratismo fracasó, la alta clase volvió a sus viejos cuarteles y olvidó la aventura de la que sólo quedaron anécdotas pintorescas que vinieron a fortificar su seguridad de que el buen tono no se adquiere, se hereda, salvo unos pocos que quedaron infectados por el virus de la política.

En 1955 volvió a repetirse el fenómeno y el entrevero consiguiente, pero mientras se consideró necesario. Después del 13 de noviembre las cosas se pusieron en su lugar y la alta clase sólo reapareció en la vida pública el día de los fusilamientos, para ratificarle al gobierno desde la Plaza de Mayo, su democrática solidaridad. De que esta gente se mueve como le conviene en la oportunidad, el lector puede darse una idea si busca en la colección de "La Nación", la crónica del casamiento de la hija del almirante Rojas. Esto ocurre después de la derrota de los "colorados". Rojas, que ha sido visto hasta como buen mozo, deja de tener interés. Entre los concurrentes a la ceremonia religiosa hay sólo dos apellidos de la alta clase: la señora de Gainza Castro y la de Pereda. Los demás, brillan por su ausencia en el nutrido conjunto de familias de "medio pelo" y marinos.

Veamos los efectos del entrevero. Ese contacto de la alta clase media y la pequeña burguesía con los altos niveles sociales, bastó para perturbar definitivamente a capas muy extensas de los mismos.

---

anterior he mencionado a María Rosa Oliver. Es interesante para percibir el confuso *merengue* de ideologías y clases sociales que se había producido, contar lo que me ocurrió una mañana en el Club Argentino, que era nuestro centro, en la calle Florida entre Corrientes y Sarmiento.

Yo no tenía la menor idea de quién era María Rosa Oliver, pero como ésta viajaba constantemente y la crónica periodística destacaba su presencia en los altos círculos políticos y gobernantes de las metrópolis imperiales y democráticas, se me ocurrió utilizarla, aprovechando su filiación comunista para atribuirle la tarea de "Consejera de modas" de los izquierdistas que se incorporaban al gran mundo. Sus supuestas cartas de Nueva York, París y Londres, los tenían al tanto a Codovilla, a los Ghioldi y demás demócratas del *dernier-cri* en materia de vestimenta y modales.

Una mañana estaba sentado en una mesa con Juan Pablo Oliver, cuando entró Libertario Ferrari, un importante dirigente gremial, viejo afiliado de FORJA que falleció poco después en un accidente de aviación.

Libertario se dirigió a mí preguntándome:

–*¡Che!... ¿Quién es esa María Rosa Oliver que nombrás tanto en "Descamisada"?*

Juan Pablo Oliver se apuró a advertir:

–*Es mi hermana.*

Yo lo ignoraba, y por la ideología no se me había ocurrido nunca el origen de alta clase de María Rosa.

Inútil es decir que, por solidaridad con el hermano que estaba en nuestra línea y es mi amigo, cambié de corresponsal.

No entendieron que la alta sociedad había descendido ocasionalmente hacia ellos, sino que creyeron que eran ellos los que ascendían hacia aquella, y así su creación subjetiva contra la presencia del "cabecita negra" y las direcciones de clase media que no correspondían a sus cuadros mentales, se profundizó y consolidó. La Unión Democrática, de mera asociación política circunstancial se convirtió en una especie de *status* social, porque a través de ella comenzaron a sentirse incorporados al nivel de la otra clase: la Unión Democrática era el *status* de la "gente bien", por oposición a la "chusma", a la "plebe".

Subjetivamente sintieron restaurada la sociedad tradicional con sus dos únicas clases: la *gente principal, parte sana y decente de la población* y la *inferior*; y ellos, como en la sociedad tradicional, aceptando las diferencias de rango determinadas por la fortuna y por los mayores antecedentes genealógicos, sintieron que pertenecían a la misma clase, y comenzaron a adoptar las que creían sus pautas y a comportarse en correspondencia con la nueva situación que se atribuían. En esta convicción las consolidaba la misma derrota. Esta confirmaba la existencia de una aberración estética, moral e intelectual que obligaba a diferenciarse como grupo social de ese pueblo que ya no era el pueblo. En pequeño, lo que pasó en el Sur de los EE.UU. después de la guerra de Secesión, donde los *blancos pobres*, que eran la última carta de la baraja en la sociedad aristocrática derrotada, adoptaron el mismo aire nostálgico de otras épocas –la postura *dixit*– que era lógico en los plantadores, y el *todo tiempo pasado fue mejor*, se incorporó a las pautas de los que poco antes compraban traje en "Los 49" y aún no habían perdido el hábito de *ir de caza* y puntualizar que sus padres eran "mi papá y mi mamá", en una extraña mezcla en que el personaje era la reproducción conjunta de "Mónica" y "Catita".[4]

---

[4] Escribir la "Amalia" de la segunda tiranía, ha sido intentado por muchos antes de Beatriz Guido, pero sin el éxito editorial de ésta. Tal vez, la mejor calidad literaria haya sido un obstáculo y también la incapacidad para expresar en plenitud la mentalidad del "medio pelo". Pero una pauta inseparable de toda esa literatura es ese tono nostálgico, *dixit*, que induce a suponer pérdidas de situación. Un reincidente en el género es Manuel Peyrou que, efectivamente, era empleado del Ferrocarril Sur antes de su nacionalización y el encargado de recibir en Montevideo a los magnates ferroviarios que venían a

Buenos Aires y prepararles las gacetillas periodísticas y las palabras oportunas. La posición no era muy importante como para provocar tales añoranzas. Tal vez sí los contactos, que lo ponían a nivel de Fitzbury Circus. Además se trata de una cuestión subjetiva.

El lector que se interese para comprenderlo puede releer "Lo que el viento se llevó" con su atmósfera de verandas georgianas, pamelas, flotantes vestidos de muselina, en su trópico "segundo imperio". Aunque no creo que los *gentlemen* de Fitzbury Circus reproduzcan la imagen elegante que el "plantador" daba a sus tenedores de libros y los capataces de la "institución peculiar".

CAPÍTULO XI

LA COMPOSICIÓN SOCIAL DEL “MEDIO PELO”, PERMEABILIDAD Y FILTRO

Ya estaban dados todos los elementos para la constitución del "medio pelo".

La estatua de Garibaldi en Plaza Italia, que desde el principio del siglo ha presenciado sucesivamente la sociabilidad dominical de las parejas inmigratorias, y las de "cabecitas negras", preside tambien el ingreso a la alta sociedad porteña, pues ya se ha dicho que se entra a ésta por las puertas de la Sociedad Rural y llevando el toro del cabestro; ella ha visto llegar los aspirantes a las exposiciones, primero como espectadores, después como compradores, y ¡al fin!, después de largos años, como expositores. Después como miembros de la directiva, ya prestigiados en las crónicas sociales.

Esto es lo que Imaz refiere, en otros términos, cuando habla de los descendientes de la burguesía inmigratoria de principios del siglo –aquellos burgueses indiferentes al "reconocimiento", según Germani– que en su casi totalidad optaron por la incorporación a la alta clase propietaria de la tierra: si la primera generación practicó el aforismo burgués de que el dinero no tiene olor, la segunda percibió que, socialmente, en la Argentina perfuma y que el aroma del estiércol es más "bien" que el del aceite y los combustibles. En alguna otra parte ya había señalado la distinta actitud que a este respecto se tiene en Europa o EE.UU., donde un banquero o un industrial consideran a un ganadero un "juntabosta". Aquí la actitud es inversa por las dos partes.

Este orden en la preeminencia social ocasiona que la alta burguesía termine por adoptar conjuntamente con las pautas de comportamiento de la alta clase tradicional, las pautas ideológicas que la ponen a su servicio en perjuicio y oposición de las que correspondían a su condición originaria y a las necesidades de modernización económica y social.[1]

---

[1] Esta búsqueda del *status* por los enriquecidos –que los enerva para cumplir las tareas inherentes a la burguesía– va acompañada de la paulatina transferencia de sus activos al medio rural que absorbe las utilidades que debieron destinarse a reinversión y reservas; el resultado se traduce en un exagerado crecimiento de sus pasivos bancarios, impositivos y de previsión,

Se ha visto oportunamente la permeabilidad de la alta clase porteña. Pero este proceso de integración de los nuevos lo hace paulatinamente, lo que le permite recibirlos, generalmente en segunda generación, cuando ya han limado la guaranguería original de los triunfadores y absorbido las normas de comportamiento que les permite cubrir los claros de los que desplazan por los accidentes de la fortuna o por la división hereditaria de los patrimonios.

No basta comprar campo para ser estanciero. Esto requiere una adecuación al modo rural en que los estancieros vecinos de más modesta posición social que la alta clase, y de mucho más débil situación económica que el nuevo propietario, son los que dictan cátedra; es un curso preparatorio como el de las escuelas británicas en que los futuros *gentlemen* deben someterse al ablandamiento que imponen los alumnos de los años superiores, con pullas y humillaciones de toda clase.

El estanciero "Gath & Chaves" tiene que ir renunciando al atuendo deslumbrante, usando más frecuentemente la bombacha que los breeches de corte impecable y hasta la alpargata en lugar de la bota de polo; debe archivar la silla inglesa reemplazándola con un recado de pato aunque el caballo se pase el día en el palenque y olvidar el respeto que se merece el coche último modelo, dejándolo embarrado. Debe ajustar por lo menos en apariencia, su mentalidad de giro diario en los negocios al obligado giro anual de la producción y en lugar de ser terminante en sus conclusiones debe hacerse elusivo acostumbrándose a la idea de que su voluntad e inteligencia no son factor decisivo, sino Dios y el Gobierno que siempre están contra el ganadero, y llorar siempre porque las cosas andan mal, cuando no son perfectas, y siguen mal cuando lo son, porque podrían ser mejores. Debe frenar su afán de iniciativa, que es un arrastre de la época industrial, y antes de aplicarlas averiguar qué ganadero importante ya lo ha hecho, para que no se le rían si fracasa y para que le perdonen el éxito, si acierta, pues los ganaderos de la zona saben todo lo que puede saberse y algunas cosas más como Pico de la Mirándola.

También debe aprender mil detalles como por ejemplo que no es imprescindible que el personal en pleno lo esté esperando cuando llega de la Capital, como ha visto en alguna película, y que no necesita dar varias tarjetas, una

---

el atraso en la tecnificación o la dependencia de deudas en moneda fuerte, que colocan a las empresas en situación difícil. Esto no se compensa con la cierta modernización que incorporan al campo donde, ya se ha dicho, resultan productores modernistas. La separación de los patrimonios que permite la sociedad anónima y que debiera ser un instrumento de progreso, deviene en instrumento de atraso, en el terreno en que debían cumplir su función, y así, a través de ello, el país va sufriendo las desventajas del capitalismo, sin el aprovechamiento de sus ventajas.

por estancia, cuando es presentado a alguien. En una palabra debe aprender la cazurronería campesina en la que embotará la estridencia guaranga del triunfador urbano, para desde ahí perfilarse para empezar el aprendizaje del buen tono, que le permitirá el ascenso social.

El aprendizaje técnico es secundario porque como tiene el hábito y las aptitudes de dominar técnicas más difíciles, y que exigen mayor velocidad en la decisión en poco tiempo sabrá mucho más que sus vecinos, pero a condición de que lo disimule, y que sean ellos los que lo descubran. Así debe adoptar una actitud dramática frente a los cinco o seis vencimientos anuales del crédito rural, aunque en sus actividades de la ciudad haya aprendido a tapar diez o doce agujeros diarios en su malabarismo bancario; y aunque está acostumbrado a llevarse por delante a todo el mundo según lo exigen sus negocios, debe mantener una conducta de correcta amabilidad con el gerente local, el comisario, el intendente , el feriero y los modestos doctores que concurren al club pueblerino, y hasta con el jefe de estación y los contratistas de máquinas agrícolas, pues el descrédito del "fanfa", que corresponde de nacimiento a todo porteño, y más a los porteños con plata, lo está acechando en veinte leguas a la redonda, y después se corre, de estancia a estancia de lugareños, por un misterioso sistema de comunicaciones que el porteño no descubrirá jamás.

Paralelamente adquirirá las normas reverenciales por los grandes rematadores y consignatarios, que lo prestigiarán cobrándole sus comisiones, y a través de los cuales irá aprendiendo paulatinamente, así como en las ferias y exposiciones locales, las tablas de valores correspondientes a las cabañas y sus propietarios, así como el conocimiento de las razas que dan más prestigio social. Llegará un día en que no necesitará remitir a plaza y el frigorífico le mandará el revisor.

Entonces ya estará maduro, cuando en una exposición Don Narciso, Miguel Alfredo o Don Silvestre, según la época (Don Faustino no viste tanto) lo saluden desde lejos con la mano, o se acerquen y lo reconozcan por el nombre.[2]

---

[2] Tampoco los auténticos ganaderos del interior a pesar de su cazurronería y cuidada sencillez de costumbres impuesta por el tono democrático de la sociedad de la provincia de Buenos Aires –donde hay algunas excepciones del tipo de Coronel Suárez, con una imitación lugareña de alta clase– están vacunados contra la influencia subordinante de las pautas de prestigio. En otra época –hace veinticinco años– los criadores habían logrado comprender su interés encontrado, con el de los invernadores, que ya hemos visto con anterioridad, lo mismo que los productores ganaderos del interior. Fue la

Entretanto la familia, con los chicos en el colegio que corresponde, y escalonando paulatinamente relaciones en los veraneos reiterados en la playa indicada, las canastas y las fiestas de beneficencia, se irá capacitando poco a poco, al adquirir las pautas de comportamiento social necesarias en el nuevo *status* que también exige esfuerzos porque las mujeres son más "difíciles" que los hombres en esto del "reconocimiento".

Nada de esto significa que alguien, grupo o persona, regule la filtración ascendente. La aceptación se hace subconscientemente por el propio *status* de la clase que hace el proceso selectivo fisiológicamente, como una cuestión de hecho que se va cumpliendo por etapas.

Sin embargo, deduzco de lo observado por Imaz, que, en muchos casos hay un discernimiento que revela conciencia del proceso. Así cuando analiza la composición por apellidos de las sucesivas comisiones directivas de la Sociedad Rural: el número de los antiguos y los recientes está inteligentemente dosificado, y los antiguos saben poner en el primer plano los líderes nuevos que aportan el empuje del neófito para lograr las mayores ventajas posibles, cuando las circunstancias son muy favorables. Se percibe, por ejemplo, que en el momento en que el grueso de la renta nacional fue transferida a la clase ganadera, en el gobierno del General Aramburu, asumió el liderazgo de la misma un Dr. Mercier, ganadero consorte, que le resultó muy eficaz. En otras circunstancias a este desconocido le hubieran aprovechado a lo sumo sus aptitudes de ginecólogo para un curso de

---

época en que la Confederación de Sociedades Rurales del Interior y la Provincia de Buenos Aires, tuvo vida propia y comenzó a plantear las diferencias. Participé entonces en algunos de sus Congresos con una representación prestada. Fue la época en que actuaron los señores Heguy, Salvat y Nemesio de Olariaga entre los que recuerdo.

Ha pasado mucha agua bajo los puentes desde entonces y ahora la Confederación de Sociedades Rurales forma parte del coro de la Sociedad Rural que es la *prima donna* indiscutida, en ese elenco donde también canta sus papelitos la Unión Industrial a través de ACIEL. Me recuerdan la ya mencionada cámara de la bicicleta donde los fabricantes creían estar bien representados por los importadores y un poco a la Asociación Lanera. A los economistas, liberales y marxistas les corresponde explicar estas aberraciones del sentido común económico que resultan de la prevalencia de elementos culturales como son las pautas, que por su propia inercia producen resultados que no están regidos ni "por el libre juego de los intereses" ni "por el rígido determinismo de lo económico".

tacto rectal, tan beneficioso para aumentar el porcentual de las pariciones.[3]

El actual presidente de la Sociedad Rural, Faustino Fano pasó, ya hace muchos años, del comercio de tejidos a la ganadería, donde desde luego se ha destacado por sus aptitudes. Ha dado el mejor examen de adopción de la ideología, económica agro-importadora, pues lo que le queda de burgués está radicado en Inglaterra, que es donde corresponde; con más precisión en Manchester, en sus fábricas de tejidos, para restar en la Argentina como exclusivo productor rural, libre de todo pecado industrialista. S.M.B. lo debe mirar con ojos tiernos, recordando aquello que escribió el economista inglés W. H. Dawson en el siglo pasado, frente al surgimiento de la Alemania industrial: "–Hubiéramos preferido, que Alemania hubiera continuado concentrando su atención en la producción de música, poesía y filosofía, dejándonos al cuidado de proveer al mundo de máquinas, telas y algodón" (Friederick Clairmonte - "Liberalismo económico y subdesarrollo". Ed. Tercer Mundo. Bogotá, 1963). Póngase novillos y cereales en lugar de disciplinas "tan cultas y germánicas" y la expresión de deseos conservará todo su sentido.

En cambio, en los momentos difíciles, con igual inteligencia se recurre a los apellidos tradicionales, cuyos portadores conocen mejor que los neófitos la flexibilidad necesaria para capear los temporales. Es lo que ocurrió bajo el gobierno de Perón.

También la alta clase suele tener sus herejes.

A veces algunos individuos de la alta clase se dejan contagiar por el virus de las innovaciones y se resbalan hasta el campo artístico o industrial contrariando las pautas vigentes.

Así, a Victoria Ocampo, durante mucho tiempo no le perdonaron su modernismo, oponiéndole la reticencia de la gazmoñería, y por el simple hecho de transferir su visión europeizante y formar núcleo en su redor era –al mar-

---

[3] A poco más de un mes de la aparición de este libro, parece que el doctor Mercier ha querido ratificar lo que digo respecto a la utilización de los neófitos. Es así como en "La Nación" del día 9 de diciembre de 1966, se manifiesta lesionado por un documento de la Sociedad Rural que prescinde del recuerdo de su liderazgo ruralista. Se creía definitivamente parte de la alta clase y resulta que lo olvidan cuando no lo necesitan. Se había "piyado" en serio lo del liderazgo y resulta que era un préstamo circunstancial; en consecuencia renuncia como socio de la Sociedad Rural, seguramente para dedicarse a sus actividades específicas.

gen de sus propósitos que conceptúo generosos– un aliado tácito del sector de donde provenía, y que vino a cumplir en el terreno de las letras la tarea que la Sociedad Rural cumplía respecto de la burguesía, rigiendo en forma parecida el prestigio de los literatos arribistas que, como la burguesía, buscaban el sello de lo que es "bien" tradicionalmente: un prestigio con el sello de "las formas tradicionales". Actitud parecida es la adoptada con algunos industriales de apellido tradicional –tal el caso de algunos Pereyra Iraola–. Si triunfan se les ignora, pero si vuelven derrotados al redil se los aplaude, cuando les queda cómo volver. No le quedó a Nemesio de Olariaga, que aunque no de origen tan antiguo, estaba en el nivel de la gran ganadería.

IDIOSINCRASIA DE LA BURGUESÍA RECIENTE

Como se ve, la incorporación a la clase alta no es cuestión de decir: *golpeá que te van a abrir*. La misma permeabilidad que surge del espíritu conservador de aquella, exige la práctica del ritual que se ha referido para graduar el ingreso.

La nueva burguesía originada en la expansión industrial de la última guerra y de crecimiento mucho más rápido que la de principios de siglo, como se ha visto en el capítulo anterior, no alcanzó a tomar conciencia de su propio *status*, ni siquiera a sedimentarse en el conocimiento de los factores económicos que determinaban su ascenso, pues sus miembros, más comerciantes que industriales, se creyeron más hijos de sus aptitudes financieras –cosa bastante cierta– que de sus conocimientos técnicos; pasó aun con los enriquecidos que provenientes del taller podían haber sido modelados en el proceso previo de su enriquecimiento. Faltó ese amor a la propia obra, esa identidad con la creación que en su sector tiene el hombre de campo, y que habían tenido los viejos industriales. Además, hubo la seguridad y la soberbia de los hijos de la inflación que se mueven sobre una nebulosa de situaciones que terminan por atribuir al propio genio. Cada uno se creyó un fenómeno de la naturaleza y se atribuyó personalmente los éxitos nacidos de condiciones históricas favorables. En cambio, los obstáculos, las dificultades con los trabajadores, los problemas impositivos y los inconvenientes de la planificación eran culpa del "intervencionismo de Estado" al que al mismo tiempo pedían protección.

Imaz ha señalado su incapacidad para actuar como grupo, como conjunto expresivo de una conciencia empresaria, lo que es bastante lógico por la ya mencionada improvisación en que la empresa era más una aventura comercial que el producto de una vocación. Faltó la conciencia del interés común y general a la industria, y los irritaban los mismos problemas salariales de previsión y de política obrera que les creaba el mercado, como les molestaban las dificultades de cambio o de crédito que establecían las prioridades de las cuales se beneficiaban. En su incapacidad para percibir el encuadre de una política general de la cual eran hijos, sólo percibían las restricciones que ésta les imponía, que les resultaban trabas burocráticas opuestas a la expansión de su genialidad creadora. Como el comunista del cuento que pensaba tener dos casas con la que ya tenía y la que le iba a tocar en el reparto, querían las ventajas del intervencionismo de Estado, que experimentaban, y las de la libre empresa con que los adoctrinaban sus adversarios económicos que ellos empezaban ya a ver como sus libertadores. Se sumaron al resentimiento de la alta clase media, y los "primos pobres de la oligarquía" que experimentaron las molestias que les creaba a su tradición y gustos de "gente calificada", los aspectos groseros y masivos que la convivencia urbana creaba por la integración de la sociedad con la vieja clase criolla postergada. Estos tampoco supieron apreciar que la nueva situación, con la creación de oportunidades, había levantado su nivel de vida, porque lo midieron no en razón de su mejora, sino en razón del acortamiento de distancia con las clases más modestas que en su extrema pobreza de antes le daban una imagen de mejor posición propia.

También hay que computar la incapacidad del peronismo para dar a la burguesía y a la clase media un lugar en el proceso de transformación. Es curioso que la mentalidad militar de Perón perdiese el sentido de la importancia de los factores sociales de poder para quedarse en la estimación puramente cuantitativa del caudillo liberal.

A través de Miranda, todavía esa burguesía podía sentir que uno de los suyos orientaba algo. Después la representatividad de la misma y de la alta clase media quedó a nivel Cereijo, y aun los más simpatizantes y partidarios tuvieron que optar entre retraerse o renunciar a expresar algo distinto que el coro burocrático.

El militante obrero podía sentirse expresado por el dirigente gremial. El de la burguesía y clase media no tenía expresión ni en el poder ni en el movimiento político. Quedaron destruidos los elementos compensatorios que intelectualmente hubieran impedido la absorción masiva por la mentalidad de la clase ganadera de los elementos altos de las clases intermedias y la burguesía naciente. Esto hubiera sido lógico si la conducción se hubiese propuesto la construcción de una sociedad fundada exclusivamente en el proletariado. Pero nada había más ajeno a su propósito, que era cumplir con la modernización de la estructura de sociedad preexistente.

En el capítulo anterior se ha señalado la importancia que tuvo en ese momento histórico el descenso a la arena política de la alta clase, que despertó en estos factores, hasta entonces distantes de ella, la idea de una permanente vinculación, como si la Unión Democrática en lugar de ser una empresa política circunstancial, fuera la democratización de la sociedad porteña para dividirla en dos grupos con sus *status* respectivos: la "gente culta", y la multitud morena y la desacreditada burocracia del peronismo. Un retorno a la sociedad tradicional.

Burguesía, alta clase media y los"primos pobres", se sintieron por un momento al nivel de la alta clase. Cuando ésta se retrajo y volvió al espacio reducido del gran mundo, surgió la desesperación por mantener el *status* que se creía haber adquirido. Para la nueva burguesía, comprar estancia pareció la solución. Pero de pronto percibió que había un largo camino por delante, que esta gente apresurada no estaba dispuesta a recorrer. Pero tampoco ya los "primos pobres" se resignaron a volver a su medianía social ni los miembros de la alta clase media; al margen de la clase alta, y sin proponérselo ésta y sin que participara para nada comenzó la elaboración del "medio pelo".

BÚSQUEDA DE PRESTIGIO Y "MEDIO PELO"

La búsqueda del prestigio, especialmente por la burguesía y la clase media alta, había cambiado de significado: ya no era la evidencia de su propio triunfo en los rangos de la propia clase sino la incorporación a la vieja sociedad, el objetivo que podía satisfacerla. No tenía, por otra parte, una muy clara percepción de la diferencia entre la alta sociedad y "los primos pobres"; y como éstos eran accesibles se constituyeron en su modelo, y su nivel de incorporación. A su vez, los segundones que habían vivido en un hosco marginamiento social, se encontraron con un público que les atribuía el rango siempre apetecido: estaban en el escenario, el telón se había levantado, el público aplaudía y todo el problema consistía en seguir el libreto.

Jugaron el papel que los bien dispuestos oyentes le atribuían y empezaron a comportarse como si efectivamente fueran la clase alta; pero la comedia pronto fue drama, porque a medida que se producía el entrevero, las ventajas sociales que les llevaban a sus adeptos no alcanzaban a compensar la desventaja económica.

Salían del modesto y decoroso papel que se habían asignado compatible con la escasez de los recursos, para ponerse a la luz de las candilejas. Era como una compañía de cómicos de la legua que se presenta de pronto en el escenario de un teatro lujoso con la utilería ajada y descolorida de la compañía ambulante, frente a un público en que relucen los brillantes de los espectadores de la platea y los palcos. Había que poner el atuendo y el comportamiento a nivel económico del público y empezó la vida de pie forzado para las dos vertientes que concurren a la formación del "medio pelo".

Una aporta los signos del *status* y otra los recursos. Esta sufre porque se ve reprimida en su natural tendencia a mostrar la prosperidad y el éxito a través de los signos de la riqueza que es necesario morigerar. La otra, porque sin los recursos no le es posible imponer la prevalencia de sus signos; además, sabe que no está tomada en sí, sino como imagen de la alta clase, y necesita disimular la escasez de medios económicos porque no hacerlo implica confesar su verdadera situación y desprestigiarse ante los que la imitan, creyendo que imitan a los de más arriba. Es un círculo vicioso de recíprocos engaños en que la situación más difícil es la de quienes tienen más cómoda situación social pero más incómoda posición económica.

A medida que vayamos viendo las pautas que rigen el comportamiento del "medio pelo" iremos percibiendo las particularidades de la falsa situación que importa.

Desde el ángulo del "medio pelo", por ejemplo, el automóvil es un signo de *status*; también un instrumento de transporte, pero esto es subsidiario. Pronto el automóvil chico, que se ha comprado con enorme sacrificio y endeudándose, exige su reemplazo por el coludo, pues no se puede ser menos que el recién llegado que está "aprendiendo de uno" a comportarse pero lo "sobra" desde el último modelo. Hay que explicar que el automóvil chico "es para que mi mujer vaya a hacer las compras" y proveerse en seguida del coludo correspondiente. Eso sí, hay que cuidarse de que no sea un Valiant, que según los informes del mecánico es muy bueno, pero socialmente es propio de botelleros y abastecedores. El Peugeot –que es "yeyó" en la parla tilinga, como el Citroën es "milonguita" peyorativamente, porque "los hombres te han hecho mal"– es el desiderátum, pues combina una presentación discreta, de "buen tono", con la categoría. Pero estos "canallas" de los franceses –seguramente gente de De Gaulle (adelantemos que el antidegaullismo está entre las pautas)– se han aprovechado del prestigio para llevarlo a las nubes y no fían ni un pito, ni siquiera a un módico interés del 30 por ciento acumulativo. En fin, se hace un sacrificio y se lo compra. No sirve de nada porque al día siguiente uno de los neófitos se aparece ¡nada menos que con un "Mercedes"...!

El automóvil, además representa, fuera de su costo de compra, mantenimiento y reparaciones, la necesidad de usarlo, combustibles y si va al centro, estacionamientos –¡hay que ver cómo "aplican" estos industriales de baldío!– y lo peor son los fines de semana, lógicamente en la quinta de los nuevos –porque los antiguos no las tienen ni tampoco los de la clase media alta–. Si bien se va como invitado, no se puede caer con las manos vacías a una casa donde los "guarangos" asan media vaquillona o empiezan la comida con el inevitable cóctel de langostinos. Y a veces ponen caviar que, como lo ha enseñado Beatriz Guido, es el alimento natural de la alta clase. (Comentario obligado: "Ya no es como el de antes de la guerra"... que da tono de consumidor consuetudinario, y está entre las pautas nostálgicas). Además, hay whisky inglés y sin estampilla, como corresponde: ¡puro de embajada!

(Con esto del whisky, los "primos pobres" que conservan la línea hasta con el caviar, se descarrilan. Tener pileta de natación en verano y dando whisky, es para el dueño de casa motivo de un interrogante: ¿Quién consume más líquido? ¿La pileta o las visitas? Un burgués de estos me mandó una tarjeta de socio vitalicio de un club ignorado. Cuando averigüé de qué se trataba descubrí que separó de su casa-quinta la pileta, con una tapia, y edificó un vestuario y un bar al lado de ella. Fundó el club y puso de cantinero a un paisano de la vecindad. Entonces les mandó tarjetas de socio vitalicio a todas sus relaciones y él tiene la suya y concurre como un socio pero no como proveedor de whisky. Pero, evidentemente, se trata de un tipo en que todavía predominan las pautas de ahorro anteriores a su ascenso).

Hay un lindo chalet en un pueblo de la costa. A la puerta están los dos coches de la familia. Si entráis comprobaréis que se trata de una familia prolífera y longeva. Allí viven los abuelitos, la tía soltera, el matrimonio y seis o siete criaturas, en una casita con living comedor, y dos dormitorios. Entonces tenéis que imaginar lo que ocurre después de las once de la noche: es el imperio del Gicovate y el Blicamcepero. Empiezan a salir camas y colchones de los lugares más inverosímiles, en una magia de utilería.

Esto ocurre también en los sectores más modestos de la clase media, pero por necesidad, o en familias obreras. Pero en el caso las camas son honradamente camas.

Y sin embargo esa familia es propietaria del chalet y tiene su pedacito de jardín con un cedro azul que empezó a crecer indiscretamente tapándolo todo. Podría prescindir del cedro y de uno de los automóviles y, con su importe, edificar uno o dos dormitorios y un baño más. Pero nadie se entera –ellos lo creen– del drama nocturno y lo que importa es la representación; el auto se ve, la falta de confort, no. Habrá que vivir mal para vivir "bien".[4]

A la mañana hay que hacer cola por el cuarto de baño. El café con leche es aguado, y a mediodía y a la noche, el condumio escaso. Es cierto que se llaman almuerzo y "comida", como corresponde, y no comida y cena, como dicen "los del Mercedes" y se comenta divertidamente llenando la boca de palabras y burlas a falta de cosas más consistentes.

Aquellos son duros para aprender y recién han empezado a decir *mi mujer* y *mi marido*, y no *mi señora* o *mi esposo*; es que "allá lejos y hace tiempo", cuando empezó el ascenso, decir "mi mujer" era agraviante; se era "esposa" porque se tenía libreta de casamiento que muchas veces hubo que exhibir a las vecinas incrédulas, o para darle por los dientes a alguna mal casada.

---

[4] Conviene anotar aquí que en los últimos años se percibe en las nuevas promociones descendientes de la clase alta –tal vez bajo la influencia de la división de los patrimonios– una tendencia a hacerse rentista. Lamentablemente se nota un proceso inverso en los estancieros medios, que en masa se han radicado en el barrio Norte de la capital dejando de vivir en sus establecimientos. En el capítulo anterior se ha señalado que este tipo de estanciero de la provincia de Buenos Aires solía tener casa en los barrios cercanos a las estaciones, pero ésta era una escala, y ahora la escala empieza a ser la estancia, a la que se va cada vez menos.

Como se trata de establecimientos de 500 a 1.200 hectáreas, la atención personal es imprescindible si se quiere realizar una producción moderna. Los trabajos no pueden ser confiados a un simple capataz ganadero, y no se puede tener un técnico porque el grueso de las utilidades es absorbido por los consumos superfluos de la ciudad que multiplican por cuatro el presupuesto de cuando se vivía en la estancia. Esa emigración del agro de la que no se habla, pero que ha comprado gran parte de los departamentos del barrio Norte edificados en los últimos diez años suele justificarse con argumentos que proporciona el "medio pelo" y son los que hacen las mujeres –(Educar los chicos, la salud del abuelito, etc., etc.)–, pero basta rascar un pco para comprobar que lo que hay detrás de todo es una preocupación de *status*, antes ausente en el medio rural, y que se va haciendo más grave a medida que se produce esta urbanización de los propietarios medios.

Señalo estas cosas porque mi preocupación es que las falsas pautas deforman la función económica de cada sector productivo, y la misma crítica que se centra en el abandono de sus pautas propias por la burguesía es válido para las partes del sector agropecuario que abandona la que corresponde a su propia naturaleza. Se trata de que cada uno cumpla su función en la modernización de la sociedad argentina y así como los productores rurales deben serlo verdaderamente, se le exige lo mismo a los industriales.

La situación es para los antiguos peor que la de los parientes pobres de los Barros, ya mencionados, citando a Silvina Bullrich, porque ante éstos no había que disimular la pobreza y hasta convenía evitar la ostentación. Pero, ¿cómo mostrarla ante estos nuevos que son a la vez discípulos y competidores en la búsqueda del *status*? Porque ahora los dos buscan *status*, los que lo tenían relativamente se han entrampado en el juego porque ya no muestran el suyo sino el que los nuevos creen que tienen, y se obligan a sostener una posición que además terminan por creer cierta. Y si el nuevo tiene que encargarle a Ruiz Pizarro que le pinte un antepasado a la manera de "Prilidiano", el antiguo no está en mejor situación, porque por más que remonte en la historia no puede pasar de la descolorida fotografía con que se inauguró el álbum familiar. La verdad que esa rama de la familia nunca estuvo en fondos para hacerse pintar; en esta materia están mejor colocados los provenientes de la clase media alta, pues hay retratos familiares pintados por las "nenas", ahora tías viejas o abuelas, que iban a "la Academia" en el barrio desde el cual se han mudado. Pero eso es viejo sin ser antiguo y, además, irremediablemente "cursi".

LA EQUÍVOCA SITUACIÓN AMBIENTAL

El "medio pelo" se amplía aceleradamente desde que los altos empleados son "executives", y los que arreglan los sobornos hacen "publics relations"; unas veces para la empresa donde trabajan, y otras, por ellos mismos, con el pretexto de que lo exige la empresa, comienzan también la dura vida de la representación.

Al margen del "medio pelo" esto de la representación se ha convertido en una exigencia vital. Pero esta puede tener límites razonables. En Montevideo, por ejemplo, recuerdo una época en que hasta los analfabetos llevaban "Marcha" bajo el brazo, porque suponía calidad intelectual. Esta cultura de sobaco ilustrado se repite aquí con la mayoría de las revistas caras; las políticas dan aire de "estar en la pomada", las de hogar y confort, de estar ampliando los horizontes, y las extranjeras son el acabóse, sobre todo las que están en "idioma" como dice Catita. Sin embargo hay muchos compradores que las leen. (Pero esto no es el "medio pelo" porque no se propone acreditar un *status* colectivo sino un prestigio individual. Además, induce a suponer que se preocupa de "cosas serias", lo que el "medio pelo" entiende –ya hemos visto la visión de Beatriz Guido–, no ocurre en la alta sociedad en la que las preocupaciones son exclusivamente de alto nivel artístico o sexual. Salvo cuando se trata de "los negros", de los que en realidad la alta clase se ha olvidado).

Un sociólogo científico podría encuestar en muchas localidades del suburbio Norte, la dicotomía del comercio minorista de la Av. Maipú hacia el río, y comprobaría que la clientela de "medio pelo", si es burguesa, compra al contado, pero la otra estira la cuenta corriente que no se le puede negar por su relevancia social. Entonces identificaría las dos vertientes.

Cuando las "señoras gordas" se reúnen para sus interminables canastas y demás actividades típicas de la "gente bien", una vez que se han hablado las generalidades habituales en que todos coinciden por la aplicación de comunes pautas ideológicas en el comentario de la actualidad, es fácil percibir las dos vertientes en ciertos cortes de silencio, imposibles entre mujeres, fuera de este medio. Alguien ha mencionado "la parentela"; el antepasado Juez, Teniente Coronel, diputado o conscripto de Curumalal.[5]

Otras veces, y es lo más frecuente, se insiste en designar a las personas de que se habla con un apodo o diminutivo familiar. Si el neófito muerde preguntando de quién se trata, se lo aplasta con el apellido,

---

[5] Leyendo las pruebas un corrector joven me recuerda constantemente que las nuevas generaciones no tienen ni noticias de muchos sobreentendidos que los de nuestra edad damos como conocimiento general. Entre éstos está lo de los conscriptos de Curumalal que me obliga a explicar.

Se trata de lo siguiente: La primera conscripción de la ley del servicio militar obligatorio realizó maniobras en las sierras de este nombre en el suroeste de la provincia de Buenos Aires en 1896, bajo las órdenes del General Luis María Campos, y esto ocurrió cuando el conflicto con Chile agitaba la opinión pública. Así se sumaron a la novedad, un estado de tensión patriótica y la incorporación de una juventud para la que la vida en campamento era una aventura, pues hasta entonces el ejército había estado formado por los milicos de los regimientos de línea y una oficialidad que se había hecho en el rigor de la vida cuartelera y de campaña con una formación casi exclusivamente empírica. La conscripción de Curumalal tuvo en cierta medida el prestigio social de los rifleros del 80 para la *jeneusse dorée* de principios de siglo, se fue embelleciendo con el recuerdo y terminó por incorporarse al patrimonio social familiar. Eliminados estos factores, decir conscripto de Curumalal en la esquela fúnebre que es donde aparece, es como decir José Pérez clase 1915 o 1926. Pero la frase "Conscripto de Curumalal" ha terminado por tener una cierta resonancia bélica, como quien dice Campaña del Desierto o Guerrero del Paraguay. La referencia va desapareciendo porque desgraciadamente también se extinguen los conscriptos que eran respetables señores bigotudos cuando yo gateaba. (Aclaro que ellos ignoraban que estaban fundando hidalguías futuras).

este sí, verdaderamente de la alta clase. Así, se dice: "El otro día me dijo Felicito...", como quien no dice nada, para ver si pican.

Una parte de los contertulios guarda un silencio incómodo; es la que se toma la revancha en seguida hablando del último viaje a Europa y sobre todo a EE.UU., y de las cosas que se trajeron. (Porque toda esta gente es *cositera; cositeros* son esos tipos que no pueden aguantarse de comprar cuanto chiche aparece por ahí en exposición, sobre todo si es de fabricación extranjera y ha entrado de contrabando).

Hay algunas burguesas que se abusan hablando del nuevo tapado de visón. Los primos pobres, son los que ahora callan.

Tanto embroman con los viajes los nuevos, que los "primos pobres" tienen que mandar las "nenas" en una excursión, que después habrá que pagar en 36 meses, y que además les impondrá un terrible trabajo: pasarse dos o tres meses leyendo algo sobre lo que se vio, porque en la visión fugaz y universal que la excursión permite, los cuadros, cuando se recuerdan, cambian de museo, y las ciudades de nación. Menos mal que se han traído el proyector y las diapositivas. ¡Perdón! Ahora se llaman *slides.*

¿*STATUS* O IMAGEN DE *STATUS?* SUS ÚLTIMAS VARIANTES

Estoy dando una visión desordenada de un hecho social a través de un abigarrado conjunto de anécdotas, situaciones ciertas o hipótesis, de hechos inimportantes y otros significativos, y saltando de un grupo a otro en un deliberado desorden. Quiero evidenciar, precisamente, esa situación, que es la que suscita la observación *in vivo* del comportamiento del "medio pelo", las imágenes contradictorias que ofrece y lo desparejo de su composición tanto social como en el tiempo, porque constantemente se van agregando nuevos aportes y va cambiando la edad de sus actores, como las situaciones económicas de los mismos, en la constante crisis de su composición desde que no es un *status* con una caracterización precisa, sino la imagen de un *status* que se configura caprichosamente en la medida en que la imaginación de cada uno de sus componentes busca el prestigio dentro de muy variables pautas de comportamiento estético y unas pocas ideológicas más permanentes.[6]

---

[6] Un ejemplo de la transferencia de un *status* a otro es lo que ocurre en la diplomacia. El "punto" desde que lo designan adquiere una situación especial

Para la comodidad de la exposición, lo he designado frecuentemente como *status*, pero aquí quiero dejar establecido de una manera precisa, que más que *status es la imagen de un status.*

Así, por ejemplo, con referencia a la perdurabilidad, la que vende Beatriz Guido es ya un poco pasatista, más bien para "señoras gordas".

Hay así un tipo más internacional, que soslaya un poco a los "primos pobres" y de más directa procedencia burguesa. Una expresión fácilmente verificable es un rematador de apellido De Rhone, sobre el que no recuerdo si en "Primera Plana", "Confirmado" o "Extra" se ha escrito un gracioso comentario y cuyo rico repertorio "mediopelense" internacional está al alcance del lector que quiera tomarse la molestia de concurrir a una de sus actuaciones.

---

parecida a la extraterritorialidad de las embajadas. Deja de pertenecer al grupo social del que fue extraído, para pertenecer al grupo diplomático; y lo de extraterritorialidad no lo digo de gusto, porque subjetivamente más que miembro de un cuerpo diplomático nacional, se sienten diplomáticos en abstracto, terminando por creer que el ritual que rige la convivencia entre los distintos cuerpos diplomáticos acreditados en la capital donde se está, es la diplomacia. Así tiene el menor contacto posible con el país donde ejerce, del que ignora prolijamente los datos que Ud. puede pedir, aun los elementales de relaciones públicas para contactar al connacional que necesita información. Con la misma prolijidad conoce en cambio todos los chismes referentes al cuerpo diplomático allí acreditado, en cuyo medio practica una vida intensísima que permite estar enterado de las desavenencias conyugales del representante de Andorra o del embajador especial de Finlandia. Después de leer a ese mala lengua de Peyrefitte, uno se resigna porque ve que suceden cosas parecidas en la diplomacia francesa.

No hace mucho asistí a una exposición organizada por el agregado cultural de Japón que consistía en el minúsculo arreglo de un rinconcito, con detalles del té a la japonesa. Vi sacar la fotografía con el agregado cultural en ella, y comprendí que el objeto era sólo la foto porque servía para informar al Ministerio de Relaciones Exteriores del Japón que el agregado era muy dinámico. Si eso ocurre en el Japón, donde hasta ayer estaban acostumbrados al harakiri, ¿qué podemos pretender nosotros? He presenciado un caso argentino de desnacionalización que no puedo dejar de mencionar, aunque no tenga relación con el *status*.

El Instituto de Cultura Hispánica es una importante entidad cuyo Director tiene jerarquía de Ministro, y mediante el cual España trata, con cuantiosas erogaciones, de mantener contactos culturales con las otras Españas. Por la

El personaje, originalmente modisto polaco, ha cambiado de actividad. Con lenguaje untuoso, la deliberadamente marcada pronunciación extranjera, y un esteticismo de tipo que se encuentra en el país por circunstancias desafortunadas, extrañando como un intelectual nativo el ambiente europeo propio de su "cultura", llena el oído del auditorio con una riqueza idiomática de portero de gran hotel. Con aire de experto da a los compradores que tienen la fortuna de adquirir las piezas que vende, la sensación de que también los son, y recalca siempre la ventaja de la calidad de lo importado sobre todo lo de producción nacional, particularmente en pintura. Cuando vende un pintor argentino, parece que le hace un favor, y que sufre un desgarramiento cuando tiene que desprenderse de alguna supuesta firma de cotización mundial. Nada se remata sin pesar su cotización en todas las monedas fuertes, lo que le da oportunidad para referencias despectivas al peso moneda nacional.

---

misma razón puede ser útil a la representación argentina porque además del contacto cultural con España que allí se opera, está a disposición del agregado cultural argentino todo un sistema de contactos con el resto de América, que España costea espléndidamente sin que nos cueste un centavo.

Estando en Madrid hice amistad con don Blas Piñar, a la sazón eficientísimo Director del Instituto.

Don Blas Piñar me insinuó que la Embajada Argentina parecía rehuir al Instituto de Cultura Hispánica, y me propuse averiguar lo que pasaba. Prescindí del Embajador, que era el Almirante Toranzo Calderón porque no tenía relación con el mismo, y además, porque más aceite da un ladrillo, en tema como ese y resolví conversar con Francisco Luis Bernárdez que era precisamente delegado cultural, y así vine a saber las razones por las cuales la Argentina no tenía relaciones culturales con el Instituto de Cultura Hispánica.

Ya había notado yo que Bernárdez frecuentaba el café De Lyon, en la calle de Alcalá, más allá de Cibeles –centro de reunión de los intelectuales republicanos. De la boca de Bernárdez vine a confirmar que no simpatizaba con Franco, lo que me extrañó porque le había conocido un acendrado catolicismo formal y se le adjudicaban ciertas inclinaciones fascistas, y cuando comenzaba a atribuir su actitud a la influencia democrática de la Revolución Libertadora, vine a enterarme de que la razón era otra.

Bernárdez es hijo de gallegos y ama extraordinariamente a Galicia, y Franco es un gallego renegado que persigue el idioma y el autonomismo de los gallegos. De tal manera el agregado cultural de la Argentina ventilaba con el sueldo y la representación de su presunta nacionalidad una cuestión entre Galicia y España, y de gallego a gallego.

Después, bajo el ministerio de Bonifacio del Carril, Francisco Luis Bernárdez fue nombrado Director de Cultura.

La tónica en todo, es la siguiente: está rematando platería inglesa con una inevitable referencia histórica matizada de inglés, algunas expresiones francesas y otras italianas, y después del punzón aplica –sin que venga al caso– su propio punzón a la platería colonial. Entonces, con un aire displicente, dice: *"No me egplico pogqué hay kente que compga plateguía colonial. Yo de ninguna manega la tendría en mi casa de Punta Chica"* (sic).

En realidad el sector de "medio pelo" que se mueve dentro de esta nueva característica, está dejando de experimentar acomplejamiento social frente a la alta clase, pero desgraciadamente ya ha perdido las pautas "guarangas" que expresaban su potencial de la burguesía para actuar en la modernización del país; en las pautas ideológicas, económicas y sociales, sigue regido por la mentalidad liberal, ahora en la versión directamente importada: está en internacionalista.

Otro matiz más extenso es esencialmente juvenil. Constituye la clientela de Landrú en su "Gente Como Uno". Está influido por factores muy heterogéneos donde las pautas del "medio pelo" pierden importancia ante las internacionales que provienen del mundo de los *play-boys*. En realidad, del "medio pelo" sólo conservan la actitud frente al "negro" traducida en la postura con relación al "mersa", y la preocupación por justificarse socialmente en el amaneramiento del lenguaje, en la elección de los sitios de diversión y en la necesidad de sacrificarse exigiendo la selección a través del precio de las consumiciones, con el consiguiente perjuicio de los padres de "medio pelo" y aun de otros sectores donde la registradora está descuidada o confiada a su vigilancia por el optimismo paterno. Abundan aquí los estudiantes crónicos que utiliza la universidad como contacto de relaciones públicas.

Pero aun en el enfrentamiento al "mersa", en que aplica la actitud de los padres de "medio pelo" con referencia al "negro", la diferencia que establece no es de nivel económico, porque con frecuencia el "mersa" es la expresión pura de la burguesía joven en ascenso, que no se ha sofisticado.

En realidad, aquí estamos ante un hecho de disgregación del *status* que el "medio pelo" se atribuyó. Lo que el humorismo de Landrú ha divulgado está más dentro de las fronteras de la moda que de los *status*, y la generalización del tipo, particularmente en el mundo de la juventud femenina, preanuncia su desaparición, como todas las modas que mueren a medida que descienden hacia los otros niveles sociales, donde subsisten un tiempo entre los que llegaron tarde.

Al apreciar las pautas por las que rige el "medio pelo", convendrá tenerlo presente, porque las variantes que se han señalado sólo coinciden en algunas y ya pierden las características definitorias del *status* o de la imagen de *status* que determina el comportamiento como grupo social.

CAPÍTULO XII

LAS PAUTAS DEL "MEDIO PELO"

Por su misma ambigüedad y lo equívoco de la situación las pautas que rigen la conducta de la gente del "medio pelo", son más numerosas y de observancia más prolija que las que corresponden a los *status* consolidados.

En esto del prestigio es de aplicación la diferencia que hay entre orgullo y vanidad; parecen la misma cosa y son opuestas, por cuanto a la vanidad sólo le interesa parecer, y al parecer sacrifica el ser. El orgullo en cambio es una afirmación del ser en que lo subsidiario es parecer, y en todo caso, es esto lo que se sacrifica.

Las pautas que corresponden al grupo de pertenencia están en el subconsciente de los individuos que lo componen, y el comportamiento se rige por ellas en razón del hábito sin que generalmente intervenga la voluntad; hay el asentamiento que los españoles llaman solera, como en los vinos, por lo mismo, poco preocupa una infracción accidental, porque no hay el temor de descolocarse. Pero cuando se trata de un falso *status*, cuando en realidad se trata de aplicar pautas de imitación de otro grupo de pertenencia, la observación de las pautas es religiosa. Como no hay autenticidad, las pautas no nacen del grupo, será más acertado decir que el grupo nace de las pautas, porque éstas crean la imagen del *status*, y lógicamente sólo por éstas se logra la apariencia de pertenecer al mismo: es la apariencia de una apariencia.

Con lo dicho basta para señalar que la práctica puntillosa de las pautas es esencial al "medio pelo". El colchón no tiene lana y existe en la medida en que se lo crea colchón.

De las dos vertientes que proveen el material humano que concurre a la formación de este falso *status*, la primera, constituida por los que se han llamado "primos pobres" y la alta clase media, no necesita contrariar profundamente su íntima naturaleza, ya que el filo de clase en que está ubicada, de por sí le asigna una situación equívoca pero aproximada; para este grupo el equívoco surge del pie forzado del "quiero y no puedo"; no proviene del estilo sino de la escasez de recursos para mantener el tren.

La que se desnaturaliza profundamente es la que proviene de la burguesía reciente, porque sustituye las pautas burguesas del prestigio que son su fuerza, por las de imitación en que se degrada.

PAUTAS DE COMPORTAMIENTO: DOMICILIO

Hay pautas de comportamiento y pautas ideológicas, y trataré de atenerme a esta separación, lo que no impedirá que se interfieran en la exposición porque, como es natural, son recíprocas y se compenetran.

Veamos las de comportamiento.

La primera es el lugar de domicilio, al que ya me he referido con anterioridad en el señalamiento del Barrio Norte.

Precisando, el verdadero Barrio Norte es muy restringido y constituye el reducto de la clase alta, cuyo problema de prestigio es hoy más que destacarse del resto del país –cosa que no necesita–, defenderse del "medio pelo" que la acecha, la rodea y trata de filtrarse; como en la selva, no son los leones y las panteras, sino los mosquitos los que molestan.

Ese barrio restringido se extiende desde la plaza San Martín hasta la Recoleta, y desde Charcas o Paraguay hasta el bajo: la parroquia del Socorro y el perfil este del Pilar, con alguna prolongación después de la Recoleta en la loma que empieza en Pueyrredón y Las Heras y termina en la barranca que cae en Plaza Francia y los jardines que fueron de la casa presidencial. Ya vimos que Mallea nos señaló su epicentro *en el codo aristocrático de Arroyo*. (Ese increíble socio del Jockey Club al que me referí anteriormente, un tal Angel Vega Olmos, en la asamblea de este año en que se resolvió adquirir el Palacio Alzaga Unzué, frente a la Plazoleta Pellegrini, tuvo una precisión topográfica aun mayor que la de Mallea. Refiriéndose a la ubicación, dijo: *"Este lugar donde se encuentran las pocas virtudes argentinas que quedan"*.) Hay quien afirma que no puede existir nadie tan cursi, pero la información fue publicada en "La Nación", que es muy respetuosa de los socios y de la entidad, por lo que hay dos corrientes interpretativas: la que cree que Vega Olmos es un humorista inédito, pues casi todo el perímetro de la plazoleta está ocupado por embajadas extranjeras, y la de los que creen que este desconocido socio es un infiltrado peronista que quiso facilitar un argumento justificativo postincendio.

En el Gran Norte geográfico –más allá del restricto espacio deslindado–, se expande el "pequeño norte" social, que es hábitat natural del "medio pelo", que llega casi hasta San Fernando. Así como se ha advertido que no todo el Norte es "medio pelo", conviene también saber que hay "medio pelo" fuera del radio, porque algunos viejos caprichosos no quieren renunciar al confort ni al ambiente de sus antiguos domicilios a pesar de la presión femenina. "Las chicas pasan momentos difíciles cuando se ven en la obligación de dar su dirección", decía una señora.

AUTOMÓVIL Y ESTANCIA

Del automóvil como símbolo, también ya se ha dicho lo suficiente.

Está incorporado a la moderna sociedad casi como una necesidad vital, pero en los casos en que su utilidad práctica es secundaria –muy frecuentemente en los sectores pobres del "medio pelo", que tienen actividades sedentarias a las que bastarían los medios colectivos de comunicación, se produce una dramática inversión: en lugar de ser el automóvil para el individuo, el individuo es *para el automóvil,* convertido en una cruel deidad moderna a la que hay que sacrificar las necesidades primarias, el sueño sobresaltado por el temor del robo, y el descanso, entregándose a la gamuza, el plumero y la mecánica, ante la esquilmante exigencia de talleres y estaciones de servicio.

En cambio para los burgueses –aun los incorporados a la mentalidad del "medio pelo"–, el automóvil sólo proporciona satisfacciones, porque los coloca en un terreno favorable donde el antepasado conscripto de Curumalal no gravita, y sí los billetes.

En Norteamérica, en el barrio residencial donde todos poseen el modelo 1965, aparece un "canalla" con uno 1966. Todo el barrio es desgraciado hasta que cada uno tiene su último modelo, hecho que se repetirá en 1967.

Aquí también la importancia del símbolo está graduada por marcas y modelos. Pero lo que para el burgués norteamericano es un acto sencillo, se complica aquí para el burgués de "medio pelo" en su tribulación entre el que le gusta y el que gusta al *status* a que cree pertenecer.[1]

---

[1] El mejor sociólogo –por lo menos con estaño– para conocer este aspecto es el vendedor de automóviles que debe conocer mejor al comprador que al coche que ofrece. Ya están baqueanos en distinguir un burgués que se comporta como tal de un burgués de "medio pelo": al primero hay que ofrecerle un coche "que eche tierrita" a los demás. Al segundo, al que también le gusta echar tierrita, hay que darle precedentes sociales. (Un vendedor tenía un cliente para Chrysler Imperial y consiguió tenerlo toda la mañana en el café de la esquina para que viera cuando la Condesa de Souboff bajaba de su

También se ha hablado antes de la compra de estancias como símbolo y se ha explicado cómo está regulado el acceso a la clase alta a través de la Sociedad Rural. La burguesía reciente que compró campo, hace poco, todavía no lo sabe y los que compraron en los últimos años ya desde la perspectiva rural que no permite la sofisticación en materia económica, porque novillos y hectáreas se tienen o no se tienen, siguen la comedia del "medio pelo", pero conscientemente, en la espera de que sus hijos tengan el "reconocimiento". Entretanto, a falta de pan, buenas son tortas.

LOS COLEGIOS

El colegio para los hijos es una de las pautas más importantes.

Por lo tanto la escuela del Estado está excluida. (Sin embargo, hay algunos establecimientos oficiales que dan categoría porque son selectivos y tal vez sus directores se ajustan a ese criterio, en la admisión. Tal ocurre con la escuela primaria de Libertad y avenida

---

Chrysler Imperial a la florería. La operación se cerró ahí mismo. Por más que el vendedor y el comprador no tengan la más remota idea de quién es la Condesa de Souboff. Yo tampoco, pero tengo la vaga idea de que está vinculada a los Larrechea de Rosario).

Lo mismo ocurre con las vestimentas.

Un comercio de la calle Santa Fe, tiene un tipo de mercadería llamativa que no condice con el tono de la posible clientela. Como, intrigado, se lo hiciera notar a uno de los vendedores diciéndole: –"Tienen mercadería de la calle Corrientes", se sonrió pidiéndome que le guardara el secreto, cosa que cumplo, informando confidencialmente a algunos miles de lectores, después de rogarles igual reserva.

Me explicó:

–Hay mucha gente con dinero que sabe que hay que vestir al estilo de la calle Santa Fe. Viene a buscar la mercadería, pero íntimamente no la satisface pues su gusto es el de la calle Corrientes. Los complacemos dándoles el gusto de la calle Corrientes en la calle Santa Fe, con lo que quedan ampliamente satisfechos.

Y acompañándome hasta la puerta, agregó: –Guárdeme el secreto, porque si se enteran mis vecinos van a hacer lo mismo, y tendremos dos calles Corrientes. Es que casi todo el público de la calle Santa Fe que compra de veras tiene el corazón en Corrientes.

Quintana, con la Escuela Normal de Lenguas Vivas y algún otro establecimiento).

En épocas anteriores, sobre todo en el internado de los colegios secundarios, especialmente en los colegios religiosos, la mayor parte de los alumnos provenía de las familias de los propietarios de medios rurales radicados en el campo. Los colegios laicos eran el recurso desesperado de los padres para meter en vereda a los chiquilines muy vagos, y especialmente los díscolos, con los que hacía falta una mano fuerte. (Era el sucedáneo de "te voy a meter en un barco de guerra", misterioso castigo con que han sido amenazados los adolescentes de mi época, sin que todavía se haya podido averiguar el origen de la leyenda, que supongo británico).

Esto no contradice lo advertido antes con respecto a la clase alta, que para la educación de las niñas tenía sus colegios particulares tradicionales –casi exclusivamente religiosos– y para los varones optaba con frecuencia por los colegios de las colectividades extranjeras de alta calificación racial, particularmente los comprendidos en el tono del "High School", correspondientes al racista *status* particular que analiza Imaz, citado, al hablar de la burguesía de origen anglosajón, germánico y francés.

Pero fuera de estos casos excepcionales, la función de las escuelas privadas –laicas o religiosas– era complementaria de la de los colegios del Estado y estaba impregnada de su mismo espíritu democrático. Ser alumno del Salvador, del Lasalle o de los padres Bayonenses, lo mismo que de los incorporados no religiosos, no atribuía *status* a la familia. El mismo Colegio Internacional de Olivos, que con su ubicación, y el papel asignado a los deportes reproducía una imagen criolla de las escuelas británicas, tenía un carácter diferente de los actuales en que sin duda influía la personalidad un tanto proteica de su director, el Chivo Chelia. No era nada pituco a pesar de sus apariencias: con decir que Perón salió de él , está todo dicho. ¡Qué horror! ¿No?

Sería ahora interminable la lista de colegios particulares en que la enseñanza es un aspecto exclusivamente secundario, sean religiosos o particulares, y más en éstos: lo único que importa es el prestigio social del plantel básico que pone los apellidos, tras los que corre el "medio pelo", especialmente en los colegios de niñas, con una terrible repercusión económica en los recursos familiares, donde el costo de colegios y sus agregados es otro de los gravosos gastos de representación que ahogan a los de recursos poco elásticos e imponen privaciones en lo imprescindible.

Pero si la representación traumatiza económicamente a la familia, más traumatiza psicológicamente a las criaturas, particularmente las niñas. Sé que mucha gente me va a odiar porque estoy mostrando las llagas que más duelen y las más escrupulosamente ocultadas.

He aquí una:

En un curso secundario hay un pequeño grupito –siete u ocho– de alumnas procedente de la alta clase. Forman un círculo cerrado, lógico, porque están vinculadas desde fuera del colegio donde sus familias están emparentadas o son amigas, frecuentan los mismos ambientes y viven a nivel social y económico equivalente. Sin proponérselo, constituyen el foco de atracción que provoca en las demás niñas la emulación por incorporarse al mismo, frecuentemente inducidas por sus propios padres que ven en la "nena" la posibilidad de utilizarla como oficina de relaciones públicas.

El pequeño círculo acepta a unas y a otras no, por simples razones de simpatía, y a veces también usando la discriminación, con esa inocente crueldad de las criaturas.

El resultado no puede ser más dramático. En una psiquis tan traumatizable como la de la adolescencia, el colegio se convierte en una verdadera tortura, que se repite cinco años para las que se sienten rechazadas y van acumulando un resentimiento que no se vuelve contra quienes la rechazan sino contra su propia familia, a quien terminan por considerar despreciable.[2]

---

[2] Esto ya lo he contado en una nota periodística.

Tengo un amigo profesional que el otro día me decía:

–¿Vos sabés que el nene me pregunta todos los días por qué no tengo estancia? Y yo, qué voy a tener estancia si entre las cuotas de los colegios y el automóvil, me están comiendo, sin contar la cuota del Club los fines de semana, los veraneos que me desangran por todo el año...

–¿Vos mandás los chicos a colegio pago? –le pregunté–. ¿Y de los caros?

–¡Sí!, me dijo.

–Vos te estás trabajando el infarto. No te das cuenta que si los papás de los demás chicos tienen estancia y hablan de ella, el tuyo va a terminar por creer que sos un papá de segunda, un incapaz. Lo estás adecuando para resentido o para chupa-medias. Mandalo al colegio del Estado, donde el hijo de un profesional se siente capo. ¿Vos qué querés que sea tu hijo? ¿Capo, o punto?

El hombre bajó la cabeza; había comprendido. Pero soltó el más terrible problema del tilingo:

–¿Quién le hace entender eso a mi mujer?

"That is the question".

La educación es secundaria y los hijos se utilizan para la búsqueda del propio *status*. La función que se asigna al Colegio en esta convención no es educar; es dar a los padres un símbolo de *status* que se evidencia por el nom-

Esto sin perjuicio de la preocupación de la dirección de los colegios por ajustar la enseñanza y el tono a las pautas ideológicas de la clase alta, exagerando sus más mínimos prejuicios para asegurarse las alumnas que dan el prestigio a la institución y restringir en lo posible las que lo quitan.

PAUTAS MENORES DE COMPORTAMIENTO

Barrio Norte, automóvil, estancia (o el yate o la quinta en el medio pelo próspero), colegios, son los símbolos básicos.

Le llamo pautas menores a una cantidad de signos de exteriorización del *status* cuya característica constante es el cambio y la movilidad. *La propia inestabilidad del "medio pelo" determina que su posición vertical dependa, como en el trompo, de la velocidad del giro.* Carente de base, parado sobre la punta, si se detiene cae.

Aquí viene aquello de "in" y "out". Es necesario estar "a la page"; lo que es "bien" hoy, deja de serlo mañana. "Saberlas todas", es un índice seguro de *status* .

Así el "medio pelo" se construye su propio idioma, que es una imitación del modo de decir rápido y apocopado de la clase alta. No logra adquirir el tono displicente que disimula el interés personal bajo la apariencia de estar de vuelta de todo en un alejamiento señorial de las cosas concretas, porque la urgencia de las situaciones no da tiempo, pero imita las expresiones apocopadas que multiplica y cambia todos los días convirtiendo el modo de hablar en una especie de lunfardo al revés, para iniciados que están en el secreto cuyas claves también cambian todos los días. Lo mismo ocurre con las preferencias artísticas, con las prendas que se llevan o que no se llevan, con el

---

bre del colegio, el uniforme y hasta el ómnibus; por las relaciones que presuntivamente pueden hacerse; por los círculos a los que tal vez los chicos puedan llevar de la mano a los padres; por los cotejos que entre sí hacen las gordas refregándose unas con otras los nombres de los colegios adonde concurren sus hijos y los apellidos de los compañeros.

Los empresarios de los colegios a su vez, que como los vendedores de automóviles conocen la clientela, sólo se preocupan de la imagen social; el aspecto educacional es accesorio y toda la enseñanza parte de un presupuesto ideológico conveniente a la mentalidad de aquella: así son a su vez fábricas de "medio pelo".

aliño y desaliño turnantes, que se manifiesta en el modo de vestir y el peinado. Igual con la elección de sitios de esparcimiento.[3]

Esta inseguridad "very exciting" rige también para los lugares de veraneo, y dentro de ellos para las playas preferidas. Anótese que digo playas y no sierras, aunque no puedo asegurar lo que va a pasar este año, porque la reciente visita de Jacqueline puede haber provocado una revisión de las pautas vigentes. En esto no hay nunca seguridad, pues la presencia en estos días del duque de Edimburgo, puede acarrear muy graves consecuencias; tanto se insiste en su escasez de recursos, que lo obliga a abstenerse de todo lo que le gusta. No sería extraño que lo elegante fuera dentro de poco "andar tirado", lo que sería lamentable para el "medio pelo" de origen burgués, pero una gran ventaja para los "primos pobres" y la alta clase media, donde los maridos y padres añoran la gloriosa época del *Palacio de los Patos*, cuando se daban corte con su pobreza.[4]

A cada temporada veraniega el "medio pelo" pobre agota sus nervios en la preparación del descanso, porque si la playa es un signo del que no se puede prescindir, este signo va acompañado de otros innumerables que exi-

---

[3] Por ejemplo descubrir una cantina "con mucho color" es un éxito. Pero válido por poco tiempo; los patrones se lo huelen en seguida mientras con mucho aumento de "color local", suben los precios, aparecen en el menú platos insospechados por la vieja clientela que desaparece. Este es el momento en que los patrones de cantina avisados de la calidad de la clientela hacen el negocio de la llave. Los nuevos se la "piyan" y la siguen "a muerte", y poco tiempo después intervienen los rematadores. Hay cantineros profesionalizados que arman lugares especialmente preparados para "que los descubran", pero esto con trampa, porque se hacen con "señuelos", avivados del "medio pelo" que arrastran el público. Lo mismo ocurre con boites y confiterías.

4 Sin embargo la poca atracción de las sierras me parece que se vincula a razones femeninas mucho más atendibles que los simples criterios del "medio pelo". Lo digo porque tuve trabajando conmigo un muchacho a quien de reojo, y a medio oído, lo pesqué en un flirt telefónico nacido de un número ligado. A poco de iniciada la conversación, oí que le preguntaba a la incógnita interlocutora, dónde pensaba veranear y lo vi que de inmediato cortó, como desagradado. Picó mi curiosidad y le pedí que me explicara su actitud, y lo hizo en términos de una sabiduría que no puedo dejar en el anónimo de un episodio intrascendente.

Su respuesta fue: –"Le corté porque me dijo que veraneaba en las sierras", y como notaba mi perplejidad, declaró: –"Es muy gorda o muy flaca, porque las que tienen lo suyo no le disparan a la malla"...

gen la provisión de variados renglones de la hipótesis posible de exhibición. Es un hecho universal que las mujeres nunca "tienen nada que ponerse", pero en verano y en el "medio pelo" la situación es peor.

Es en cambio para los provenientes de la burguesía el momento en que pueden dar suelta con más esplendor a sus posibilidades de consumo. Los pobres retornan a la ciudad en busca de descanso, agotados después de las innumerables piruetas a que obliga el buen parecer y además endeudados, y más dispuestos que nunca a aprovechar el resto del año haciéndoles sentir a sus neófitos burgueses las diferencias de origen y estilo, pues han pasado el verano disimulando cautelosamente sus alojamientos en las modestas pensiones y hotelitos donde se apilan, o amargándole la vida a algún pariente propietario. (Uno de estos me dijo: "Para evitar huéspedes me achiqué, pero las visitas no han disminuido y muchas veces tengo que dormir en la bañadera").

Ser propietario tiene otros muchos inconvenientes, pues el prestigio de las playas varía de un año a otro, y la inversión inmobiliaria apareja el inconveniente de que obliga a ser consecuente con Mar del Plata o Punta del Este. Afortunadamente la alta clase también está invertida, y esto ha obligado a aceptar la convivencia con el desborde multitudinario habitual.

En los grandes hoteles y los casinos, la burguesía del "medio pelo" recobra sus pautas propias y respira a pleno pulmón un aire que si usted no está en el asunto puede creer que es el de mar.

La enumeración y análisis de todos los símbolos que definen el "medio pelo", sería interminable; por eso me limito a las pautas más continuadas y que parecen identificarse con la existencia de esta imagen de *status*.

El trompo gira tan velozmente que la pauta que nace en éste momento que escribo pueden estar olvidada cuando las líneas lleguen a la imprenta, y con seguridad cuando el libro esté en la mesa de la librería. Su fugacidad sólo la hace compatible con el periódico, la radio, la televisión. Son para Landrú, para Tato, para Niní Marshall, tres personajes que me hacen reír mucho. Sobre todo cuando nuestros sociólogos dicen que los argentinos somos tristes.

¿Tristes, con las ganas de reír que tenemos y con la cantidad de personajes reideros que pasan por delante? En realidad nuestros únicos tristes son los zonzos solemnes que lo dicen. Pero también esa es otra historia, que vendrá en un librito que se llamará "Manual de Zonceras Argentinas" que algún día aparecerá, si los lectores son benignos con éste.

PAUTAS IDEOLÓGICAS

De algún modo hay que llamar al repertorio de ideas con que la gente del "medio pelo" parece expresar una visión del mundo y del país. Como se trata de una *postura* y no de una posición, la ideología no tiene ningún fundamento ético y es exclusivamente estética: se adoptan las ideas como medios de acreditar la pertenencia al imaginario *status* .

Todas estas pautas tienden a dar una idea depresiva del país.

A este propósito dije en el artículo de "Confirmado" que ya cité: "Que ese sector se consuma a sí mismo en su propia tontería, no tiene importancia. Lo peligroso para el país es que siga gravitando con su tilinguería en la imagen del mundo. Porque son los tilingos los que desde 1965 en adelante han construido esta imagen argentina de país derrotado, sustituyendo la –si se quiere guaranga– que siempre dio la Argentina, aun en su oligarquía cuando tiraba manteca al techo. Porque guaranga –arrogante y consentida– fue la Argentina del viejo régimen con su rastacuerismo; y lo fue la Argentina de Yrigoyen, pretensiosa de ser algo en el concierto del mundo, y lo fue la de Perón. Riámonos de esas pretensiones y digámosle guaranguería. Pero por ese camino con seguridad se va hacia adelante; por lo menos no se va hacia atrás como en la idea del país mendicante, de "último orejón del tarro" que el tilingo siembra cuando se trata de lo nuestro. Esto no nos ayuda a marchar que es lo que el país necesita. Descorazona, destruye la fe, limita el empuje".

"Estos desclasados como primos pobres están ahora teniendo que alimentar los símbolos sin las rentas necesarias que la simplista estructura liberal no les puede dar. Aferrados a la ficción, a contrapelo de sus posibilidades reales en lugar de comprender su fracaso y rectificar el rumbo para acomodarse a la realidad, se envenenan".

Y se envenenan contra el país. De ahí sale esa expresión ya clásica: "Este país de m...". Es una actitud disminuida, como argentinos; están acechando los baches de la calle, el corte de luz o de agua corriente, la falta de horario del transporte, el vidrio o la ventanilla rota, para dar satisfacción a su masoquismo. Hay algunos que llegan a tal extremo que parecen desear que su mujer los engañe para poder decir que los argentinos son cornudos. Desde que las letras de los tangos han dejado de ser lloronas y de estar construidas sobre la base de "minas que piantan", si aceptan oír un tango es con la condición de que se trate de eso, lo que no les impide agregar a renglón seguido que los argentinos son cafishios. Si por casualidad hacen un viaje al extranjero, en sus comparaciones del retorno nunca recuerdan aquello en que estamos en ventaja, y sí todo lo que en la comparación nos es desfavorable. Y nunca buscan como término de comparación un país de nivel aproximado al nuestro. Siempre el modelo es uno de primera.

Estaba mal el guarango que utilizaba como medida de cotejo internacional el bife a caballo. Pero entre éste y el tilingo, lo positivo para el país era el guarango.

Para esta gente la opinión que importa sobre lo nuestro es la del periódico extranjero. Lo que diga "Financial News", el "Times" o el "New York Herald" y hasta "Pravda", si es desfavorable. Jamás se les ocurrirá pensar que el punto de vista del acreedor es distinto al del deudor, y el del país dominante, al del dominado, y que lo más probable es que lo que esa prensa condena por eso mismo puede ser lo conveniente desde que el interés es opuesto. Antes ya lo he dicho: la gran prensa internacional opina sobre Egipto más favorablemente para Faruk que para Nasser. Es razonable. Lo absurdo sería que los egipcios hicieran su opinión por la de esa prensa.

Por otra parte, desde las altas esferas de gobierno esto se ha estimulado constantemente. ¿Qué significado tienen esas comidas mensuales de la prensa extranjera donde gobernantes y figuras de actuación van con toda regularidad a absolver posiciones ante un grupo de tinterillos presididos por la insolente importancia de un tal Percy Foster, que se permite hacer emplazamientos y sentirse menoscabado por el menor detalle, ni más ni menos que si fuera un embajador?

Pero la culpa no la tiene el chancho sino el que le da de comer, y no se puede pretender que un extranjero tenga mejor opinión del país que la que tienen esos "nativos". Lo de "nativo" no molesta al "medio pelo", más bien agrada.[5]

---

[5] En una audición de televisión, Jorge Sábato, hablando de Nueva York y de esta actitud despectiva para el país, recordó a un argentino que al saber que llegaba de Buenos Aires le preguntó en rueda de norteamericanos, "si siempre las calles de Buenos Aires estaban llenas de baches", contra la lógica más elemental que induciría a suponer la idealización de la patria lejana. Para los norteamericanos, porque el argentino no merecía contestación, dijo Sábato que efectivamente en Buenos Aires se corría el peligro de romperse la pierna en un bache pero nada más, y en Nueva York el peligro era de que las roturas fueran en otro lugar del cuerpo. (Ese año la estadística neoyorquina daba 1.800 violaciones en la vía pública.) Esto no va en desmedro de Nueva York ni de Buenos Aires, pues cada uno es como es y las circunstancias pueden

OBREROS Y "NEGROS"

Beatriz Guido nos ha proporcionado una de las más curiosas pautas ideológicas del "medio pelo": es la dicotomía hecha en sus referencias a los trabajadores, a quienes divide en obreros y "negros".

El obrero es un ente imaginario de piel blanca y apellido preferentemente italiano, más concretamente, ocupado en los servicios públicos, y con una cultura media que lo pone al margen de los movimientos multitudinarios. Su característica no es su ideología, que supone comunista, socialista o anarquista, posiciones repudiables pero cultas.

Esta es una manifestación del racismo del "medio pelo" que se verá en seguida, y no son las pautas de la alta clase las que se reproducen, tanto como las de la común plataforma de la *intelligentzia*, difundidas por la superestructura cultural preexistente, pero cuya responsabilidad directa emana de las llamadas izquierdas y reposa en la existencia de una imaginaria clase obrera, que subsiste en la realidad con la misma consistencia que los 32 gremios democráticos.

Hasta la aparición del cabecita negra había un tácito acuerdo en virtud del cual los obreros y las demás clases tenían un terreno conflictual referido a condiciones de trabajo y a divergencias ideológicas, pero sobre una base de sobreentendidos culturales, y el conflicto era social. Pero este fue alterado por la presencia de los trabajadores argentinos del interior, excluidos como factores sociales.

Este huésped que venía del fondo de la historia, les dio a todos la sensación de que su casa era invadida, provocando idénticas reacciones en *la sala y en la cocina*, en cuanto importaba la integración del país con un elemento descartado en sus esquemas.

Ideológicamente Rodolfo Ghioldi y el Almirante Rojas están diametralmente opuestos, y podrían fusilarse recíprocamente. Pero su actitud es la misma y coinciden cuando se trata de la aparición del elemento auténticamente nacional, porque éste altera los supuestos

---

explicar como aquéllo. Por ejemplo que al concurrir a una escuela mixta, en el baño de las niñas viese este letrero: "NOTICE: You must not come alonel You must come only with another girl". Firmado: The Headmarter.

El Headmarter le explicó a Sábato que era peligroso que las chicas entraran solas al cuarto de baño. ¡Pero lo que diría el "medio pelo", si aquí ocurriese lo mismo!

ideológicos comunes, tal como ocurriría entre Moscú y Nueva York –y posiblemente también Pekín– si ocurriese un desembarco de marcianos. Siguiendo el símil podríamos decir hoy que todavía Pekín representa a los marcianos, pero a condición de que los platos voladores no sean ciertos. Habría entre todas las ideologías un presupuesto común que defender: el de los terrícolas. Para izquierda y derecha la presencia de un trabajador que culturalmente era inexistente, fue un desembarco de marcianos, y sigue siéndolo en la mentalidad del "medio pelo". A contrario imperio han fabricado la imagen de un supuesto obrero que es terrícola, es decir, "decente", parte sana de la población.[6]

Este es el obrero: los "otros" son los "negros".

EL RACISMO DEL "MEDIO PELO"

En el artículo que he citado reiteradamente, digo:

"El racismo es otra forma frecuente de la tilinguería.

"La tilinguería racista no es de ahora y tiene la tradición histórica de todo el liberalismo. Su padre más conocido es Sarmiento, y ese racismo está contenido implícitamente en el pueril dilema de 'civilización y barbarie'. Todo lo respetable es del Norte de Europa, y lo intolerable español o americano, mayormente si mestizo. De allí la imagen del mundo distribuida por la enseñanza y todos los medios de

---

[6] El 24 de octubre de 1945 el órgano oficial del partido Comunista comenta la jornada de días antes: *"Pero también se ha visto otro espectáculo, el de las hordas de desclasados haciendo de vanguardia del presunto orden peronista. Los pequeños clanes con aspecto de murga que recorrieron la ciudad, no representan ninguna clase de la sociedad argentina"*. "La Vanguardia" del 23 de octubre dice: *"En los bajíos y entresijos de la sociedad, hay acumulada miseria, dolor, ignorancia, indigencia, más mental que física, inferioridad y resentimiento... En todas las sociedades quedan precipitados en la miseria que se ramifican como pólipos en las partes más recónditas."*

¿Qué extrañar entonces que el gerente extranjero, el socio del Círculo de Armas, el estudiante empachado de lecturas apresuradas y sin digerir, la dama que ha tenido un problema con la doméstica o la niña, que ve por primera vez una multitud obrera habla de resentimiento y de desclasados, cuando dicen eso los que permanentemente han estado oponiéndose al desarrollo industrial del país en defensa de supuestos trabajadores a quienes aquéllos atribuían el resentimiento, ahora respetables, de sus sociedades de origen?

formación de la inteligencia que han manejado la superestructura cultural del país.

"Recuerdo que cuando cayó Frondizi, uno de los tilingos racistas me dijo, en medio de su euforia:

"–¡Por fin cayó el italiano! –Se quedó un poco perplejo cuando yo le contesté:

"–¡Sí! Lo volteó Poggi.

"Muchos estábamos enfrentados a Frondizi; pero es bueno que no nos confundan con estos otros que al margen de la realidad argentina, tan 'heredoitálica' en el presidente como en el general que lo volteó, sólo se guiaban por los esquemas de su tilinguería.

"Ernesto Sábato, con buen humor, pero tal vez respirando por la herida, ha dicho en *'Sobre Héroes y Tumbas'* más o menos lo siguiente: 'más vale descender de un chanchero de Bayona llamado Vignau, que de un profesor de Filosofía napolitano'. Lo dicho me chocó en mi transformado tilingo inevitable (fui a la misma escuela y leí la misma literatura), porque tengo una abuela bearnesa de apellido Vignau. (Vuelvo a recordar que fui a la misma escuela, etc.)

"La verdad es que ni el presidente ni el general son italianos (después los hicieron vascos a Illia y a Onganía para verlos mejor situados). Simplemente son argentinos de esta Argentina real que los liberales apuraron cortando las raíces.

"Esta mentalidad tiene una escala de valores raciales que se identifica por los apellidos cuando son extranjeros. Arriba están los nórdicos, escandinavos, anglosajones y germánicos; después siguen los franceses; después los bearneses y los vascos; más abajo los españoles y los italianos, y al último, muy lejos, los turcos y los judíos. Cuando yo era chiquilín nunca oí nombrar a un inglés que generalmente era irlandés, diferencia muy sutil entonces, sin decir 'Don', aunque estuviera 'mamao hasta las patas'. El francés, a veces, ligaba el don; y en ocasiones también el vasco. Jamás el español, que era gallego de..., lo mismo que el italiano 'gringo de...' ¿Para qué hablar del *turco* y del *ruso?"*

EL MAESTRO CIRUELA

Pero esta escala no la ha fabricado el "medio pelo". Tampoco la clase alta; ni siquiera la *intelligentzia* que la sigue difundiendo. Está en el entresijo de la enseñanza: en nuestro libro, en nuestra Universidad, en nuestra escuela. Tan en el entresijo que ya no hace falta repetirlo, porque hay un acuerdo tácito y los descendientes de cada una de las razas ocupan su lugar en el palo del gallinero a la hora de dormir, y las que están abajo aceptan como cosa natural que las de arriba...

Oigamos un poco esta música.

"Rossini agasajaba exageradamente a los españoles que encontraba en el camino. Preguntado por el motivo de tal ocurrencia, explicó: –'La Spagna impediva a l'Italia di essere l'ultima nazione d'Europa'. A nuestra vez, los gallegos deben agradecernos a nosotros que les impidamos a ellos, ser la última nación del mundo civilizado".

Podríais creer que la referencia no es racista sino cultural, pero cultura y raza se identifican, y lo que originariamente es intelectual se hace anatómico y viceversa: "En tanto el cráneo de los norteamericanos se ha abovedado, el de los españoles se ha contraído por tres siglos de Inquisición, pues el norteamericano es anglosajón sin mezcla de razas inferiores".

Lógicamente, los argentinos "somos pobres hombres llenos de pretensiones y de inepcia, miserables pueblos ignorantes, inmorales y apenas en la infancia. Somos una raza bastarda que no ocupa sino embaraza la tierra".

Pero vosotros creeréis que la cosa corre con los demás, por ejemplo si sois judíos. ¡Oíd esto, camaradas de la DAIA, que no lo ha dicho Errecarte Pueyrredón sino el cerebro, el gran cerebro, el único cerebro!: "... El pueblo judío esparcido por toda la tierra, ejerciendo y acumulando millones, rechazando la patria en que nacen y mueren... Ahora mismo, en la bárbara Rusia, como en la ilustrada Prusia, se levanta el grito de repulsión contra este pueblo que se cree escogido y carece del sentimiento humano, de amor al prójimo, de amor a la tierra, del culto del heroísmo, de la virtud, de los grandes hechos donde quiera que se produzcan". Y en otra parte: "¡¡Fuera la raza semítica!! ¿O no tenemos derecho, como un alemán, ni cualquiera, un polaco, para hacer salir a estos gitanos bohemios que han hecho del mundo una patria?"

Pero esto de los semitas corre también para los árabes (¿creían los "turcos" que se la iban a llevar de arriba?). Los árabes "son una canalla que los franceses corrieron a bayonetazos hasta el Sahara".

Ni los árabes, ni siquiera todos los alemanes; se dice que vendrán aquellos alemanes del Volga, que son católicos y que efectivamente después vinieron: "Estarían pronto a embarcarse con destino a estas playas cantidad de estos bípedos, razas que están más abajo de los pueblos más atrasados del mundo". ¿Creéis que se salvarán los irlandeses sobre todo esos que andan por ahí disfrazados de ingleses y entreverados en los negocios anglosajones? ¡Que oigan los irlandeses!

"La chusma irlandesa organizada por los curas. El irlandés llega a los Estados Unidos 'borracho e ignorante'. Muchedumbres groseras, ignorantes, atrasadas, las únicas a ese grado". De esta gente desciende vuestro admirado John Fitzgerald (los dos, el que voló a las Malvinas y aquel a quien hicieron volar en Dallas los admirados anglosajones): "Fanáticos, ebrios, semisalvajes". "Si vinieran aquí en diez años quedaría reducida la Argentina a la condición de Irlanda: pueblo por siglos ignorante, fanatizado". El personaje que estoy citando vio en los Estados Unidos unos vagones rústicos, ordinarios, e inquirió para qué se lo utilizaba; los respondieron que para transportar negros y europeos, y le aclararon que "europeos quería decir inmigrantes recién llegados, irlandeses": se tranquilizó, "negros e irlandeses".

"... Se dirá sórdido como un judío, falso como un gringo, sanguinario, inmoral como un argentino".

Supondréis que esto lo ha dicho una señora gorda de las que suelen concentrarse en la calle Austria y Santa Fe para pedir la reaparición del modelo racial que admiran.

¡No! ¡Esto es de Sarmiento! ¡El gran Sarmiento!

Está en toda su obra disimulado por los profesionales del sarmientismo, en la raíz de las ideas básicas que para la mesocultura divulga la *intelligentzia.* Y así Sarmiento es reverenciado por los descendientes de irlandeses y alemanes del Volga, por los descendientes de judíos y árabes, de italianos y españoles, todos conformes en el racismo de Sarmiento. Porque de todos modos ellos están un escalón más alto que los criollos; y les basta aunque de arriba... como en el gallinero. Para esa gente la cuestión es ser más que alguien; no importa ser menos...

Puedo ahorraros la verificación tomo por tomo, página por página de estos dichos, porque el repertorio de las ideas sarmientinas está admirablemente resumido en el libro de Roberto Tamagno "Sarmiento, los Liberales y el Imperialismo Inglés", A. Peña Lillo, editor. Tomadlo juntamente con las obras completas del "maestro" y verificad cita por cita. Y encontraréis mil más que no transcribo porque toda la obra es eso: sandeces injuriosas sobre todos los pueblos que, sin los beneficios de la raza anglosajona y su cultura, no han podido desarrollar la "bóveda craneana" a semejanza de los habitantes de los Estados Unidos.[7]

LA RAZA SUPERIOR

En cambio la raza anglosajona es "la primera en el mundo por su energía, por su trabajo o por las instituciones libres que ha dotado a la humanidad", y es rasgo de "godismo recelar de Inglaterra o hacer ironía con la amistad inglesa".

---

[7] Percibo aquí que los vascos se le han quedado en el tintero al "maestro ciruela", y los lectores pueden imputarme un malicioso ocultamiento. Recordemos esto: "Los países del mediodía de Europa nos traen poco en costumbres y civilización que adelante la nuestra. Sólo por una fuerte educación común puede evitarse que los hijos de vascos italianos y españoles, desciendan a los hábitos industriales, a la incuria y la barbarie de nuestras masas, ya que en falta de instrucción corren parejos".

Ya que estoy en el tema agregaré que en el racismo de nuestra *intelligentzia* antirracista, vascos e irlandeses salen bastante bien librados. Esto no ocurre por obra de "el maestro" sino por la prosperidad frecuente de los descendientes de vascos e irlandeses que ha hecho olvidar que en su origen eran gente muy inferior, cosa que en materia de ilustración no es muy descaminada, pues los inmigrantes originarios de estos dos pueblos estuvieron constituidos en general por pastores. Fue en la época de la lana, entre el 60 y el 80, cuando la explotación de los ovinos, por razones que se han dicho antes, desplazó a los vacunos de la cercanía de los puertos, haciendo que aquéllos ocuparan las mejores tierras. Los ovejeros, técnica que los gauchos desconocían, recibían los piños "al tercio", de manera que en poco tiempo y pese a la tradicional honradez vasca e irlandesa, sus majaditas fueran más grandes que las de los patrones –que eran las víctimas de las epidemias, pues las de los vascos y las de los irlandeses parecían vacunadas–. Pronto, con el importe de la lana, pudieron comprar campos que todavía no habían recibido la fuerte valorización que trajo la expansión agropecuaria. Se trataba de gente muy rutinaria que no salía del campo y sólo se preocupaba de que éste y las majadas se estirasen.

Los hijos se encontraron de pronto dueños de grandes propiedades justo en el momento en que empezaba la valorización, y rápidamente incorporados como propietarios, después sus nietos como profesionales, al nivel de la "gente decente" en la estructura social tradicional, máxime en cuanto se trataba de dos pueblos muy católicos, celosos de la legitimidad del vínculo matrimonial y por consiguiente de la condición exigida en la filiación. Su ascenso

Un inglés que llegó a San Juan por razones mineras "ayudó mucho a levantar el tono de la sociedad regenerada". "Gloria de Dios son los Estados Unidos, Inglaterra, Alemania y Norte de Europa". Es natural entonces que siendo Ministro argentino en la República del Norte propuso un tratado de arbitraje con la misma en que el árbitro sería ¡la Suprema Corte de Estados Unidos! lo que no deja de ser lógico en "el maestro ciruela" por cuanto "para nosotros basta que haya nacido una Constitución y se propague en Norteamérica, para reputarla útil, práctica, económica y fundada en razones".

---

correspondió a una época de permeabilidad social y así respecto de ellos se marginó el racismo por el acostumbramiento.

Tampoco tuvieron la resistencia del criollo, porque practicaban actividades ganaderas marginales para éstos, y sobre todo porque no fueron comerciantes, que eran los que suscitaron más resistencia por la posición de ventaja que llevaban. Además, desligados de sus países de origen en cuanto no representaban naciones oficialmente existentes, tuvieron una adaptación rápida en sus hijos (especialmente los vascos). Quedó aquello de "Hijo del país con gorra 'e vasco" que acredita su rápida adaptación, porque, a diferencia de sus padres, dominaron inmediatamente la técnica del caballo, cosa que aquéllos no lograron (con 50 años de América y a caballo, un vasco siempre parecerá una bolsa de papas y no un jinete).

Los irlandeses sufrieron una diversión. Como la colectividad inglesa era económicamente fuerte pero no numerosa, por la comodidad del idioma y para evitar más contactos con "natives", se les abrió el acceso a la misma y gran parte de los descendientes de irlandeses se anglicanizó rápidamente, casi como si fueran intelectuales nativos.

Recuerdo que para el año 17, durante la primera guerra mundial, participé en los festivales que la Cruz Roja Irlandesa hacía en favor de los aliados, cosa que, a pesar de mi ignorancia de entonces, común a todos los hijos de la enseñanza oficial y la cultura libresca y periodística al "usun delfini", me dejaban perplejo: por un lado los diarios informaban de la revolución sinfeinista, de la huelga de hambre del alcalde de Cork, que murió en su ayuno, y del fusilamiento de un filántropo de reputación mundial, Sir Rogert Cassement, héroe de la Revolución Irlandesa. Y por el otro, estos irlandeses me resultaban devotos de su Majestad Británica. Es que éstos, al incorporarse a las clases altas como ingleses, abandonaban la posición de sus padres que habían emigrado en aquella terrible época en que la población de Irlanda que a principios del siglo XIX era de ocho millones de habitantes, bajó a la cuarta parte en 50 años, por el hambre y la emigración consiguiente. La época también en que eran pocos los irlandeses alfabetos –Sarmiento nos lo explicará por el catolicismo y la barbarie congénita–, cuando los maestros se designaban como "teachers of hordes" porque la enseñanza tenían que hacerla al reparo de las cercas para no ser descubiertos por la policía inglesa que impedía la alfabetización.

¿Dónde está la diferencia con la "señora gorda"?

Le habían fracasado las Invasiones Inglesas. Lo dice: "Todos se preguntan ahora, y diez años después los mismos héroes de la gloriosa hazaña: ¿por qué peleamos contra Inglaterra que nos traía el comercio libre, la libertad de imprenta, el escrito de hábeas corpus, y una civilización que abrazaba todos los ramos de la cultura humana?" "Siendo absurdos los motivos parece ridícula o al menos lastimosa la defensa y ruinosa victoria, porque ruinosa lo fue".[8]

Le fracasó también la inmigración inglesa. Hubo la dominación económica, pero los ingleses no vinieron como inmigrantes ni con las subvenciones de propaganda que Sarmiento dio "para que las leyes de la perfectibilidad humana se realicen por quienes han sido preparados por Dios para realizarlas, que son razas humanas perfectas en su organización y perfectibilidad". Llegaron en cambio gentes del sur europeo que en "Estados Unidos son elementos de barbarie". Hubo que aguantarlos porque los superiores venían como gerentes. (Inglaterra no manda colonos donde hay cipayos que cumplen el oficio.)

Ya que no se pudo hacer el país con las razas superiores, había que anglicanizar en lo posible a los inferiores; aunque no se prestasen por la forma de su bóveda craneana. Así, cuando funda la de la instrucción pública según la concibe, nombra director a un norteamericano, Mr. George Stearns, que recién empieza a balbucear el castellano. Lo que importa no es que el director de la escuela sepa español, sino que los niños aprendan inglés, y así el programa de la escuela de aplicación anexa al curso Normal, y que empieza a los seis años, tiene desde el primer grado enseñanza de inglés que dura los seis

---

[8] Usted ha oído a ese tipo que lamenta llamarse Pérez y no Smith; a ese cretino que cree que seríamos poderosos como los norteamericanos si en lugar de proceder de España y de los indios, del castellano y del catolicismo, procediéramos de Gran Bretaña –no de los indios porque allá fueron exterminados, ya que el único indio bueno es el indio muerto–, del inglés y del protestantismo, olvidando que lo que pasó a esa misma Irlanda, o a cualquiera de las colonias que no fuera Estados Unidos. O esos mismos "algas" de las Malvinas, esclavos ni siquiera del Imperio, pues lo son de una compañía financiera. A ese sujeto que seguramente se mira al espejo y atribuye el déficit de su "bóveda craneana" a la Inquisición. Ese es un hijo de... Sarmiento, con perdón sea dicho de su respetabilísima mamá. Y hay casos más graves aún: hay un sujeto cuyo apellido paterno es un nombre tradicional en la Argentina, pero lo disimula con la inicial para resaltar el apellido británico de la madre: cierto que en estos casos la única segura es la filiación materna.

grados de la enseñanza primaria y los cuatro de la enseñanza Normal, en que era la asignatura más importante. Fue un doble fracaso; ni los entrerrianos se hicieron ingleses, lo que "mediopelezcamente" es lamentable, ni el director aprendió español, lo que es natural, por una razón de respeto hacia la raza superior que Sarmiento comprendía.

FLOR DE CEIBO Y NOSTALGIA

Para el "medio pelo" todo producto industrial argentino es "flor de ceibo". (La humilde flor del ceibo fue declarada flor nacional hace muchos años. No es que sea fea; lo que la desacredita es que es nacional; sus admiradores quisieron honrarla e hicieron de ella un título denigrante aplicado a la industria también conforme a las ideas económicas de "el maestro".

Sarmiento se ha encontrado con Cobden y ha recogido directamente en su ancha oreja aquello de que "Inglaterra será el taller del mundo y América del Sur su granja". Desde el gigantesco receptor transmite con su vozarrón las sabias enseñanzas: "Afortunadamente nuestro inventario se compone de un produco cambiable por todos nuestros consumos. Produce la tierra pasto que nada cuesta y que casi sin costos se transforma en lanas, cuero y carnes". Y entonces prefigura el destino del país: *"Los hombres vivirán en Europa* y la América meridional se destina para estancia, para criar ganado que por falta de espacio no puede criarse allá".

Ya se ha visto que al pie de la letra se tomó la oligarquía eso de vivir en Europa con la estancia aquí. ¿Y los otros argentinos, qué son? No digo nada de las multitudes anónimas incursas en el pecado de no tener cabellera rubia y ojos azules, con los cráneos deformados por el catolicismo, víctimas de la bebida y de todas las taras congénitas comunes a los pueblos que no son "la gloria de Dios". Se lo pregunto al "medio pelo" y a todos los intelectuales de izquierda y de derecha que han sarmientizado al país y pretenden seguirlo haciendo desde sus supuestos culturales, confesada o inconfesadamente. ¿O creéis por ventura que vosotros también sois hombres de los que pueden vivir en Europa, mientras los otros crían ganados y os giran regularmente el importe que los pueblos privilegiados quieran pagar por la transformación del pasto en carne, lana, cuero? ¿Comprendéis ahora a los Borges en las letras, a los Busso en el derecho, a los Houssay en la medicina? ¿No es mejor y más seguro hacer méritos para contar entre los hombres destinados a vivir en Europa, que solidarizarse con los que están trabajando para preparar el contenido de los giros? ¿Comprendéis ahora por qué me indigné cuando Silvina Bullrich dijo que allá están las raíces de nuestra cultura y ésta es la oficina para que manden los giros?[9]

Ya en el capítulo I está dicho lo que el liberalismo piensa sobre la industrialización del país. ¿Qué extrañar entonces lo que piensa la alta clase propietaria de la tierra, que hace tiempo se decidió por la Patria Chica? Su posición no será patriótica pero es congruente con lo que cree sus intereses.

El "medio pelo" en sus sectores provenientes de los "primos pobres" y de la alta clase media es demasiado estúpido para percibir que sólo en la expansión de las posibilidades nacionales está el horizonte que lo libere de la ficción en que vive; su propia mediocridad explica su actitud. En última instancia puede descargar su responsabilidad en la *intelligentzia* que suministró a su frivolidad esos elementos de cultura; pero en los provenientes del desarrollo capitalista, en los nacidos de la creación de condiciones para la burguesía, no sólo se trata de una traición al país: es un suicidio.

Durante mucho tiempo, después de la Revolución del 55, verdaderas columnas de "señoras gordas" salían todas las mañanas en Montevideo del vapor de la carrera y marchaban encolumnadas hasta la plaza Independencia a depositar la consabida corona de flores a la estatua de Artigas, donde las esperaba el embajador argentino, doctor Alfredo Palacios, con sus consabidos

[9] En la época de FORJA, allá por el año 37-38, le comentaba a ese patriota que fue el doctor Goyena, entonces juez del crimen, la insuficiencia de nuestros recursos ante el bloqueo total de los medios de información que oponía la prensa colonial. El doctor Goyena me sugirió que lo fuéramos a ver a don Saturnino Unzué para pedirle una ayuda, y así fue, como este anciano caballero nos citó en su escritorio de la calle Maipú. Allí le expuse cuál era nuestra acción y cuáles nuestras dificultades. Don Saturnino no manifestó ni conformidad ni disconformidad con mi pensamiento. Se limitó a decirme que a él el país no le interesaba. Y como yo me levantase indignado dando por terminada la entrevista porque no tenía nada más que hablar con un sujeto de ese patriotismo como le dije, intentó explicar que sólo había querido decir que a sus años sólo le interesaba el triunfo de sus potrillos y era ajeno a toda preocupación política. Era el ideal de hombre, según la concepción sarmientina, cuyo destino era vivir en Europa de las rentas que proporcionaban los pastos y sacar sus colores triunfantes en Epson, en Ascott, en Deauville y también en Palermo, ya que había nacido en este país y aquí tenía la fuente de sus recursos.

bigotes y discurso. Cumplido el ritual mañanero, las gordas arrancaban a la carrera por la calle 18 de Julio arriba, ávidas de vidrieras y negocios donde aprovisionarse de artículos importados que les habían faltado durante toda la "tiranía sangrienta" que las obligaba a consumir productos "flor de ceibo".

A la misma hora, de la sentina del vapor que las había llevado, salían las mercaderías argentinas que iban a reponer los estantes y las vidrieras montevideanas.[10]

A la noche las señoras gordas, derrengadas y agobiadas bajo el peso de los paquetes, se embarcaban de retorno a Buenos Aires, felices con las compras que habían hecho en la otra orilla.

Ya se ha citado a Imaz cuando se refiere a la falta de conciencia de grupo y de sus intereses de tal, en nuestra burguesía reciente.

---

[10] Los malandrines también conocen al "medio pelo" y hay una poderosa industria nacional que no es flor de ceibo: la del whisky escocés y cigarrillos importados.

Uno de sus vendedores recorre constantemente las compañías de navegación pidiendo embarcarse como tripulante. Carece de libreta, pero insiste en cada compañía una vez por mes. Es hábil para formular el pedido ante el personal superior, y un momento antes de despedirse, ya con la respuesta negativa, extrae el paquete de "cigarrillos importados" y convida al funcionario. Conoce la inevitable pregunta: "¿Puede conseguirme?" A los pocos días aparece con una docena de cajas "made in Avellaneda", que lo único que tiene de auténticas es la falta de estampillas.

Si esto ocurre en un medio que está al cabo de la calle en esto del contrabando, imagínese cómo será entre los "giles".

Un conocido distribuidor de periódicos, Sanz, especializado en publicaciones uruguayas, me contó que cada vez que iba al puerto a retirar los paquetes había un muchachón que se ofrecía para acompañarlo. En su extrema diligencia, el muchachón al pasar frente al marinero de la salida de Viamonte, se bajaba del auto para regalarle un diario, y en seguida, un poco más allá, sobre Madero, se despedía y bajaba del coche para entrar al café que está en la esquina de Madero y Viamonte.

Tardó bastante en descubrir el secreto, que era el siguiente: Su desinteresado ayudante compraba en cada oportunidad dos o tres docenas de lapiceras "birome" en la calle Canning, a diez pesos cada una, y entraba al puerto con ellas en el bolsillo. Cuando le entregaba el periódico al marinero, los clientes que lo esperaban en el café suponían que dentro del diario iba el "arreglo" porque estaban "vichando" la salida del puerto. Acreditada así la procedencia extranjera de las biromes, se vendían allí mismo a cincuenta pesos cada una. ¡Y los compradores eran a su vez vivos que las iban a revender precisamente a los detractores de los artículos "flor de ceibo"!

Si prefiere la experiencia personal, visite usted la casa de uno de estos burgueses de "medio pelo" y encontrará la documentación más concluyente: la radio, el televisor, las máquinas de confort hogareño, de refrigeración y limpieza, las telas de los trajes y vestidos, las alfombras, las lámparas, las bebidas que consumen, los cigarrillos que se fuman y comprobará que todo es de procedencia extranjera. No necesitará indagarlo, porque el dueño de casa se adelantará a decírselo, orgulloso de la inversión de sus fondos negros, porque todo lo argentino, menos lo que él fabrica, es "flor de ceibo" y no puede compararse con el artículo importado.

En realidad esto de la mercadería "flor de ceibo" se corresponde con aquello de "este país de m...".

Pero también hay la inteligencia "flor de ceibo", que está constituida por los que intentan pensar como nacionales, tema que exige una particular atención que le dedicaré en la edición ampliada de "Los Profetas del Odio", que seguirá inmediatamente a la aparición de este libro.[11]

---

[11] "Flor de Ceibo" comenzó a ser el profesor universitario que no salía de las consagraciones de la *intelligentzia* también de derecha e izquierda. En 1955 no hubo dificultades de izquierda a derecha para excluirlos de la Universidad. Pero no se los excluyó en función de su aptitud técnica en que supuestamente los "flor de ceibo" eran inferiores, según las medidas técnicas de la *intelligentzia*. Se los excluyó en cuanto eran expresiones de lo nacional y el peronismo fue el pretexto. Se los excluyó porque habían tenido la insolencia de intentar expresar una inteligencia argentina al margen de la plataforma común de derecha e izquierda. El crimen no era ser marxista o liberal, que desde el punto de vista de la *intelligentzia* es cosa a posteriori. El crimen fue pensar y establecer jerarquías intelectuales fuera de los cauces predeterminados. Y en eso estuvieron todos de acuerdo, prefiriendo participar en los concursos. La *intelligentzia* consagrada temía perderlos en la confrontación técnica, y el objetivo perseguido era simplemente totalizar de nuevo la superestructura de que todos forman parte en común.

Pruebas al canto.

Art. 32 del decreto 6403 del gobierno del Gral. Aramburu sobre la Universidad:

"No serán admitidos al concurso quienes hayan realizado actos positivos y ostensibles de solidaridad con la dictadura, que comprometa el concepto de independencia y dignidad de la cátedra."

Hemos oído a los liberales.

Oigamos ahora a un marxista.

José Luis Romero, interventor en la Universidad en la que el doctor Ismael Viñas es secretario, aclara el alcance del referido decreto:

Hay otras muchas pautas ideológicas menores cuya importancia es sólo relativa. La más típica de ellas es la actitud nostálgica del pasado, la permanente remisión a una Jauja a la cual todos han pertenecido. Es la tía Leonor, dueña del landó; el pariente encumbrado que era primo carnal de la mamita vieja, y la "señora mayor", que solía visitarnos. La estancia que se malvendió. Toda una temática de evasión a un supuesto país perfecto cuyas duras realidades borran sus perfiles embellecidos por el recuerdo, que se adorna de gasas que el tiempo esfumina, y tiene la belleza marchita de las flores al día siguiente del sepelio, mientras su ácido olor se respira en el ambiente que van dejando libre los empleados de pompas fúnebres, al retirar los candeleros del velorio. "Cuando mi recuerdo va hacia ti se perfuma", dijo el poeta. Y esa imaginería tiene la belleza de lo que pudo ser y no fue. La belleza de la novia con quien no nos casamos, a condición de no encontrarla a la vuelta de la esquina. El "quiero y no puedo" consciente de su ficción se inventa un pasado...

Aquí también está malparada la burguesía del "medio pelo". Los recuerdos inmediatos se vinculan más con Lanús y Gerli que con el Barrio Norte, y no hay "mamita vieja" ni "señora mayor", porque mencionarla sería meter el dedo en el ventilador. Pero pronto se descubre un recurso que sólo es nuevo para los nuevos. Saltar una o dos generaciones y descubrirse una familia importante en Europa. Oyéndolos uno termina por creer que la emigración fue un deporte y que los antepasados inmigrantes eran turistas de lujo que fueron ganados por el paisaje.

"Los que hayan propuesto o participado en actos individuales o colectivos, encomiando la obra de la dictadura, realizados dentro o fuera de la Universidad, invocando o no su condición de universitarios".

La "flor de ceibo" fue sustituida por la "Flor de Romero".

Todo los separa, como se ve en el actual conflicto universitario, cuando el problema es entre ellos. Todo los une cuando, vivito y coleando, aparece el finado: el país real con sus hijos que pretende participar en la construcción de una historia que no es la del grupo intelectual que la ha deformado para que sólo estén presentes las hipótesis de la Patria Chica que conforman su mentalidad de cipayos de cualquier metrópoli, porque lo importante es que el país se acomode a su extranjería mental. Y esto de Botet a Rolando García:

–¡Ah! Si de pronto apareciera otra vez la multitud argentina: los veríais unirse como en 1930, en 1945 y en 1955.

LA GRAN PAUTA

Las situaciones que caracterizan al "medio pelo" evolucionan históricamente como se anticipó en la introducción de este trabajo, cuando se explicó el criterio aplicado para recoger del ambiente una expresión ya formada para calificar este equívoco estrato social. Se vio entonces que lo que define es esa calidad de equívoco y ambiguo, la naturaleza imitativa y ficticia del *status* que sus componentes se atribuyen, con prescindencia del nivel social en que esto ocurre y que está determinado por la composición social en cada momento histórico.

Así vimos que en la sociedad tradicional el "medio pelo" se ubicaba por debajo de la parte decente y sana de la población en el rango que entonces se entendía por "de gente inferior" en cuanto un grupo del mismo intentaba reproducir las pautas correspondientes a la gente principal. También se vio que donde "gente inferior" y color se identificaban, como en el Caribe, el "medio pelo" se manifestaba en los "morenos" que querían disimular su condición adoptando las pautas de comportamiento de los blancos. Aquí eso fue excepcional dado lo reducido de la población de color, que como se recuerda en la cita que allí se hace, estaba a fin del siglo pasado casi exclusivamente constituida por los ordenanzas de las grandes reparticiones y sus familias que repetían en su vida "social" los modos de los altos funcionarios ante quienes actuaban, "con las bandejas". (Recordemos que la actividad más generalizada aun en la colonia entre los morenos fue la de domésticos y que, libertos, adoptaron los apellidos de sus patrones con los que todos ostentaban apellidos tradicionales que hacían más propicia la actitud). Entre 1920 y 1930 el grupo más numeroso de morenos, entre los que contaban los últimos de la raza ya en extinción, que desempeñaban tareas en el Congreso y en la Casa de Gobierno y aquellos en que Vacarezza reclutó muchas veces elementos para el espectáculo, tenían un club, al que he concurrido en mis andanzas políticas entre las secciones electorales octava y segunda de la capital, en el barrio que se extiende entre San Juan y el Parque de los Patricios. Allí me fue dable observar ese amaneramiento de que habla la cita y que subsistía en la agonía de un grupo racial.[12]

---

[12] Es útil señalar el contraste de lo que ha ocurrido con los morenos de Buenos Aires y la otra orilla del río, en Montevideo. Mientras aquí práctica-

Pero como se ha dicho esto era de excepción. La expresión "medio pelo" tenía entre nosotros ya una aceptación más amplia y no caracterizada racialmente. Así se comenzó a atribuir con preferencia a capas procedentes de las primeras promociones inmigratorias, para terminar aplicándose a niveles mucho más altos, que es el criterio usado en este libro, pues lo que en definitiva determina la calificación no es el nivel adonde se produce, sino el carácter falso de las situaciones y el pie forzado con que se las sirve, es decir la ficción.

Esta ficción de *status* ha existido siempre pero sin el carácter masivo de los últimos años, en que dejó de ser episódico y excepcional para convertirse en el modo del vasto sector que se ha analizado. También se ha visto que esta generalización se produce en el momento histórico de lo que diremos el "aluvión zoológico" para

---

mente han desaparecido, en la vecina orilla subsisten numerosos en la variada gama de negros, mulatos cuarterones, etc. La estadística oficial da un número mucho más reducido que el que resulta para mí de la empírica observación. Yo he limitado mis investigaciones a recorrer durante bastante tiempo los campos de deportes y especialmente los picados de fútbol, en las canchas improvisadas en potreros y baldíos y me ha resultado siempre un promedio de dos o tres morenos cada once, es decir aproximadamente del 20%. La mayor abundancia debe atribuirse desde luego a que Montevideo fue "asiento" de esclavos, y a que el Uruguay fue durante muchos años refugio de muchos esclavos fugados del Brasil. A este propósito se hace un juego humorístico con el dicho "no hay negro que no sea blanco", porque es una regla casi unánime que son políticamente blancos. Tal vez la razón de esta particularidad esté en que el partido Blanco con sus estancieros y caudillos protegía a los esclavos fugados por su posición rioplatense, mientras los colorados que más bien eran brasileristas los devolvían a sus amos del otro lado de la frontera.

Pero el hecho que parece inexplicable es que en Buenos Aires se han extinguido mientras en Montevideo se multiplican normalmente aunque decolorándose; audazmente intento explicarlo por la mucha mayor afluencia inmigratoria de este lado del río que produjo respecto de los morenos el efecto destructor que fauna u hombre importado producen con la introducción de sus enfermedades para las que el indígena no tiene defensa. Los que hemos conocido los estragos que produjo la tuberculosis en las primeras décadas del siglo, particularmente en los morenos que parecían especialmente indefensos respecto de ella, podemos creer que esa es la explicación; en cambio en la vecina orilla la inmigración no fue tan masiva sino mucho más gradual y menos heterogénea.

emplear un término característico del "medio pelo". La posición adversa al mismo es *ab-initio* un signo de *status*. Ni remotamente toda la gente que se ubica contra el movimiento de 1945 es "medio pelo"; pero todo el "medio pelo" está en esa posición porque ella se convierte como signo negativo en un signo afirmativo del *status* que se busca.

Cuando la clase alta, pasados los episodios de la Unión Democrática, se retrae a su propio medio alejándose de los contactos populares, el "medio pelo" afirma aún más este signo para convertirlo en el signo de los signos. A través de la Unión Democrática, la gente del "medio pelo" ha tenido por un tiempo la ilusión del mismo *status* con la clase alta. Cuando ésta se retrae necesita aferrarse a las pautas que motivaron la convivencia y el "antiperonismo" le resulta el único nexo subsistente. Valorizarlo como símbolo es confirmarse en el *status* que se atribuye. Con el transcurso del tiempo se convierte en el símbolo por excelencia y así el antiperonismo se convierte en la pauta de las pautas: la Gran Pauta.

Esta pauta las resume a todas porque es pauta de comportamiento y pauta ideológica. Como pauta ideológica contiene todos los elementos intelectuales aportados por el sarmientismo de la *intelligentzia* que se acaban de ver y como pauta de comportamiento resume, en la calcomanía de las pautas de la clase alta los signos de distinción que se buscan en ella. Cumple además otra función integradora porque en la comunidad del símbolo, y por el contraste que éste establece con el resto de la sociedad que el "medio pelo" considera por debajo de su *status*, es un instrumento de fusión endógeno al grupo, que permite en cierta manera reconstruir la imagen de la sociedad tradicional que había derogado el fenómeno inmigratorio. Para los supuestos del "medio pelo" se ha reconstituido la separación entre ente principal, "parte sana y decente" de la población, y clase inferior constituida por los "negros". Sólo que ahora la parte sana y decente se configura con los gringuitos adentro, lo que explica que uno de ellos haya podido hacer la calificación de *aluvión zoológico*.

Creo que con esto está bien claro que Perón o Peronismo no son más que nombres ocasionales, pretextos; el antiperonismo es tan hecho social como el peronismo; mientras aquél es el nombre que tiene la integración de toda la sociedad argentina en una nueva configuración, éste expresa la resistencia a la misma. Perón o Mongo, ese es el hecho adjetivo. Lo sustantivo es lo que se acaba de decir y se repetirá respecto del hombre o del grupo social que aparezca encabezando la integración inevitable; se reiterará la misma situación que se produjo entonces y cuyos valores entendidos subsisten, al margen de las virtudes o vicios que tenga la conducción. Con mayor razón si el hombre o grupo conductor surge de los estratos medios de la sociedad, y aun por la influencia de un Alcibíades o un Julio César salidos de la clase alta. Este será un desertor que por el solo hecho de actuar al servicio de la causa nacional, identificada con la integración, recibirá las mismas calificaciones y servirá como pauta definitoria a contrario imperio.

Perón y el peronismo, para emplear los términos corrientes de la Sociología de la Cátedra no son otra cosa que el marco de referencia.[13]

La vigencia de las pautas peyorativas respecto de lo popular generó a su vez reacciones defensivas que recíprocamente se convirtieron en pautas valorativas, tal como ocurrió con la expresión "descamisado", que terminó por ser signo positivo de afirmación de lo detractado. Recíprocamente, "oligarca" y

---

[13] Sarmiento había dicho: "nuestra República es democrática, oligárquica y aristocrática". "Habrá una clase pensante, directora, poseedora del suelo". Dirá alguna vez, "estoy divorciado de las oligarquías, los aristócratas, la gente decente a que tengo el honor de pertenecer", porque es primo pobre, y aun en riesgo de pasar por gaucho. Desde ese resentimiento de primo pobre dirá entonces de la oligarquía: "¡Fue plebeya y rastrera, nunca tuvo parques para divertirse cazando!" (Como los ingleses, ¡genial el argumento!). Pero este descontento es episódico: "La república debe ser gobernada por caballeros, natural autocracia". Una "minoría ilustrada poseedora de la propiedad, descendiente de europeos e indígenas ya conquistados a la civilización". Es el mismo concepto del Congreso unitario de 1826 y por eso dice: "Hasta 1831 no gobernaban sino los decentes". "Cuando decimos pueblos entendemos los notables, activos, inteligentes, clase gobernante". "Somos la gente decente". "Patricios a cuya clase pertenecemos nosotros, pues no ha de verse en nuestra cámara ni gauchos ni negros ni pobres". "Somos la gente decente, es decir, patriotas" (ya se ha visto a qué llama patriotismo este p...rócer, este p...atriota. Como cantan los muchachos: "muchas cosas... empiezan con P). "Nosotros los demócratas y republicanos que no queremos que se entrometan en nuestros gobiernos otros que los que llevamos frac".

Ahora ya podemos ver con claridad: Lo mismo es Perón que Mongo.

hasta "cipayo" y "vendepatria", concluyeron siendo calificaciones aceptadas que el "medio pelo" asumió entre humorística y complacidamente, ya que no contrariaban sino que se conformaban las dos segundas con sus pautas ideológicas y con las de comportamiento, la primera.

Así el mote "grasa" adquirió un sentido reivindicatorio, por oposición a la supuesta calidad selecta del adversario y ser "grasa", se hizo necesario en el dirigente político y gremial del peronismo, a pesar del contraste evidente, con el ascenso económico colectivo y el particular del dirigente que invocaba la calidad, a pesar del reloj-pulsera, inevitablemente de oro, y la cómoda casita de extramuros.

Así en la vida interna del movimiento era frecuente apelar a la condición de "grasa" para prevalecer sobre los miembros del movimiento que por su origen o su condición no se comportaban como tales, o no simulaban hacerlo.

Recuerdo un episodio que me ocurrió en una reunión en Remedios de Escalada.

Se discutía una posición táctica del movimiento, y dos de mis oponentes, para debilitar mis proposiciones, invocaban constantemente su condición de "grasas", colocándome en el debate, como si yo fuera "sapo de otro pozo".

Se trataba de dos ferroviarios, pues predominaban, como era lógico, en el lugar, los obreros del riel y les advertí que en primer término, en el movimiento ya no había "grasas" –calificación correspondiente a la etapa anterior al ascenso de peones a obreros–. Los concurrentes allí eran obreros y no "grasas" y ese ascenso era, precisamente, el significado social profundo del movimiento, agregando, entonces, que si aceptábamos que los obreros eran "grasas" y no tales, lo único que probaríamos es que en lugar de haber presidido el ascenso social habría sido el descenso su resultado. Más tratándose de ferroviarios, que nunca habían sido "grasas" sino un sector privilegiado dentro de los trabajadores argentinos.

Casi afirmaría, agregué, y sin conocerlos, que ustedes dos tienen casa propia y están en riesgo de ser calificados como "oligarcas" en un planteo como el que traen que excluye a los no "grasas" de la participación en el mismo. Se trata de una posición de mala fe y exijo que los compañeros presentes se pronuncien al respecto. Se pronunciaron y los dos supuestos "grasas" se llamaron a silencio.

Esta posición negativa es ahora estimulada por ciertos sectores de la antigua izquierda que están resultando más papistas que el Papa, y pretenden configurar el movimiento peronista en relación con su momento originario, y no con su composición actual, hija de la transformación operada en el país durante su proceso de ascenso colectivo.

La misma gente que con su ideología de importación definió el movimiento de 1945 como un movimiento de la clase media fascistizante, y al aporte obrero de las masas en ascenso como un lumpen-proletariat marginal, ahora pretende definirlo como un movimiento exclusivamente proletario. (Entonces transfirió la expresión lumpen-proletariat, cuya significación marxista corresponde al desclasamiento de un proletariado marginal al fenómeno de integración social por ascenso de los migrantes del interior). (Ver nota 6 de este capítulo). Con la misma desaprensión que negó condición obrera a los trabajadores de la base, ahora excluye la existencia de los grandes sectores de las otras clases que contribuyen a su conformación, y aun los mismos de procedencia proletaria, que se han calificado en el ascenso colectivo. Aparentando una revisión de sus errores anteriores, reinciden en los mismos porque el error es de método. No quieren entender la naturaleza vertical de los movimientos de la sociedad argentina por lo que no se ajustan sus conclusiones a la realidad, sino que someten ésta a la necesidad de encuadrarla en el esquema prefabricado de la ideología importada, que demanda una visión exclusivamente horizontal de los desplazamientos sociales.

Es que persisten en los errores de la *intelligentzia* y como los liberales son también discípulos de Varela: "El sombrero está hecho y hay que ajustar la cabeza al mismo".

Lo gracioso es su soberbia, común a toda la *intelligentzia*. Confiensan que no entendieron, se rectifican en las conclusiones sobre el ayer, pero en el presente actúan con la misma seguridad que antes, y enjuician la fórmula química siguiendo en la total ignorancia de sus componentes, porque son incapaces de la humildad intelectual que exige prescindir de la sabiduría libresca para considerar los hechos argentinos que no están contenidos en los estantes de la biblioteca.

Esta petulancia de la *intelligentzia* trajo dentro del movimiento otra pauta dañosa también de rechazo: la subestimación de lo intelectual que fue arrastrada por la justificada hostilidad a la *intelligentzia*. Hubo una expresión, "cráneo", afortunadamente ya echada al olvido, y en virtud de la cual se reaccionaba adversamente a la jerarquización intelectual de los militantes; actitud defensivamente explicable ante la conducta de la *intelligentzia*, pero peligrosa en la maduración del proceso que debe hacerse, como se está logrando, por la formación de una auténtica inteligencia nacional.

Conclusiones

Al que escribe le suele suceder lo que en el juego, según dice un paisano de Javier de Viana: "Se dentra con un rial pa' despuntar el vicio, y cund'uno acuerda, está metido con caballo ensillao y todo".

Así me pasó con este libro. Pensé primero en unas notas periodísticas inspiradas en el ridículo del "medio pelo". Algo para el humor fácil, y como todo humor, hijo de una amargura encubierta por la risa. Es cosa de varón esto de esconder la queja aunque más no sea porque el "calavera no chilla".

Pero a medida que iba entrando en el tema fui comprendiendo su importancia, sobre todo cuando percibí que la tilinguería, absorbiendo a la burguesía reciente, había destruido una de las fuerzas potenciales para la construcción de la Patria Grande.

Toda mi vida se ha concentrado en ese objetivo que ahora consiste en *modernizar*, que es lo que modestamente está a nuestros alcances en el limitado tiempo y espacio de que disponemos. Yo sé que esto le parecerá muy poco a los grandes ideólogos revolucionarios de la *intelligentzia*; pero sé que este programita sencillo y de vuelo corto los tiene en contra cada vez que se intenta, porque, como he dicho en otra parte, preocupados por volar muy alto, le sacan la escalera al que quiere subir un poco con la complacencia de los que quieren que no subamos nada.

Y así fue como me encontré que esto del "medio pelo" tenía una proyección que no había percibido en el primer momento. Esto me llevó a analizar la evolución de la sociedad en la historia y comprobé en seguida que no se acomodaba a los esquemas transferidos desde otras sociedades y desde los cuales se sacan conclusiones. Al mismo tiempo fui percibiendo la importancia de las pautas en los grupos sociales.

Creo que le debía esta explicación al lector, que, a pesar de la advertencia del subtítulo, pudo ser atraído exclusivamente por lo del "medio pelo", como por una trampa.

* * *

Que la alta clase propietaria de la tierra se aferre al país chico, no será patriótico, pero es congruente, como ya se ha dicho. También se ha dicho que es explicable que la imagen de un *status* seduzca con su jerarquía supuesta a los "primos pobres" y a la alta clase media. Pero que la burguesía desnaturalice su función histórica adoptando las pautas ideológicas de las clases que se oponen a su desarrollo, es una aberración, porque su posición antinacional significa una posición antiburguesa, ya que el desarrollo de un capitalismo nacional depende exclusivamente de la modernización de las estructuras. Así, sólo la dirección de los trabajadores aparece cumpliendo su función histórica y teniendo que cubrir, además de su tarea en la conducción del proletariado, el claro, la vacante de la función abandonada por la burguesía, en la expansión hacia la Argentina potencia.

* * *

La historia vista desde la influencia de las pautas lleva necesariamente a la investigación de las élites que las elaboran. Así vemos que en el comportamiento opuesto en las guerras civiles del pasado, un común origen social y la pertenencia de grupo, no impiden la existencia de pautas distintas que corresponden a la visión del papel de la plebe constituyente de las grandes masas del país.

Los Federales las consideran parte de la historia, porque su idea es la construcción del país según su naturaleza. Los Unitarios las excluyen porque su ideario es la construcción del país al margen de aquélla.

Después de Caseros se impusieron las pautas ideológicas de los Unitarios y se empezó a acomodar la cabeza al sombrero como quería Florencio Varela. La élite vencedora realizó, con todo, una política del país, pues cualquiera sea el juicio que nos merezca, su política de grupo social coincidió con la preocupación de buscar su grandeza; ya se ha dicho que por un camino equivocado que tenía el límite a corto plazo. La política fue antinacional por la ideología que la inspiró, pero los que la realizaron creían que hacían política para la Nación. Su progresismo dio sus frutos en la expansión agropecuaria y el nacimiento de un país nuevo al que aportó la inmigración. Fue una política de Patria Chica que creyó que el litoral era toda la Patria. El roquismo trajo una visión más integral en el espacio. Traía también una visión económica nacional que de cumplirse pudo haber adelantado la integración social con la integración económica e incorporado el criollaje del interior a niveles sociales modernos.

Pero el roquismo que había ganado la batalla en las trincheras la perdió en los títulos de propiedad de la provincia de Buenos Aires y fue asimilado por la clase alta terrateniente que impuso definitivamente las pautas del país dependiente.

La generación del 80, que pudo constituir la nueva élite para el nuevo país, se incorporó a la oligarquía porteña y se ahogó en el abrazo del acuerdismo. La presidencia Quintana fue el símbolo de esta renuncia a la grandeza. A su vez, esa vieja élite porteña con sus apéndices del interior, se desarraigó y perdió toda idea de construcción nacional. Dejó de ser élite desde el punto de vista político porque se hizo conservadora y su conciencia de grupo sólo actuó desde entonces y sigue actuando para mantener el país dentro de lo ya logrado. Es el adversario neto de la modernización de las estructuras y además tiene conciencia de su alianza con las fuerzas extranjeras que nos tienen reservado un destino apendicular.

* * *

Desde entonces el país no tiene élite conductora.

No la dio la inmigración y su integración con el país tuvo que hacerse a través de un caudillo: Yrigoyen.

Caído el caudillo, careció de conciencia histórica y fue cuestión de tiempo que los descendientes de inmigrantes, en su afán de ascenso en el *status*, fueran absorbidos por la ideología de la vieja clase que no contrariaba fundamentalmente la promoción de su ascenso vinculado al desarrollo de la expansión agropecuaria.

Cuando el país ya no cabía dentro de los límites previstos en el "progreso ilimitado" el Estatuto Legal del Coloniaje de la Década Infame le impuso un lecho de Procusto. Pero la Gran Guerra lo reventó interrumpiendo la ecuación exportación-importación, y obligando al país a potenciarse por sí mismo. Inmediatamente, éste dio un salto –tan contenido estaba en su expansión– y producto de ese salto fue el hecho económico social que generó a Perón. Mal o bien, este caudillo rigió la nueva integración argentina: la de los criollos que sucedían a la de los gringos, e imposible sin la modernización de las estructuras, que de hecho produjo la guerra mundial.

Pero faltó la élite burguesa correspondiente al momento histórico que la clase obrera por sí sola no podía reemplazar en una sociedad como la nuestra, que necesita la cohesión vertical de las clases de ascenso para vencer al enorme poder de los intereses preexistentes, nacionales y extranjeros, que se oponen a que seamos potencia.

* * *

La Revolución de 1955 –después de la leve vacilación Lonardi– concibió la solución suprimiendo un pedazo de historia. Quiso volver atrás borrando el paréntesis de modernización de las estructuras que cubría 10 años de los más intensamente vividos en el país. En lo económico y lo social, intentó restaurar la situación vigente en la Década Infame. En lo político, la vieja ordenación de los partidos. Pero el país había crecido y era otro. Si era imposible restaurar aquella economía y aquella sociedad, tampoco era posible restaurar su estructura política. La expresión política Perón era el producto de que ya estaba muerta en 1946. ¿Cómo de otra manera pudo ser posible que un hombre desconocido dos años antes rompiera los cuadros de los partidos, y absorbiera al mismo tiempo las nuevas promociones sociales que se incorporaban a la historia?

La historia de estos 10 últimos años con sus idas y vueltas no es más que la documentación de que el viejo país está muerto y sólo puede subsistir transitoriamente y por la imposición de la fuerza, pero así y todo, en las apariencias formales y no en la sustancia. El emparchado traje democrático con que se quiere cubrir la ficción de una sociedad organizada, no da para más y hay que regalarlo al cotolengo.

Las Fuerzas Armadas asumen el poder y abandonan también la ficción constitucional, porque la Constitución vigente debe adaptarse al Estatuto de la Revolución emanado de la comandancia de las tres armas. Las vestales de la Constitución, ahora ni se tapan el rostro con las manos, ni se arrojan cenizas sobre el pelo (ésta es una ficción literaria, porque la mayoría son peladas). Alguna, como ha dicho otro, es devorada por el Ministerio del Interior. El juez Botet, que procesó a los legisladores peronistas por un supuesto acuerdo de facultades extraordinarias, es funcionario de la nueva estructura jurídica que condiciona la Constitución al "dictat" de los comandos. Allá ellos, que son los que sostenían que los pueblos son para las constituciones y no las constituciones para los pueblos. No es problema mío ni de los que piensan como yo. Es un problema de honradez intelectual que sólo a ellos se les plantea. El país está al margen.

Tampoco es problema de las Fuerzas Armadas.

* * *

La Revolución enuncia como objetivo fundamental de sus tareas, la *modernización de las estructuras*, pero esto implica fatalmente la revisión de todos los supuestos de la Revolución Libertadora; modernizar las estructuras supone sustituir estructuras, y la única estructura que se puede sustituir modernamente es la del país viejo, conformado dentro de los límites de la economía dependiente. Supone acelerar el desarrollo capitalista, y esto sólo es posible por la industrialización y la diversificación de los mercados en lo interno, y la ampliación de los externos. En lo social apareja acelerar la integración, levantando el nivel de las masas por la plena ocupación que trae aparejada su actuación política, económica, social y técnica. Pero esto es precisamene aquello a que se opone la estructura económica perimida.

La suerte de esta revolución está ligada a la conciencia que tenga de lo que significa la función histórica que ha asumido.

Un publicista de mucha gracia dice que las revoluciones militares tienen tres etapas: la víspera, el día siguiente, y *el día menos pensado*. Es una expresión humorística que contiene una verdad incontrastable, aplicable al caso.

La voluntad de modernizar las estructuras pertenece a la etapa de la víspera; ahora estamos en el día siguiente que es una etapa de tanteos en la que la concepción teórica empieza a percibir las posibilidades de su aplicabilidad y las fuerzas profundas que se oponen. *El día menos pensado* ocurre cuando ya se tiene la carta de situación, como dicen los militares, y hay que poner en ejecución el pensamiento de la víspera. O tirarlo al canasto de papeles donde se acumulan las intenciones.

* * *

El país carece de élite conductora y la revolución militar significa que las Fuerzas Armadas se constituyen en ella.

Si actúan como élite conductora, asumirán el papel que se han asignado en la víspera, pero eso implica que deben resignarse a no contar con la unanimidad democrática que es una máscara inconciliable con la tarea a cumplir; tendrán inevitablemente que chocar con las mismas fuerzas que se han opuesto en lo interior y en lo exterior a todo proceso de modernización, y serán dictadura, y también tiranía, porque eso no resulta de la mano fuerte o de la mano blanda, sino de los intereses que se lesionan y disponen de toda la superestructura cultural para crear la imagen política del gobierno. Frente a esas resistencias tendrán que buscar el apoyo de los grandes sectores vinculados a la modernización del país, y esto también las caracterizará como antidemocráticas, porque descubrirán que la democracia es una ficción que no debe trascender de los límties convencionales establecidos por la vieja estructura. Al mismo tiempo tendrán que defenderse de restauraciones aun más remotas que les propondrán aquellos a quienes el país actual nunca les viene bien, porque en lugar de caminar hacia el futuro, fugan hacia un pasado imaginario e imposible.

Las fuerzas de apoyo a la modernización del país no son hijas de una ideología, sino de la realidad artificialmente contenida; están ahí y las etiquetas que las dominan no tienen importancia porque los hombres son anécdotas y ellas son hijas de un hecho histórico cuya vigencia tampoco depende de nombres sino de hechos.

Si las Fuerzas Armadas entienden que vienen a cumplir la función de élite que está vacante en el país, tienen un largo proceso para cumplir en el ejercicio de la modernización de las estructuras. Si no lo cumplen, y no comprenden el paralelogramo de las fuerzas del que ellas son una, en que la oportunidad histórica les ha dado la función de élite, sus días son cortos: *el día menos pensado* no estará lejos, y las fuerzas del pasado celebrarán el espíritu civilista con que retornarán a los cuarteles, recogiendo del cotolengo el traje que habían regalado.

* * *

Pero a las Fuerzas Armadas como tales, en su carácter específico se les plantea, mejor dicho se han planteado ellas, una hipótesis que se refiere a su propio destino.

La República había renunciado a su grandeza. No tenía destino de potencia y eso llevaba implícito que no había destino para las Fuerzas Armadas. Sin proyección internacional, a lo sumo con una función apendicular en la hipótesis de un alineamiento mundial para la guerra, como cuerpo expedicionario, las Fuerzas Armadas carecían de objetivo, al carecer de objetivo el país mismo. Sin la finalidad básica de un pensamiento militar, este se transformaba en un pensamiento policial; el instrumento de la soberanía devenía inevitablemente en solo instrumento del orden interno: del orden interno de las viejas estructuras que se oponen a la modernización.

El simple enunciado de modernización de las estructuras importa ya una idea de potencia. ¿Quiere la Revolución, que la Argentina sea potencia?

Sí: lo quiere. Y por eso enuncia su voluntad modernizadora. Esto significa plantear la política del Estado desde un punto de vista totalmente inverso al de las fuerzas conservadoras, que consideran que hemos llegado al límite de nuestras posibilidades y aceptan para el país un papel secundario y declinante.

* * *

Pero no sólo en el orden interno hay fuerzas que se oponen a la modernización. En el esquema internacional de las fuerzas imperiales la Argentina tiene que seguir siendo un proveedor de materias primas y es a nuestro vecino Brasil a quien se ha asignado el papel de potencia industrial. Allí es donde debe hacerse la modernización de las estructuras, si es que esto significa otra cosa que aumentar el número de rejas de los arados, la mejora por la genética, etc., en fin, ampliar un poco los límties del país agropecuario. Para esto basta con la encomiable labor del INTA, un buen manejo del crédito y... iba a decir una buena comercialización de la producción agropecuaria, pero esto no está en los papeles de los asociados en ACIEL.

Para semejante viaje no hacen falta estas alforjas.

Ocurre así que buscando el país real y sus exigencias las Fuerzas Armadas se encuentran a sí mismas. Pensar el país en dimensión de potencia, le restaura a las Fuerzas Armadas el sentido histórico de su misión específica que no es la que le asignaban los "Regimientos de Empujadores" y los "Batallones de Animémonos y Vayan" de civilacos que merodean por los cuarteles cuando el país real los descarta, y vuelven a merodear cuando consideran que debe terminar la intervención de los mismos, para restablecerlos a ellos.

Hay que hacer de la Argentina una potencia y esa es la tarea que asume la élite.

Si la revolución asume la responsabilidad que se ha atribuido no sólo se la va a combatir de frente. La van a flanquear, y saber estas cosas del "medio pelo" puede ser muy interesante para sus hombres. A medida que se asciende en todos los grados de la sociedad, la búsqueda del prestigio es una legítima preocupación humana. Hay sucedáneos de la gloria y el honor de cumplir con el deber que impone el culto de la verdadera personalidad.

En el principio del capítulo anterior he hablado del orgullo y de la vanidad haciendo un cotejo entre los mismos.

Ya se ha visto cómo a través de las pautas del prestigio social la burguesía que se inicia con la modernización de nuestras estructuras traiciona su destino. He mencionado en muchas oportunidades cómo la carrera de las armas fue marginada del *status* de la alta clase, a la que excepcionalmente tuvieron acceso los hombres de armas. Pero también la alta clase con su fino sentido de su interés como tal, sabe abrir sus puertas ocasionalmente al acceso de quienes no la constituyen, para por los cauces del prestigio social subordinados a sus pautas, inculcarles primero las de comportamiento, para inculcarles después las ideológicas. Este contacto ocasional dura mientras es necesario, pero la asimilación se hace definitiva en el "medio pelo" que es el resultado fatal de una ilusión frustrada.

Hablando de los medios de propaganda en 1945 y 1946, dije que los periódicos entraban por la puerta de calle mientras "la voz maldita" de la radio entraba por la cocina y por las ventanas. Ahora puede ocurrir al revés, y que las pautas destinadas a destruir la posible élite conductora de la modernización de las estructuras, en lugar de entrar por la puerta de calle que ellos cierren, entre subrepticiamente a través de los familiares que están menos defendidos por el sentido de la misión.

* * *

List en su "Sistema de economía nacional" había ya teorizado las bases de la grandeza económica y el movimiento del romanticismo alemán había generado el impulso sentimental tendiente a la constitución de una nación poderosa. Pero las clases dominantes,una burguesía preindustrial, y sobre todo una nobleza minimizada, conservadora de los privilegios vigentes en la anarquía del país atomizado por pequeños reductos de intereses locales opuestos a la realización general, se aferraban a la imagen que corresponde a la ideología de la "Patria Chica" entre nosotros. Correspondió a Bismarck la tarea de cumplir el cometido exigido por la grandeza alemana desbordando los pasos primarios del "zollverein" hasta lograr la unidad alemana.

Lo que importa es señalar que esa política la cumplió apoyándose, frente a la incapacidad de la nobleza y la burguesía, en los "junkers" del oeste alemán y en la formación militar nacida de su seno. Ante la carencia de élites que cumplieran su papel la realizó improvisando la élite conductora con los elementos teóricamente menos señalados para cumplir el desarrollo capitalista, y en los que la falta de la mentalidad correspondiente fue suplida por la concepción nacional de la potencia: por una volntad de destino nacional de que las supuestas élites carecían y contra la cual actuaban negativamente. Paralelamente surgió un poderoso movimiento socialista que realizó la integración nacional en las bases populares. De esa conjunción operativa resultó la gran Alemania que pudo absorber en el proceso la contradicción ideológica de las dos fuerzas con una resultante de interés general cuyo signo positivo expresó la potencialización germánica. Hoy y aquí, podríamos llamar a ese proceso de modernización de las estructuras absorbiendo las contradicciones en las pautas comunes de la grandeza nacional, en cuyo amplio horizonte de Patria Chica caben todas las contradicciones menos las que surgen de la aplicación de las pautas de la Patria Chica.

Frederick Clairmonte (Op. cit.) dice a este propósito: "Alemania superpoblada y empobrecida a comienzos de la tercera década del siglo, se encontraría subpoblada veinte años más tarde, viéndose obligada a recurrir a las reservas de fuerza laboral de sus vecinos menos desarrollados. La superpoblación, característico azote del subdesarrollo, había desaparecido".[1] Pero

[1] Conviene recordar aquí lo que dice el mismo autor al hablar de este desarrollo demográfico, y cuáles fueron los factores que lo determinaron: "El

nuestros liberales de la "Sociedad Rural" y "ACIEL", como los ya citados Fano y Hueyo, no pueden comprender que la superpoblación desaparece por aumento de la receptividad, y sólo atinan a la fórmula de la "Patria Chica": adecuar la población a la economía ya existente, es decir, despoblando. Hipótesis de Patria Chica conforme a la cual Alemania hubiera continuado siendo la miserable nación de que hablaba Voltaire, esa que Stahl –ministro de finanzas de Austria– describía sarcásticamente como el conjunto "de esos territorios que figuran en los mapas con el nombre de Alemania".

¿Esperaremos que sea así descripta la Argentina por el ministro de finanzas de algún vecino poderoso?

* * *

Así he venido desde Juan de Garay a parar en esto que llamo "Conclusiones". He querido mostrar en el transcurso de este libro, a cuyas últimas líneas llegas, lector, si has tenido paciencia, la gravitación que las pautas dominantes en una sociedad tienen sobre su destino. Esta es la única función docente que tiene la historia: enseñarnos el presente y el futuro por lo que sucedió ayer. Esa es la razón por la que se la falsificó sistemáticamente en nuestro país, oponiendo a una historia de la política una "política de la historia" como lo digo en "Política nacional y Revisionismo histórico".

---

zollverein, los ferrocarriles, el intervencionismo estatal y la industrialización". Porque es inútil pensar la gran nación como un sueño y reverenciar las ideas que la limitaron. (Te lo digo Juan, para que lo entiendas Pedro y no intentes pescar... sin mojarte como corresponde.)

ÍNDICE

Esta edición que fue encargada especialmente por Ediciones Corregidor, con el auspicio de Nueva Dirección en la Cultura, en el marco de la realización de la muestra: Basta de Zonceras, Jauretche llega a La Rural y el año Jauretchiano, constituye la primera entrega productiva de una empresa argentina recuperada por sus trabajadores.

Se terminó de imprimir en
Chilavert Artes Gráficas Coop. Ltda.,
Chilavert 1136, Buenos Aires, en noviembre de 2002